BESTSELLER

Valerio Massimo Manfredi es profesor de arqueología clásica en la Universidad Luigi Bocconi de Milán. Ha realizado numerosas expediciones y excavaciones, y ha impartido clases en Italia y en diversas universidades internacionales. Ha publicado numerosos artículos y ensayos académicos, principalmente sobre rutas militares y comerciales e investigaciones sobre el mundo antiguo. Es autor de nueve libros de ficción, incluyendo la trilogía de *Aléxandros*, traducida a veinticuatro idiomas en treinta y ocho países. Los derechos cinematográficos han sido adquiridos por Universal Pictures para llevar a cabo una superproducción internacional. Ha escrito y dirigido documentales sobre el mundo antiguo para las cadenas más importantes de televisión, así como obras de ficción para el cine y la televisión. Actualmente vive con su familia en el campo, cerca de Bolonia en Italia.

Biblioteca

VALERIO MASSIMO MANFREDI

Aléxandros I
El hijo del sueño

Traducción de
José Ramón Monreal

DEBOLSILLO

Título original: *Aléxandros. Il figlio del sogno*
Diseño de la portada: Arnoldo Mondadori Editore, SpA, Milán
Adaptación del diseño de la portada: Equipo de diseño editorial

Tercera edición en esta colección: marzo, 2004

Printed in Spain – Impreso en España

ISBN: 84-9759-440-1 (vol. 496/3)
Depósito legal: B. 10.329 - 2004

Fotocomposición: Revertext, S. L.

Impreso en Litografia Rosés, S. A.
Progrés, 54-60. Gavà (Barcelona)

P 894401

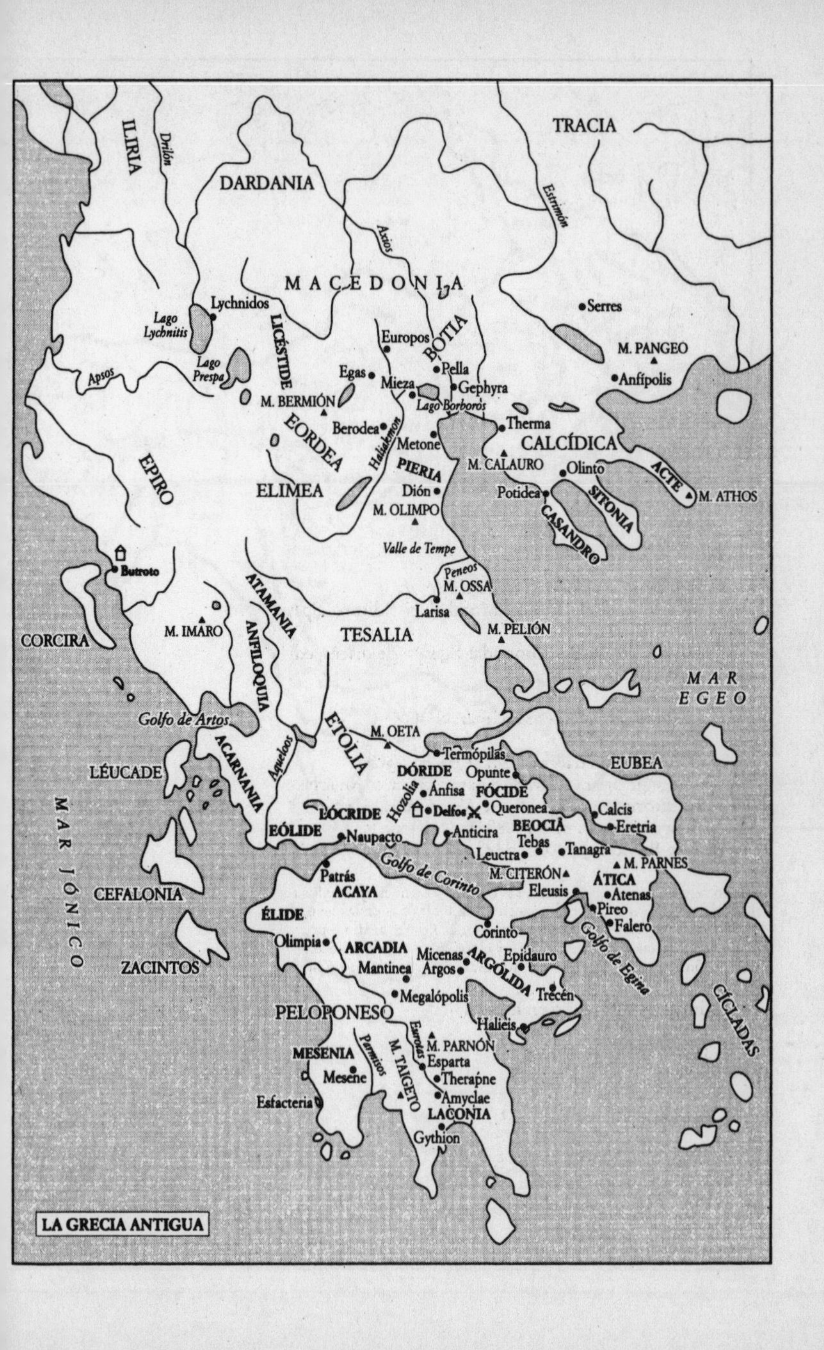

ILIRIA
Drilón
DARDANIA
TRACIA
Estrimón
Axios
MACEDONIA
Lychnidos
Lago Lychnitis
Lago Prespa
Apsos
LICÉSTIDE
Europos
BOTIA
Pella
Egas
Mieza
Gephyra
Lago Borboros
M. BERMIÓN
EORDEA
Berodea
Haliakmon
Metone
Therma
Serres
M. PANGEO
Anfípolis
CALCÍDICA
M. CALAURO
Olinto
ACTE
M. ATHOS
SITONIA
Potidea
CASANDRO
PIERIA
Dión
M. OLIMPO
Valle de Tempe
EPIRO
ELIMEA
Butroto
Peneos
M. OSSA
Larisa
ATAMANIA
M. IMARO
ANFILOQUIA
TESALIA
M. PELIÓN
CORCIRA
MAR EGEO
Golfo de Artos
ETOLIA
M. OETA
Termópilas
ACARNANIA
Aqueloos
LÉUCADE
DÓRIDE
Opunte
EUBEA
Ánfisa
FÓCIDE
Hozolia
Delfos
Queronea
LÓCRIDE
Calcis
Eretria
BEOCIA
EÓLIDE
Naupacto
Anticira
Tebas
Leuctra
Tanagra
MAR JÓNICO
Golfo de Corinto
M. CITERÓN
M. PARNES
Patrás
ÁTICA
ACAYA
Eleusis
Atenas
CEFALONIA
Pireo
ÉLIDE
Falero
Corinto
Golfo de Egina
Olimpia
ARCADIA
Micenas
Epidauro
ARGÓLIDA
Argos
Mantinea
ZACINTOS
Trecén
Megalópolis
CÍCLADAS
PELOPONESO
Halieis
Eurotas
M. PARNÓN
MESENIA
Parmisos
M. TAIGETO
Esparta
Mesene
Therapne
Amyclae
Esfacteria
LACONIA
Gythion
LA GRECIA ANTIGUA

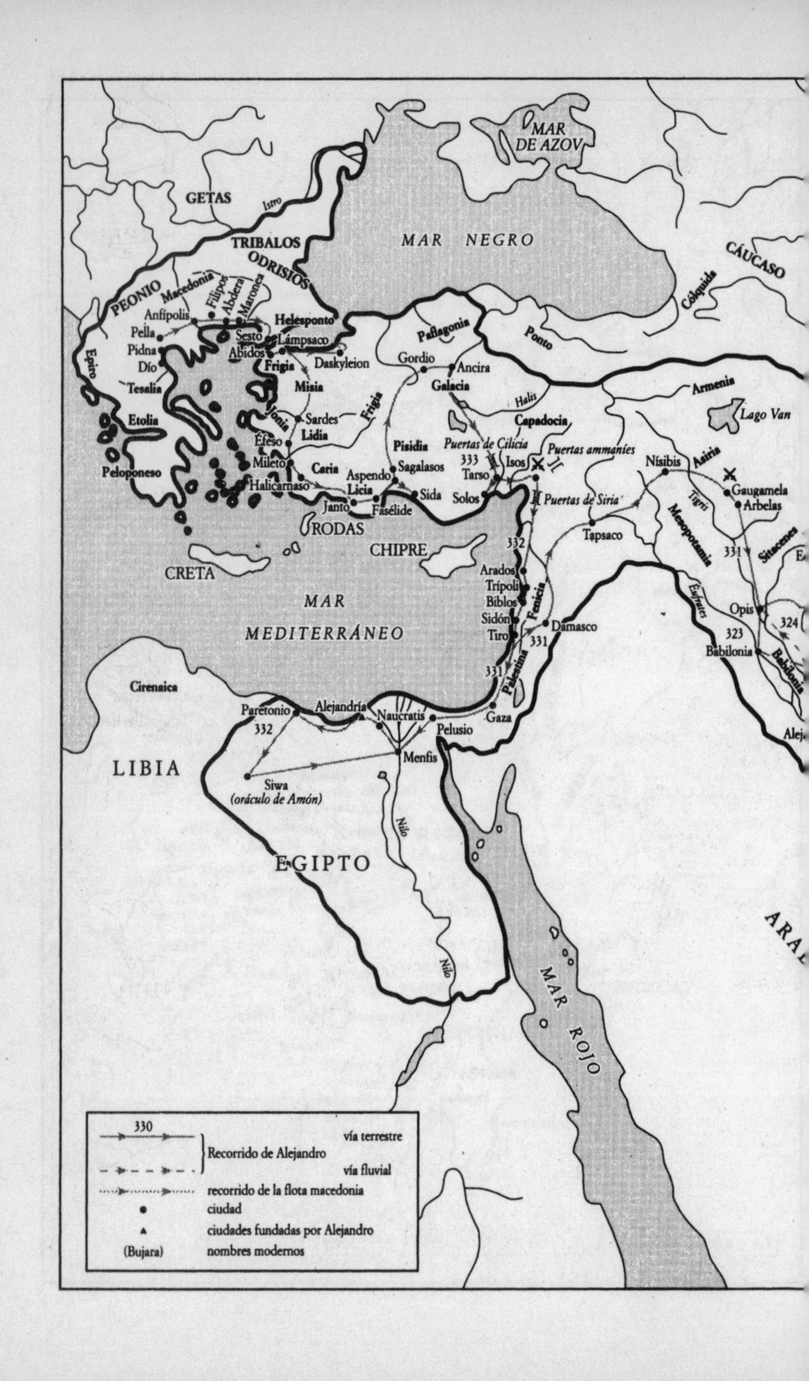

MAR DE AZOV
GETAS
Istro
TRIBALOS
ODRISIOS
MAR NEGRO
CÁUCASO
PEONIO
Macedonia
Filipos
Abdera
Maronea
Anfípolis
Pella
Pidna
Dío
Epiro
Tesalia
Etolia
Peloponeso
Helesponto
Sesto
Lámpsaco
Abidos
Frigia
Daskyleion
Misia
Jonia
Sardes
Lidia
Éfeso
Mileto
Caria
Halicarnaso
Paflagonia
Ponto
Cólquida
Gordio
Ancira
Galacia
Halis
Armenia
Lago Van
Frigia
Capadocia
Pisidia
Puertas de Cilicia
333
Puertas ammaníes
Nísibis
Asiria
Aspendo
Sagalasos
Tarso
Isos
Gaugamela
Arbelas
Licia
Sida
Solos
Puertas de Siria
Tigris
Janto
Faselide
Tapsaco
Mesopotamia
RODAS
332
CHIPRE
331
Sitacenes
CRETA
Arados
Trípoli
Biblos
Fenicia
Éufrates
MAR
Sidón
Opis
MEDITERRÁNEO
Tiro
Damasco
324
331
323
Babilonia
Babilonia
331
Palestina
Cirenaica
Paretonio
Alejandría
Naucratis
Pelusio
Gaza
332
Menfis
LIBIA
Siwa
(oráculo de Amón)
Nilo
EGIPTO
Nilo
MAR ROJO
330
vía terrestre
Recorrido de Alejandro
vía fluvial
recorrido de la flota macedonia
ciudad
ciudades fundadas por Alejandro
(Bujara)
nombres modernos

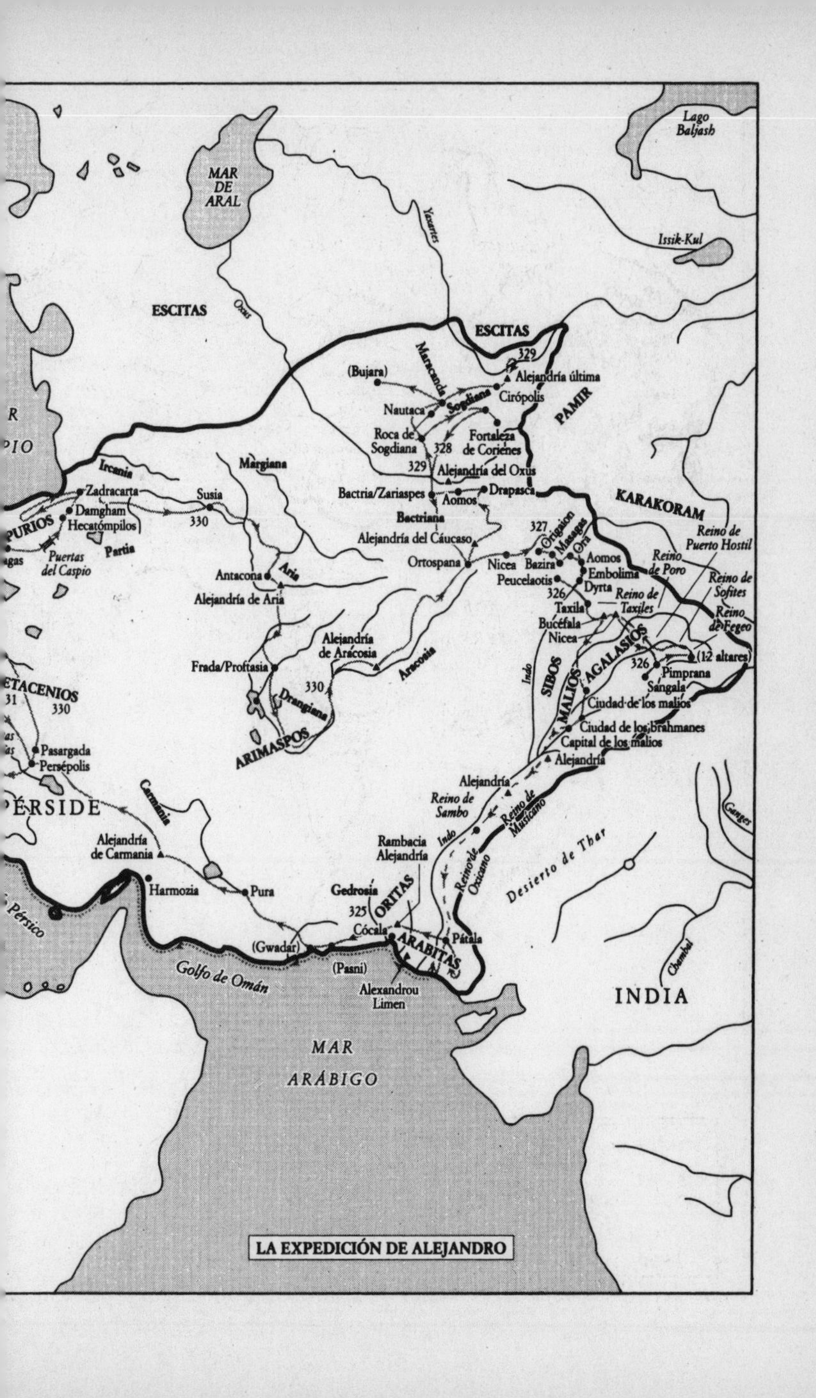
LA EXPEDICIÓN DE ALEJANDRO
Lago Baljash
MAR DE ARAL
Issik-Kul
Yaxartes
Oxus
ESCITAS
ESCITAS
Maracanda
(Bujara)
329
Alejandría última
Cirópolis
Nautaca
Sogdiana
PAMIR
Roca de Sogdiana
328
Fortaleza de Coriénes
329
Alejandría del Oxus
Margiana
Ircania
Zadracarta
Damgham
Hecatómpilos
Susia
330
Bactria/Zariaspes
Aomos
Drapasca
KARAKORAM
Bactriana
Puertas del Caspio
Partia
Alejandría del Cáucaso
327
Origaion
Masagas
Ora
Reino de Puerto Hostil
Antacona
Aria
Ortospana
Nicea
Bazira
Aomos
Embolima
Reino de Poro
Reino de Sofites
Alejandría de Aria
Peucelaotis
326
Dyrta
Taxila
Reino de Taxiles
Reino de Fegeo
Bucéfala
Nicea
Alejandría de Arácosia
Aracosia
AGALASIOS
326
(12 altares)
Pimprana
Sangala
Frada/Proftasia
330
Drangiana
SIBOS
MALIOS
Indo
Ciudad de los malios
Ciudad de los brahmanes
Capital de los malios
ARIMASPOS
Alejandría
Pasargada
Persépolis
330
Alejandría
Reino de Sambo
Reino de Musicano
Ganges
PÉRSIDE
Carmania
Alejandría de Carmania
Rambacia Alejandría
Indo
Desierto de Thar
Harmozia
Pura
Gedrosia
ORITAS
Reino de Oxicano
325
Cócala
Pátala
ARABITAS
Pérsico
(Gwadar)
(Pasni)
Golfo de Omán
Alexandrou Limen
Chambal
INDIA
MAR ARÁBIGO

Et siluit terra in conspectu eius
(«Y la tierra enmudeció en su presencia»)

Macabeos, 113

ANTECEDENTES

Los cuatro magos subían a paso lento los senderos que conducían a la cumbre de la Montaña de la Luz: llegaban de los cuatro puntos cardinales trayendo cada uno una alforja con las maderas perfumadas destinadas al rito del fuego.

El Mago de la Aurora llevaba un manto de seda rosa con matices de azul y calzaba sandalias de piel de ciervo. El Mago del Crepúsculo llevaba una sobrevesta carmesí jaspeada de oro, y de los hombros le colgaba una larga estola de biso recamada con idénticos colores.

El Mago del Mediodía vestía una túnica de púrpura adamascada con espigas de oro y calzaba unas babuchas de piel de serpiente. El último de ellos, el Mago de la Noche, iba ataviado con lana negra, tejida con el vellón de corderos nonatos, constelada de estrellas de plata.

Caminaban como si el ritmo de su andadura fuese marcado por una música que sólo ellos podían oír y se acercaban al templo con paso acompasado, recorriendo distancias iguales, aunque uno subía un repecho pedregoso, el otro andaba por un sendero llano y los últimos avanzaban por el lecho arenoso de ríos ya secos.

Se encontraron ante las cuatro puertas de entrada de la torre de piedra en el mismo instante, justo en el momento en que el alba vestía de una luz perlina el inmenso territorio desierto de la planicie.

Se inclinaron mirándose al rostro a través de los cuatro arcos de entrada y acto seguido se acercaron al altar. El primero en dar comienzo al ritual fue el Mago de la Aurora, que colocó en cuadrado unas ramas de madera de sándalo; le siguió el Mago del Mediodía que añadió, en sentido oblicuo, unas ramitas de acacia formando pequeños haces. El Mago del Crepúsculo amontonó sobre aquella base maderas descortezadas de cedro, recogidas en el bosque del monte Líbano. Por último, el Mago de la Noche puso encima unas ramas peladas y secas de encina del Cáucaso, madera castigada por el rayo, secada por el sol de las alturas. Acto seguido los cuatro extrajeron de las alforjas los sílices sagrados e hicieron saltar al mismo tiempo azuladas chispas en la base de la pequeña pirámide hasta que el fuego comenzó a arder, primero débil, tímidamente, pero luego cada vez más intenso y brioso; las lenguas rojas se tornaron azules y casi blancas, hasta que finalmente fueron semejantes en todo al Fuego del cielo, al aliento divino de Ahura Mazda, dios de verdad y de gloria, señor del tiempo y de la vida.

Sólo la voz pura del fuego murmuraba su arcana poesía dentro de la gran torre de piedra; ni siquiera se oía el respirar de los cuatro hombres inmóviles en el centro de su inmensa patria. Contemplaban arrobados cómo la sagrada llama tomaba su forma de la simple arquitectura de las ramas colocadas artísticamente sobre el altar de piedra, tenían su mirada fija en aquella luz purísima, en aquella danza maravillosa de luz, elevando su plegaria por el pueblo y por el Rey. El Gran Rey, el Rey de Reyes que se sentaba lejos, en la resplandeciente sala de su palacio, la inmortal Persépolis, en medio de un bosque de columnas pintadas de púrpura y de oro, custodiado por toros alados y leones rampantes.

El aire a aquellas horas de la mañana, en aquel lugar mágico y solitario, estaba calmado, tal como debía ser a fin de que el Fuego celeste tomara las formas y los movimientos de su naturaleza divina, que siempre lo empuja hacia lo alto para unirse con el Empíreo, su fuente originaria.

Pero de golpe sopló una fuerza poderosa sobre las llamas y las apagó. Ante la mirada estupefacta de los magos, también las brasas quedaron convertidas en negro carbón.

No hubo ninguna otra señal ni sonido, salvo el fuerte chillido del halcón que ascendía por el vacío cielo, ni hubo tampoco ninguna palabra. Los cuatro hombres se quedaron estupefactos junto al altar, afectados por un triste presagio, derramando lágrimas en silencio.

En aquel mismo instante, muy lejos, en un remoto país de Occidente, una muchacha se acercaba, temblando, a las encinas de un antiguo santuario con el fin de solicitar una bendición para el hijo que sentía moverse por primera vez en su seno. El nombre de la muchacha era Olimpia. El nombre del niño lo reveló el viento que soplaba impetuoso entre las ramas milenarias y agitaba las hojas muertas a los pies de los gigantescos troncos. El nombre era:

ALÉXANDROS

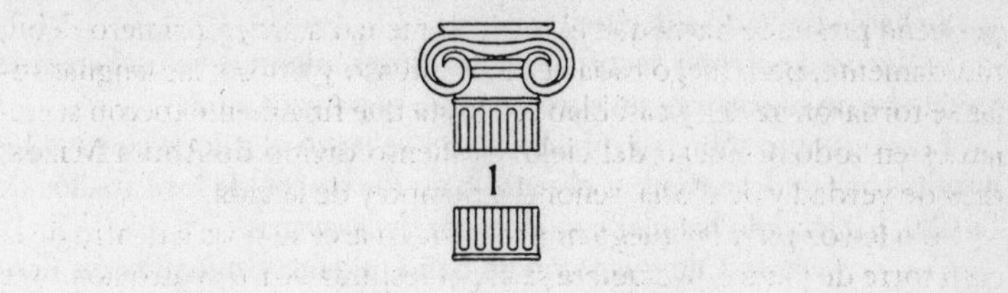

Olimpia se había dirigido al santuario de Dodona por una extraña inspiración, por un presagio que la había visitado en sueños mientras dormía al lado de su marido, Filipo, rey de los macedonios, ahíto de vino y de comida.

Soñó que una serpiente reptaba lentamente a lo largo del corredor y que luego entraba silenciosamente en el aposento. Aunque ella la veía, no podía moverse, así como tampoco gritar ni escapar. Los anillos del gran reptil deslizábanse por el suelo de piedra y las escamas relucían con reflejos cobrizos y broncíneos bajo los rayos de la luna que entraban por la ventana.

Por un momento había deseado que Filipo se despertase y la tomase entre sus brazos, le diese calor contra el pecho fuerte y musculoso, la acariciase con sus grandes manos de guerrero, pero su mirada enseguida volvió a posarse sobre el *drakon*, sobre aquel animal portentoso que se movía como un fantasma, como una criatura mágica, una de ésas que los dioses despiertan por simple placer de las entrañas de la tierra.

Extrañamente, ya no le producía miedo ni sentía ninguna repugnancia; es más, se sentía cada vez más atraída y casi fascinada por aquellos movimientos sinuosos, por aquella potencia silenciosa y llena de gracia.

La serpiente se introdujo bajo las mantas, se deslizó entre sus piernas y sus pechos y ella sintió que la había poseído, ligera y fríamente, sin causarle el menor daño, sin ninguna violencia.

Soñó que su semen se mezclaba con el que el marido había expelido ya dentro de ella con la fuerza de un toro, con la fogosidad de un verraco, antes de caer vencido por el sueño y el vino.

Al día siguiente el rey se puso la armadura, comió carne de jabalí y queso de oveja en compañía de sus generales y partió para la guerra. Una guerra contra un pueblo más bárbaro que sus macedonios: los tribalos, que se vestían con pieles de oso, se cubrían la cabeza con gorras de piel de zorro y vivían a orillas del río Istro, el más grande de Europa.

Se había limitado a decirle:

—Recuerda ofrecer sacrificios a los dioses mientras yo esté ausente y concibe un hijo varón, un heredero que se parezca a mí.

Luego montó sobre su caballo bayo y se lanzó al galope con sus generales, haciendo retumbar el patio bajo los cascos de los caballos de batalla, haciéndolo resonar con el fragor de las armas.

Tras su partida, Olimpia tomó un baño caliente y, mientras sus doncellas le daban masaje en la espalda con esponjas empapadas en esencias de jazmín y de rosas de Pieria, mandó llamar a Artemisia, su nodriza, una anciana de buena familia, de enormes pechos y estrecho talle, que se había traído de Epiro al venir para unirse en matrimonio con Filipo.

Le contó el sueño y le preguntó:

—Mi querida Artemisia, ¿qué significa?

—Hija mía, los sueños son siempre mensajes de los dioses, pero pocos son los que saben interpretarlos. Creo que deberías dirigirte al más antiguo de nuestros santuarios; consulta al oráculo de Dodona, en nuestra patria, Epiro. Allí los sacerdotes se transmiten desde tiempos inmemoriales cómo leer la voz del gran Zeus, el padre de los dioses y de los hombres, que se manifiesta cuando el viento pasa a través de las ramas de las milenarias encinas del santuario, o bien cuando hace susurrar sus hojas en primavera o en verano, o las agita ya secas en torno a los raigones durante el otoño o el invierno.

Y así, pocos días después, Olimpia emprendió viaje camino del santuario erigido en un lugar de imponente grandiosidad, en un valle verdeante enclavado entre boscosos montes.

Decíase de aquel templo que era uno de los más antiguos de la tierra: dos palomas habían emprendido el vuelo de la mano de Zeus cuando hubo conquistado el poder tras expulsar del cielo al padre Cronos. Una había ido a posarse sobre una encina de Dodona, la otra sobre una palmera del oasis de Siwa, entre las ardientes arenas de Libia. En aquellos dos lugares, desde entonces, podía oírse la voz del padre de los dioses.

—¿Qué significa el sueño que he tenido? —preguntó Olimpia a los sacerdotes del santuario.

Éstos se hallaban sentados en círculo en unos asientos de piedra, en medio de un verdísimo prado florido de margaritas y ranúnculos, y estaban escuchando soplar el viento que agitaba las hojas de las encinas. Hubiérase dicho que totalmente arrobados.

Uno de ellos dijo por fin:

—Significa que el hijo que nazca de ti descenderá de la estirpe de Zeus y de un mortal. Significa que en tu seno la sangre de un dios se ha mezclado con la sangre de un hombre.

»El hijo que des a luz resplandecerá con una energía maravillosa, pero lo mismo que las llamas que arden con luz más intensa queman las paredes del candil y consumen más deprisa el aceite que las alimenta, así también su alma podría quemar el pecho que la alberga.

»Recuerda, reina, la historia de Aquiles, antepasado de tu gloriosa familia: le fue concedido elegir entre una vida breve y gloriosa y otra larga pero oscura. Eligió la primera: sacrificó la vida a cambio de un instante de luz cegadora.

—¿Es éste un destino ya escrito? —preguntó Olimpia temblando toda ella.

—Es un destino posible —repuso otro sacerdote—. Los caminos que un hombre puede recorrer son muchos, pero algunos hombres nacen dotados de una fuerza distinta, que proviene de los dioses y que trata de retornar a ellos. Guarda este secreto en tu corazón hasta que llegue el momento en que la naturaleza de tu hijo se manifieste en su plenitud. Entonces prepárate para todo, incluso para perderle, porque hagas lo que hagas no conseguirás impedir que se cumpla su destino, que su fama se extienda hasta el último confín del mundo.

No había terminado aún de hablar cuando la brisa que soplaba entre el ramaje de las encinas se transformó de repente en un fuerte y cálido viento del Sur: en poco rato alcanzó una fuerza tal que dobló las copas de los árboles y obligó a los sacerdotes a cubrirse la cabeza con sus mantos.

El viento trajo consigo una densa calina rojiza que oscureció enteramente el valle; también Olimpia se arrebujó el cuerpo y la cabeza con el manto, quedándose inmóvil en medio del torbellino, como la estatua de una divinidad sin rostro.

La ventolera pasó tal como había llegado y, cuando la calina se aclaró, las estatuas, las estrellas y los altares que adornaban el recinto sagrado aparecieron cubiertos de una fina capa de polvo rojo.

El último sacerdote que había hablado la rozó con la punta de un dedo y se la acercó a los labios.

—Este polvo lo ha traído el soplo del viento líbico, aliento de Zeus Amón que tiene su oráculo entre las palmeras de Siwa. Es un prodigio extraordinario, una señal portentosa, porque los dos oráculos más antiguos de la tierra, separados por una enorme distancia, han hecho oír sus voces al mismo tiempo. Tu hijo ha oído llamadas que llegan de lejos y tal vez no haya oído el mensaje. Un día lo oirá de nuevo dentro de un gran santuario rodeado por las arenas del desierto.

Tras haber escuchado estas palabras, la reina volvió a Pella, la capital de los caminos polvorientos en verano y fangosos en invierno, esperando con temor y ansiedad el día en que naciera su hijo.

Los dolores del parto comenzaron un atardecer de primavera, tras la puesta del Sol. Las mujeres encendieron los velones y su nodriza, Artemisia, mandó llamar a la partera y al médico Nicómaco, que había atendido ya al viejo rey Amintas y había estado a cargo del nacimiento de no pocos vástagos reales, tanto legítimos como bastardos.

Nicómaco estaba preparado, sabedor de que ella había salido de cuenta. Se ciñó el mandil, hizo calentar agua y mandó traer otros candeleros para que no faltase luz.

Pero dejó que fuese la partera la primera en acercarse a la reina, porque una mujer prefiere ser tocada por otra mujer en el momento de traer al mundo a su hijo: sólo una mujer comprende el dolor y la soledad en que se alumbra una nueva vida.

En aquellos momentos, el rey Filipo se encontraba poniendo cerco a la ciudad de Potidea y por nada del mundo habría abandonado a sus tropas.

Fue un largo y difícil parto porque Olimpia era estrecha de caderas y de complexión delicada.

La nodriza le secaba el sudor repitiendo:

—¡Aprieta fuerte, niña, empuja! El ver a tu hijo te consolará de todo el dolor que debes de estar pasando en estos momentos.

Le mojaba los labios con agua de manantial, que las doncellas cambiaban de continuo en la copa de plata.

Pero cuando el dolor aumentó hasta hacerle perder casi el sentido, intervino Nicómaco, guió las manos de la partera y mandó a Artemisia que empujara sobre el vientre de la reina porque a ella le fallaban ya las fuerzas y el niño padecía.

Apoyó el oído sobre la ingle de Olimpia y pudo escuchar cómo iba disminuyendo la palpitación del corazoncito.

—Empuja todo lo fuerte que puedas —ordenó a la nodriza—. El niño tiene que nacer enseguida.

Artemisia se apoyó con todo su peso sobre la reina que, lanzando un grito más fuerte, parió.

Nicómaco ató el cordón umbilical con un hilo de lino, lo cortó inmediatamente con unas tijeras de bronce y desinfectó la herida con vino puro.

El niño se puso a llorar y él se lo entregó a las mujeres para que le lavasen y vistiesen. Artemisia le miró la carita y se quedó completamente extasiada.

—¿No es una maravilla? —preguntó mientras le pasaba por el semblante un copo de lana empapado en aceite.

La partera le levantó la cabeza y al secársela no pudo reprimir un ademán de estupor.

—Tiene la pelambrera de un niño de seis meses con unos bonitos reflejos dorados. Se diría un pequeño Eros.

Entretanto, Artemisia le vestía con una minúscula túnica de lino porque Nicómaco no quería que los niños fuesen fajados prietamente tal como se acostumbraba a hacer en la mayor parte de las familias.

—Según tú, ¿de qué color tiene los ojos? —preguntó a la partera.

La mujer acercó un velón y los ojos del niño se encendieron con un reflejo iridiscente.

—No sé, es difícil decirlo. Unas veces parecen azules, otras oscuros, casi negros. Tal vez sea la naturaleza tan distinta de sus progenitores...

Mientras tanto, Nicómaco se ocupaba de la reina que, como ocurre a menudo con las primerizas, perdía sangre. Previendo que esto pasase, había hecho recoger nieve en las pendientes del monte Bermión.

Hizo con ella varias compresas y las aplicó sobre el vientre de Olimpia. La reina se estremeció, fatigada y exhausta como estaba, pero el médico no se dejó enternecer y siguió aplicándole las compresas heladas hasta que vio cortarse del todo el flujo de sangre.

Luego, mientras se quitaba el mandil y se lavaba las manos, la confió al cuidado de las mujeres. Dio permiso para que le cambiasen las sábanas, le limpiasen el sudor con esponjas suaves empapadas en agua de rosas, le pusiesen una camisa limpia, que cogieron de su arcón, y le diesen de beber.

Fue Nicómaco quien le presentó al pequeño:

—Aquí tienes al hijo de Filipo, reina. Has dado a luz un niño guapísimo.

Finalmente salió al corredor donde aguardaba un jinete de la guardia real en traje de viaje.

—Vamos, corre al encuentro del rey y dile que ha tenido un hijo. Dile que es un varón hermoso, sano y fuerte.

El jinete se echó el manto sobre los hombros, se puso en bandolera la alforja y salió a todo correr. Antes de desaparecer en el fondo del corredor, Nicómaco gritó detrás de él:

—Dile también que la reina se encuentra bien.

El hombre ni siquiera se detuvo y poco después se oyó un relincho en el patio, al que siguió un galope que se perdió por las calles de la ciudad sumida en el sueño.

2

Artemisia tomó al niño y lo puso sobre la cama al lado de la reina. Olimpia se incorporó ligeramente sobre los codos, apoyando la espalda en los almohadones, y le miró.

Era guapísimo. Tenía unos labios carnosos y la carita sonrosada y delicada. El cabello, de un color castaño claro, relucía de reflejos dorados y justo en el centro de la frente tenía lo que las parteras llamaban «la lamedura del becerro»: un mechoncito de pelos de punta y separados en dos.

Los ojos le parecían azules, pero el izquierdo tenía en el fondo una especie de sombra que le hacía semejar más oscuro con el cambio de la luz.

Olimpia le levantó, le estrechó contra ella y comenzó a acunarle hasta que dejó de llorar. Luego desnudó su pecho para darle de mamar, pero Artemisia se acercó y le dijo:

—Niña, para esto está la nodriza. No estropees tu pecho. El rey no tardará en volver de la guerra y tendrás que estar más hermosa y deseable que nunca.

Extendió los brazos para coger al niño, pero la reina no se lo dio, le acostó en su regazo y le dio su leche hasta que se durmió tranquilo.

Mientras tanto, el mensajero corría a rienda suelta en la oscuridad a fin de presentarse ante el rey lo más pronto posible. Llegó a medianoche a orillas del río Axios y espoleó a su caballo por el puente de barcas que unía ambas orillas. Cambió el caballo de batalla en Therma, que estaba aún a oscuras, y se adentró por la Calcídica.

El amanecer le sorprendió en el mar y el vasto golfo se incendió en el momento de aparecer el sol como un espejo delante del fuego. Trepó por el macizo montañoso del Calauro, en medio de un paisaje cada vez más áspero y agreste, entre inaccesibles riscos que a trechos caían a pico sobre el mar, orlados al fondo por el furioso rebullir de la espuma.

El rey estrechaba el cerco a la antigua ciudad de Potidea, que desde hacía medio siglo se hallaba bajo control de los atenienses, no porque quisiera enfrentarse con Atenas, sino porque la consideraba territorio macedonio y era su intención consolidar su propio dominio en toda la región que se extendía entre el golfo de Therma y el estrecho del Bósforo. En aquel momento, encerrado con sus guerreros en el interior de una torre de asalto, Filipo, armado, cubierto de polvo, sangre y sudor, se disponía a lanzar el asalto definitivo.

—¡Hombres! —gritó—, ¡si os tenéis en algo, éste es el momento de demostrarlo! Regalaré el más hermoso corcel de mis caballerizas al primero que tenga redaños de lanzarse conmigo sobre los muros enemigos, pero, por Zeus, si veo temblar a uno solo de vosotros en el momento decisivo, juro que la emprenderé con él a vergajos hasta dejarle sin pellejo. Y seré yo quien lo haga personalmente. ¿Me habéis oído bien?

—¡Te hemos oído, rey!

—¡Entonces vamos! —ordenó Filipo e hizo señal a los servidores de que quitaran el seguro a las árganas.

El puente se abatió sobre las murallas ya desmochadas y a medio demoler por las embestidas de los arietes y el rey se abalanzó dando gritos y grandes mandobles, tan rápido que resultaba difícil seguirle. Pero sus soldados sabían perfectamente que el soberano mantenía siempre sus promesas y se lanzaron en masa, empujándose unos a otros con los escudos, al tiempo que derribaban a los flancos y almenas abajo a los defensores ya extenuados por el esfuerzo, por la vigilia y el largo cansancio de meses y meses de continuos enfrentamientos. Detrás de Filipo y de su guardia se esparció el resto del ejército, entablando un durísimo combate con los últimos defensores que bloqueaban los caminos y las mismas entradas de las casas.

A la caída del sol Potidea, de rodillas, pedía una tregua.

El mensajero llegó cuando era casi de noche, tras haber reventado otros dos caballos. Al asomarse por las colinas que dominaban la ciudad vio un hormiguero de fuegos alrededor de las murallas y pudo oír el vocerío de los soldados macedonios que estaban de francachela.

Dio un espolazo a su caballo y en poco rato llegó al campamento. Pidió ser llevado a la tienda del rey.

—¿Qué te trae? —le preguntó el oficial de guardia, uno del norte a juzgar por su acento—. El rey se halla ocupado. La ciudad ha caído y hay una embajada del gobierno que está negociando.

—Ha nacido el príncipe —repuso el mensajero.

El oficial se estremeció.

—Sígueme.

El soberano, con armadura de combate, estaba sentado en su tienda, rodeado de sus generales. Detrás de él se hallaba su lugarteniente Antípatro. Alrededor, los representantes de Potidea, más que negociar, escuchaban a Filipo, que dictaba sus condiciones.

El oficial, sabedor de que su intrusión no iba a ser tolerada, pero que un retraso por su parte en anunciar tan importante noticia habría sido aún menos tolerado, dijo de un tirón:

—¡Rey, traigo una noticia de palacio: has tenido un hijo!

Los delegados de Potidea, pálidos y demacrados, se miraron a la cara y se hicieron a un lado levantándose de los escabeles en que les habían hecho sentarse. Antípatro se puso en pie con los brazos cruzados sobre el pecho como quien espera la orden o la palabra del soberano.

Filipo se quedó con la palabra en la boca:

—Vuestra ciudad tendrá que proporcionar un... —y concluyó, con voz totalmente demudada—: ... hijo.

Los delegados, que no habían comprendido, se miraron de nuevo turbados, pero Filipo había derribado su asiento, tras empujar a un lado al oficial y coger por el hombro al mensajero.

Las llamas de los candeleros esculpían su rostro de luces y sombras cortantes, encendían su mirada.

—Dime cómo es —ordenó con el mismo tono con que ordenaba a sus guerreros que se dirigieran a la muerte por la grandeza de Macedonia.

El mensajero se sintió absolutamente incapaz de dar satisfacción a aquella pregunta, al darse cuenta de que no tenía más que cuatro palabras que referirle. Se rascó el gaznate y anunció con voz estentórea:

—¡Rey, tu hijo es un varón hermoso, sano y fuerte!

—¿Y tú cómo lo sabes? ¿Acaso le has visto?

—Nunca hubiera osado, señor. Yo me encontraba en el corredor, tal como me habían ordenado, con el manto, la alforja en bandolera y las armas. Salió Nicómaco y dijo... dijo exactamente lo siguiente: «Ve corriendo al encuentro del rey y hazle saber que ha nacido un hijo suyo. Dile que es un varón hermoso, sano y fuerte».

—¿Te ha dicho si se me parece?

El hombre dudó, luego repuso:

—No me lo ha dicho, pero estoy seguro de que se te parece.

Filipo se volvió hacia Antípatro que se acercó a él para abrazarle y en aquel momento el mensajero recordó haber oído también otras palabras mientras bajaba corriendo la escalinata.

—El médico ha dicho también que...

Filipo se volvió de golpe.

—¿Qué?

—Que la reina se encuentra bien —concluyó el mensajero de un tirón.

—¿Cuándo ha ocurrido eso?

—La pasada noche, poco después de la puesta del Sol. Yo me lancé escaleras abajo y me puse en camino. No he parado un solo instante, no he comido nada, sólo he bebido de mi cantimplora, no me he bajado del caballo más que para cambiar de cabalgadura... No veía la hora de darte la noticia.

Filipo retrocedió y le golpeó con una mano en el hombro.

—Dad de comer y de beber a este buen amigo. Lo que quiera. Y dejadle dormir en una buena yacija porque me ha traído la mejor de las noticias.

Los embajadores se congratularon a su vez con el soberano y trataron de aprovechar el momento favorable para cerrar las negociaciones con un resultado más ventajoso, tras haber mejorado con mucho el humor de Filipo, pero el rey afirmó:

—Ahora no.

Y salió seguido de su ayuda de campo.

Hizo llamar inmediatamente a todos los comandantes de la unidades territoriales de su ejército, hizo traer vino y quiso que todos bebieran con él. Luego ordenó:

—Que las trompas llamen a reunión. Quiero a mi ejército formado en perfecto orden, tanto a la infantería como a la caballería. Quiero convocarlo para la asamblea.

En el campamento se oyó el resonar de las trompas y los hombres, en parte ya ebrios o semidesnudos, acompañados de prostitutas en sus tiendas, se volvieron a poner en pie, se equiparon con la armadura, empuñaron la lanza y fueron, lo más deprisa posible, a formar filas porque el toque de las trompas era como la voz del rey que gritaba en medio de la noche.

Filipo estaba ya en pie sobre un podio, rodeado de sus oficiales, y cuando las filas estuvieron formadas el soldado más veterano, como era costumbre, gritó:

—¿Para qué nos has llamado, rey? ¿Qué quieres de tus soldados?

Filipo se adelantó. Lucía la armadura de gala de hierro y oro así como un manto de color blanco; sus piernas estaban enfundadas en unas botas de media caña de plata repujada.

El silencio fue roto por el bufido de los caballos y la llamada de los animales nocturnos atraídos por los fuegos del campamento. Los generales que estaban al lado del soberano podían ver que éste tenía el rostro enrojecido, como cuando se sentaba en el vivaque, y los ojos relucientes.

—¡Hombres de Macedonia! —gritó—. En mi palacio de Pella la reina me ha dado un hijo. Yo declaro en presencia vuestra que él es mi legítimo heredero y os lo confío. ¡Su nombre es

ALÉXANDROS!

Los oficiales ordenaron presentar armas: la infantería levantó las *sarisas,* enormes lanzas de combate de unos diez pies de largo, y la caballería alzó hacia el cielo un verdadero bosque de jabalinas, mientras los caballos piafaban y relinchaban mordiendo el freno.

A continuación comenzaron todos a cantar rítmicamente el nombre del príncipe: ¡Aléxandros! ¡Aléxandros! ¡Aléxandros! mientras golpeaban las empuñaduras de las lanzas contra los escudos haciendo ascender su fragor hasta las estrellas.

Pensaban que así también la gloria del hijo de Filipo ascendería, como sus voces, como el estruendo de sus armas, hasta las moradas de los dioses, entre las constelaciones del firmamento.

Una vez disuelta la asamblea, el soberano volvió con Antípatro y sus ayudas de campo a la tienda donde los delegados de Potidea le esperaban aún, pacientes y tranquilos. Filipo confesó:

—Siento enormemente que Parmenio no se encuentre aquí con nosotros para disfrutar de este momento.

El general Parmenio, en efecto, se hallaba en aquel momento acampado con su ejército en los montes de Iliria, no lejos del lago de Lychnitis, a fin de asegurar también en aquella parte las fronteras de Macedonia. Más adelante hubo quien dijo que, el mismo día en que había sido anunciado el nacimiento de su hijo, Filipo se había apoderado de la ciudad de Potidea y había tenido noticia de otras dos victorias: la de Parmenio contra los ilirios y la de su tiro de cuatro caballos en la carrera de carros en Olimpia. Por eso los adivinos afirmaron que aquel niño, nacido en un día de tres victorias, sería invencible.

En realidad, Parmenio derrotó a los ilirios a comienzos del verano y poco después se celebraron los Juegos Olímpicos y las carreras de carros, pero puede decirse, de todos modos, que Alejandro nació en un año de maravillosos auspicios y que todo hacía presagiar que le aguardaba un futuro más semejante al de un dios que al de un simple mortal.

Los delegados de Potidea trataron de reanudar su discurso en el punto en que lo habían dejado, pero Filipo indicó a su lugarteniente:

—El general Antípatro conoce perfectamente lo que yo pienso, hablad con él.

—Pero, señor —intervino Antípatro—, es absolutamente necesario que el rey...

No le dio tiempo a acabar la frase cuando ya Filipo se había echado el manto sobre los hombros y con un silbido había llamado a su caballo. Antípatro fue tras él.

—Señor, se han requerido meses de asedio y arduos combates para llegar a este momento y no puedes...

—¡Claro que puedo! —exclamó el rey saltando sobre su caballo y dando un espolazo.

Antípatro sacudió la cabeza y se disponía a volver al pabellón real cuando la voz de Filipo le llamó.

—¡Toma! —dijo sacándose el anillo del dedo y arrojándoselo—. Esto te servirá. ¡Firma un buen tratado, Antípatro, pues esta guerra ha costado un ojo de la cara!

El general cogió al vuelo el anillo real con el sello y se quedó durante unos instantes mirando a su rey, que se iba volando a través del campamento y salía por la puerta sur. Gritó a los hombres de la guardia:

—¡Seguidle, idiotas! ¿Le dejáis irse solo? ¡Moveos, demonios!

Y mientras aquéllos se lanzaban al galope en su persecución logró ver aún durante un momento el blanco del manto de Filipo al lado de la montaña bajo la luz lunar y luego ya nada. Volvió a entrar en la tienda, hizo sentarse a los delegados de Potidea, cada vez más perplejos, y preguntó, sentándose a su vez:

—Bien, ¿dónde nos habíamos quedado?

Filipo cabalgó toda la noche y todo el día siguiente deteniéndose tan sólo para cambiar de caballo y para beber, al tiempo que lo hacía su animal, en los torrentes o en las fuentes. Llegó a la vista de Pella tras el crepúsculo, cuando las últimas luces del Sol teñían ya de púrpura las cúspides lejanas del monte Bermión, cubiertas todavía de nieve. En el llano galopaban rebaños de caballos cual oleadas marinas y millares de pájaros bajaban a dormir sobre las plácidas aguas del lago Borboros.

La estrella vespertina comenzaba a brillar tan fúlgida como para rivalizar en esplendor con la Luna que descendía lentamente hacia la superficie del mar. Era aquélla la estrella de los Argéadas, la dinastía reinante desde los tiempos de Heracles en aquellas tierras, estrella inmortal, más hermosa que cualquier otra en el firmamento.

Filipo detuvo el caballo para contemplarla e invocarla.

—Asiste a mi hijo —le dijo de corazón—, hazle reinar después de mí y haz reinar después de él a sus hijos y a los hijos de sus hijos.

Luego subió al palacio real, donde no le esperaban, extenuado y bañado en sudor. Le recibió un alboroto, un susurro de vestidos de mujeres ajetreadas por los corredores, un tintineo de armas que resonaban en los cuerpos de guardia.

Cuando se asomó a la puerta del aposento, la reina se hallaba sentada sobre un escaño, el cuerpo desnudo apenas velado por una enagua jónica fruncida en mil finísimos plieguecillos; la estancia estaba perfumada con rosas de Pieria y la nodriza Artemisia sostenía en sus brazos al niño.

Dos ayudantes le liberaron de la coraza y le desciñeron la espada para que el rey pudiese sentir el contacto con la piel del niño. Le tomó en brazos y le sostuvo a lo largo de su espalda, con la cabeza apoyada entre el cuello y el húmero. Sentía los labios del pequeño apoyados contra la cicatriz que le ponía algo rígido el hombro, sentía el calor y el perfume de su piel de lirio.

Cerró los ojos y se quedó derecho e inmóvil en medio de la habitación silenciosa. Olvidó en aquel momento el fragor de la batalla, el ruido estridente de las máquinas de asedio, el galope furibundo de los caballos. Escuchaba respirar a su hijo.

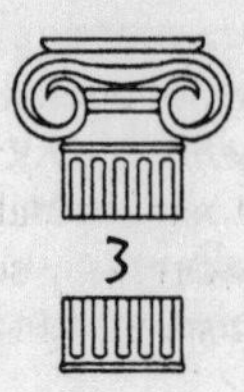

Al año siguiente la reina Olimpia dio a luz una niña a la que pusieron por nombre Cleopatra. Se asemejaba a la madre y era muy graciosa, tanto es así que las doncellas se divertían cambiándola continuamente de vestido como si de una muñeca se tratara.

Alejandro, que andaba desde hacía ya tres meses, fue admitido en su habitación al cabo de varios días de nacer la niña, con un pequeño regalo preparado por la nodriza. Se acercó con circunspección a la cuna y se quedó mirando a su hermanita lleno de curiosidad, con ojos como platos y la cabeza reclinada sobre un hombro. Una doncella se acercó temiendo que el pequeño, celoso de la recién llegada, le hiciese algún desplante, pero él la tomó de la mano y la estrechó contra sí como si comprendiera que aquella criatura estaba unida a él por un profundo lazo y que, durante mucho tiempo, sería su única compañía.

Cleopatra balbuceó algo y Artemisia dijo:

—¿Lo ves? Está contentísima de conocerte. ¿Por qué no le das tu regalo?

Alejandro se desató entonces del cinturón un arito metálico con unos cascabeles de plata y comenzó a agitarlo delante de la pequeña, que alargó enseguida las manitas para cogerlo. Olimpia le miraba emocionada.

—¿No sería hermoso poder detener el tiempo? —observó como si pensara en voz alta.

Durante un largo período después del nacimiento de sus hijos Filipo se vio enfrascado continuamente en sangrientas guerras. Había consolidado las fronteras del norte, donde Parmenio derrotara a los ilirios; al oeste tenía el reino amigo de Epiro en el que reinaba Aribas, el tío de la reina Olimpia; al este había sojuzgado con diversas campañas a las belicosas tribus de los tracios extendiendo su control hasta las orillas del río Istro. A continuación se había apoderado de casi todas las ciudades que los griegos habían fundado en sus costas: Anfípolis, Metona, Potidea, y se había implicado en las guerras intestinas que desgarraban la península helénica.

Parmenio había tratado de ponerle en guardia contra semejante política y un día en que Filipo había convocado al consejo de guerra en la armería del palacio decidió tomar la palabra.

—Has creado un reino poderoso y sólido, señor, y has dado a los macedonios el orgullo de su nación; ¿por qué quieres mezclarte en las luchas internas de los griegos?

—Parmenio tiene razón—intervino Antípatro—. Estas luchas no tienen ningún sentido. Luchan todos contra todos. Los aliados de ayer se peleaban hoy entre sí ferozmente y el que fuera derrotado hace tan sólo dos días se alía con el más odiado de sus enemigos con tal de enfrentarse al vencedor.

—Es cierto —admitió Filipo—, pero los griegos tienen todo lo que a nosotros nos falta: el arte, la filosofía, la poesía, el teatro, la medicina, la música, la arquitectura y sobre todo la ciencia política, el arte del gobierno.

—Tú eres un rey —objetó Parmenio—, no tienes necesidad de ninguna ciencia. Te basta con dar órdenes para que todos te obedezcan.

—Mientras no me fallen las fuerzas —observó Filipo—. Mientras alguien no me clave una daga entre las costillas.

Parmenio no replicó. Recordaba perfectamente que ningún rey de los macedonios había muerto nunca en su lecho. Fue Antípatro quien rompió el silencio, que se había vuelto pesado como un pedrusco.

—Si lo que precisamente quieres es meter la mano dentro de la boca del león no puedo disuadirte, pero te aconsejaría que actuaras del único modo que haga posible contar con una esperanza de éxito.

—¿Es decir?

—En Grecia no hay más que una fuerza superior a todos, una sola voz que puede imponer el silencio...

—El santuario de Apolo en Delfos —dijo el rey.

—O mejor dicho, sus sacerdotes y el consejo que los gobierna.

—Lo sé —se mostró de acuerdo Filipo—. Quien controla el santuario controla una gran parte de la política de los griegos. El consejo se halla ahora en dificultades: ha declarado una guerra sagrada contra los focenses, acusados de haber cultivado terrenos pertenecientes a Apolo, pero los focenses se han apropiado del tesoro del templo con un golpe de mano y con las riquezas han reclutado miles y miles de mercenarios.

Macedonia es la única potencia que puede hacer cambiar las tornas del conflicto...

—Y has decidido entrar en guerra —concluyó Parmenio.

—Con una condición: que si venzo, quiero el puesto y el voto de los focenses en el consejo y la presidencia del consejo del santuario.

Antípatro y Parmenio comprendieron que el rey no sólo tenía ya en mente su plan sino que lo llevaría a cabo a cualquier precio y ni siquiera intentaron disuadirle.

Fue un conflicto largo y áspero, con opciones por ambos bandos. Cuando Alejandro contaba tres años, Filipo fue derrotado por primera vez de forma aplastante y se vio obligado a emprender la retirada. Sus enemigos dijeron que había huido, pero él repuso:

—No he huido, sólo me he echado atrás para tomar impulso y volver a embestir como un carnero enfurecido.

Aquel era Filipo. Un hombre de una increíble fuerza de ánimo y determinación, de indomable vitalidad, de espíritu penetrante y entusiasta. Pero los hombres así se quedan cada vez más solos porque pueden dedicarse cada vez menos a aquéllos que les rodean.

Cuando Alejandro comenzó a intuir lo que sucedía en torno a él y a darse cuenta de quiénes eran sus padres, tenía cerca de seis años. Hablaba sin ninguna vacilación y comprendía razonamientos complejos.

Cuando se enteraba de que su padre estaba en palacio, abandonaba las habitaciones de la reina y se iba hasta la sala de reuniones donde Filipo celebraba consejo con sus generales. Encontraba a éstos viejos, llenos de cicatrices por los infinitos combates que habían librado, y sin embargo apenas si superaban los treinta años, a excepción de Parmenio que desde hacía años superaba la cincuentena y tenía el pelo en gran parte cano. Cuando Alejandro le veía, se ponía a tararear una cantinela que había aprendido de Artemisia:

¡El viejo soldado que va a la guerra
cae por tierra, cae por tierra!

Y luego se arrojaba también él por los suelos entre las risas de los presentes.

Pero por encima de todo observaba a su padre, estudiaba sus actitudes, su modo de mover las manos y de revirar los ojos, el tono y timbre de su voz, la manera en que dominaba a los más fuertes y poderosos hombres del reino con la sola fuerza de la mirada.

Se acercaba a él mientras presidía el consejo, pasito a pasito, y cuando más enfervorizado se hallaba en sus discursos o en sus discusiones trataba de subirse sobre sus rodillas como si pensara que en aquel momento nadie le vería.

Sólo en ese punto parecía reparar Filipo en el hijo y le estrechaba contra su pecho, sin interrumpirse, sin perder el hilo del discurso, pero no por ello dejaba de notar que sus generales cambiaban de actitud, veía sus ojos mirar fijamente al niño y su expresión trocarse en una leve sonrisa, fuera cual fuese el asunto que él estuviera tratando. También Parmenio sonreía pensando en la cantinela y el revolcón de Alejandro.

Luego, tal como había venido, el niño se iba. Unas veces se retiraba a su habitación a esperar a que su padre viniera a verle. Otras, tras larga espera, iba a sentarse a uno de los balcones del palacio, clavaba su mirada en el horizonte y se quedaba así, mudo e inmóvil, encantado de la inmensidad del cielo y de la tierra.

Si entonces se le acercaba ligera su madre, veía ella adensarse lentamente la sombra que le oscurecía el ojo izquierdo, como si una noche misteriosa descendiera sobre el ánimo del principito.

Las armas le fascinaban, y en más de una ocasión las doncellas le habían sorprendido en la armería real tratando de sacar de la vaina una de las pesadas espadas del rey.

Un día, mientras observaba maravillado una gigantesca panoplia de bronce que había pertenecido a su abuelo Amintas III, sintió que le observaban a sus espaldas. Se dio la vuelta y se encontró frente a él a un hombre alto y cenceño con una barbita de chivo y dos ojos hundidos y demoníacos. Le dijo que se llamaba Leónidas y que era su maestro.

—¿Para qué? —preguntó el niño.

El maestro no supo qué responder a aquella primera pregunta de su discípulo.

Desde entonces la vida de Alejandro experimentó un cambio profundo. Cada vez veía menos a su madre y a su hermana y cada vez más al maestro. Leónidas comenzó por enseñarle el alfabeto, y al día siguiente le vio escribir su nombre correctamente con la punta de un palo en las cenizas del hogar.

Le enseñó a leer y a contar, cosa que Alejandro aprendía muy deprisa y fácilmente, aun sin prestar un especial interés. En cambio, cuando Leónidas comenzó a contarle historias de dioses y de hombres, historias del origen del mundo, de las luchas de los gigantes y de los titanes, vio que se le iluminaba el rostro y que le escuchaba arrobado.

Su espíritu se sentía fuertemente inclinado hacia el misterio y la religión. Un día Leónidas le llevó a visitar el templo de Apolo que se alzaba en las cercanías de Therma y le permitió que ofrendara incienso a la estatua del dios. Alejandro lo cogió a manos llenas y lo arrojó dentro del pebetero levantando una gran nube de humo, pero el maestro le reprendió:

—¡El incienso cuesta una fortuna! Podrás malgastarlo de este modo cuando hayas conquistado los países que lo producen.

—¿Y dónde están esos países? —quiso saber el niño, al que le parecía extraño que se pudiera ser avaro con los dioses. Luego preguntó—: ¿Es cierto que mi padre es muy amigo del dios Apolo?

—Tu padre ha ganado la guerra sagrada y ha sido nombrado jefe del consejo del santuario de Delfos donde se halla el oráculo de Apolo.

—¿Es cierto que el oráculo dice a todos lo que deben hacer?

—No exactamente —contestó Leónidas tomando de la mano a Alejandro y llevándole al aire libre—. Mira, la gente, cuando se dispone a hacer algo importante, pide consejo al dios, como diciendo: «¿Tengo que hacerlo o no? Y si lo hago, ¿qué pasará?». Sí, cosas de este tipo. Hay además una sacerdotisa, a la que se llama pitia, por medio de la cual el dios responde, como si empleara su voz. ¿Comprendes? Pero son siempre palabras oscuras, difíciles de interpretar y es por eso por lo que hay sacerdotes: para explicárselas a la gente.

Alejandro se volvió para mirar al dios Apolo que se erguía sobre el pedestal, rígido e inmóvil, con los labios estirados en una extraña sonrisa, y comprendió por qué los dioses tienen necesidad de los hombres para poder hablar.

En otra ocasión en que la familia real se había trasladado a Egas, la vieja capital, para ofrecer sacrificios en las tumbas de los antiguos reyes, Leónidas le hizo ver desde una torre de palacio la cima del monte Olimpo cubierta de nubarrones de temporal, asaeteada por relámpagos enceguecedores.

—¿Ves? —trató de explicarle—, los dioses no son las estatuas que uno admira en los templos: viven allí en lo alto, en una morada invisible. Viven eternamente, se sientan en torno a un banquete, en el que beben néctar y se alimentan de ambrosía. Esos relámpagos no son desencadenados sino por Zeus en persona. Pueden caer sobre cualquier mortal y sobre cualquier cosa en cualquier parte del mundo.

Alejandro miró largo rato, con la boca abierta, la imponente cumbre.

Al día siguiente un oficial de la guardia le encontró por un sendero fuera de la ciudad caminando a toda prisa en dirección a la montaña.

—¿Adónde vas, Alejandro? —le preguntó bajando del caballo.

—Allí —repuso el niño señalando el Olimpo.

El oficial le tomó en brazos y se lo llevó a Leónidas, que estaba demudado del espanto y pensaba ya en los horribles castigos a que le habría sometido la reina de haberle sucedido algo al niño.

Aquel año Filipo tuvo graves problemas de salud causados por las enormes penalidades que tenía que soportar durante las campañas militares y por la vida desordenada a que se entregaba cuando no estaba en la línea de combate.

Alejandro se alegró de ello, porque pudo ver más a menudo a su padre y pasar muchas horas con él. Fue Nicómaco el encargado de ocuparse de la salud del soberano y se trajo de su hospital de Estagira a dos asistentes que le ayudaron a recoger en los bosques y en los prados de las montañas de los alrededores las hierbas y las raíces con que preparar los fármacos.

El rey fue sometido a un régimen estricto y poco menos que privado por completo de vino, a tal punto que se volvió intratable y únicamente Nicómaco se atrevía a acercársele cuando estaba del peor humor.

Uno de los dos asistentes era un chico de quince años que se llamaba asimismo Filipo.

—Quítamelo de en medio —le ordenó el soberano—. Me fastidia tener a otro Filipo a mi alrededor. Mejor dicho, haré lo siguiente: le nombraré médico de mi hijo, bajo tu supervisión, por supuesto.

Nicómaco aceptó, acostumbrado como estaba ya a los caprichos de su soberano.

—¿Qué hace tu hijo Aristóteles? —le preguntó un día Filipo mientras bebía, torciendo el gesto, una poción de diente de león.

—Vive en Atenas y sigue las enseñanzas de Platón —repuso el médico—. Es más, por lo que yo sé, está considerado el mejor de sus discípulos.

—Interesante. ¿Y cuál es el asunto de sus investigaciones?

—Mi hijo es como yo. Le atrae la observación de los fenómenos naturales más que el mundo de la especulación pura.

—¿Y tiene interés por la política?

—Sí, ciertamente, pero también mostrando una especial inclinación por las distintas manifestaciones de la organización política más que por la ciencia política propiamente dicha. Reúne constituciones y las compara unas con otras.

—¿Y qué piensa de la monarquía?

—No creo que sea muy dado a emitir juicios de valor. Para él la monarquía es simplemente una forma de gobierno más típica de ciertas comunidades que de otras. Como ves, señor, creo que mi hijo está más interesado en conocer el mundo tal como es que en establecer principios a los que éste debería adecuarse.

Filipo se echó al coleto el último sorbo de poción ante la mirada vigilante de su médico que parecía decir: «Todo, todo». Luego se limpió la boca con el borde de la clámide y dijo:

—Tenme informado de ese muchacho, Nicómaco, porque me interesa.

—Así lo haré. También me interesa a mí, pues soy su padre.

En aquel período Alejandro frecuentaba a Nicómaco lo más que podía porque era un hombre muy afable y lleno de sorpresas, mientras que Leónidas tenía un carácter descontentadizo y era terriblemente severo.

Un día entró en el lugar de trabajo del médico y le vio mientras auscultaba la espalda de su padre y contaba los latidos del corazón tomándole el pulso.

—¿Qué haces? —le preguntó.

—Controlo los latidos del corazón de tu padre.

—¿Y qué mueve el corazón?

—La energía vital.

—¿Y dónde está la energía vital?

Nicómaco miró al niño a los ojos y leyó en ellos una avidez insaciable de saber, una intensidad maravillosa de sentimientos. Le rozó la cabeza en una caricia mientras Filipo le miraba atento y fascinado.

—Eso nadie lo sabe —dijo.

Filipo se restableció completamente en breve tiempo y reapareció en la escena política en plenitud de facultades, desilusionando a aquéllos que le habían dado incluso por muerto.

Alejandro lo sintió porque ya no le vería tan a menudo, pero mostró interés por conocer a otros chicos, algunos de ellos de su misma edad, otros algo mayores, hijos de nobles macedonios que frecuentaban la corte o vivían en palacio por explícito deseo del rey. Era éste un modo de mantener la unidad del reino, de vincular a las familias más poderosas, los jefes de tribu y de clan a la casa del soberano.

Algunos de estos muchachos frecuentaban también junto con él las enseñanzas de Leónidas, como Pérdicas, Lisímaco, Seleuco, Leonato y Filotas, que era el hijo del general Parmenio. Otros, mayores, como Tolomeo y Crátero, tenían ya cargo de pajes y dependían directamente del rey para su educación y adiestramiento.

Seleuco era en aquel tiempo bastante pequeño y endeble, pero gozaba de las simpatías de Leónidas porque era buen estudiante. Estaba especialmente versado en historia y matemáticas y para su edad era sorprendentemente cuerdo y equilibrado. Podía hacer cálculos complicados cada vez en menos tiempo y se divertía compitiendo con sus compañeros, a los que normalmente humillaba.

Los ojos oscuros y hundidos conferían a su mirada una intensidad penetrante y el pelo alborotado subrayaba un carácter fuerte e independiente, pero nunca rebelde. Durante las clases trataba a menudo de hacerse notar por sus observaciones, pero no recurría a zalamerías con el maestro ni hacía nada por agradar a sus superiores o adularlos.

Lisímaco y Leonato eran los más indisciplinados porque provenían de regiones del interior y habían crecido libremente en medio de bosques y prados, apacentando caballos y pasando la mayor parte de su tiempo al aire libre. Vivir entre cuatro paredes les hacía sentirse como en una prisión.

Lisímaco, que era algo mayor, había sido el primero en acostumbrarse al nuevo tipo de vida, pero Leonato, que no contaba más que siete años, hubiérase dicho un lobezno por su aspecto hirsuto, su cabello pelirrojo y sus pecas en la nariz y en torno a los ojos. Si era castigado reaccionaba soltando coces y mordiscos, y Leónidas había tratado de domarle primero privándole de alimento o encerrándole bajo siete llaves cuando los demás jugaban, luego haciendo frecuente uso de su palmeta de sauce. Pero Leonato se vengaba y siempre que veía aparecer al maestro al fondo de un corredor comenzaba a cantar a voz en cuello su cantinela:

Ek korí korí koróne!
Ek korí korí koróne!

«¡He aquí cómo llega, cómo llega la corneja!», y todos los demás se unían a él, incluido Alejandro, hasta que el pobre Leónidas se ponía rojo de ira, montaba en cólera y le perseguía con la palmeta de sauce.

Cuando discutía con sus compañeros, Leonato no quería nunca llevarse la peor parte y se las tenía tiesas también con los mayores, de modo que andaba eternamente lleno de moraduras y rasguños, aparecía impresentable casi siempre en las recepciones públicas o en las ceremonias de la corte. Todo lo contrario que Pérdicas, el más concienzudo del grupo, quien no faltaba nunca ni al aula ni al terreno de juego y adiestramiento. Únicamente tenía un año más que Alejandro y con frecuencia era, junto con Filotas, su compañero de juegos.

—Yo de mayor seré general como tu padre —repetía a Filotas, que, de sus amigos, era el que más se parecía a él.

Tolomeo, que rondaba los catorce años, era más bien robusto y precoz para su edad. Comenzaban a apuntarle las primeras espinillas y algún que otro pelillo en la barba, tenía una cara cómica dominada por una nariz imponente y un cabello siempre alborotado. Los compañeros le tomaban el pelo diciendo que había comenzado a desarrollarse a partir de la nariz y él se ofendía muchísimo. Se levantaba la túnica y se jactaba, enseñándolas, de otras protuberancias que le crecían no menos que la nariz.

Aparte de estas salidas de tono era un buen muchacho, muy apasionado de la lectura y de escribir. Un día permitió a Alejandro que entrara en su habitación y le mostró sus libros. Tenía una veintena por lo menos.

—¡Cuántos! —exclamó el príncipe e hizo ademán de tocarlos.

—¡Quieto! —le paró Tolomeo—. Son objetos muy delicados: el papiro es frágil y puede romperse, hay que saber desenrollarlo y enrollarlo de forma adecuada. Tiene que guardarse en un lugar ventilado y seco y es preciso poner en alguna parte, bien escondida, una ratonera porque a los ratones les gusta mucho el papiro y si llegan hasta él estás perdido. Se te comen dos libros de la *Ilíada* o una tragedia de Sófocles en menos de una noche. Espera —añadió—, que ya lo cojo yo.

Y desató un rollo que llevaba un cartelito rojo.

—Ya está, ¿ves? Es una comedia de Aristófanes. Se llama *Lisístrata* y es mi preferida. Cuenta que en cierta ocasión las mujeres de Atenas y de Esparta, cansadas de la guerra que mantenía alejados a sus maridos y teniendo grandes ganas de... —Se interrumpió mirando al niño que le escuchaba con la boca abierta—. Bien, dejémoslo, pues eres demasiado pequeño aún para estas cosas. ¿Te parece que te la cuente en otra ocasión?

—¿Qué es una comedia? —preguntó Alejandro.

—¿Cómo? ¿No has ido nunca al teatro? —se asombró Tolomeo.

—A los niños no nos llevan allí. Pero sé que es como escuchar una historia, sólo que aparecen hombres de verdad que llevan puesta una máscara en la cara y fingen ser Heracles o Teseo. Algunos incluso aparentan ser mujeres.

—Más o menos —replicó Tolomeo—. Dime, ¿qué te enseña tu maestro?

—Sé sumar y restar, conozco las figuras geométricas y distingo en el cielo la Osa Mayor y la Osa Menor y más de veinte constelaciones más. Y además sé leer y escribir y he leído las fábulas de Esopo.

—Mmm... —observó Tolomeo devolviendo a su sitio con delicadeza el rollo—. Cosas de niños.

—Y además conozco toda la lista de mis antepasados, tanto por parte de mi padre como de mi madre. Yo desciendo de Heracles y de Aquiles, ¿lo sabías?

—¿Y quiénes eran Heracles y Aquiles?

—Heracles era el héroe más fuerte del mundo y llevó a cabo doce trabajos. ¿Quieres que te los cuente? El león de Nemea, la cierva de Ceri... Cerinea... —comenzó a enumerar el pequeño.

—Ya sé, ya sé. Está muy bien. Pero si quieres, alguna vez, te leeré cosas hermosísimas que tengo aquí en mi despacho, ¿te parece bien? Y ahora, ¿por qué no vas a jugar? ¿Sabes que ha llegado un amiguito que tiene precisamente tu edad?

A Alejandro se le encendieron los ojos.

—¿Y dónde está?

—Le he visto en el patio dándole patadas a una pelota. Es un tipo robusto.

Alejandro bajó a toda prisa y se detuvo bajo el pórtico para observar al nuevo huésped sin atreverse a dirigirle la palabra.

De repente, un patadón más fuerte mandó la pelota a rodar justo entre sus pies. El niño la recogió y los dos se encontraron frente a frente.

—¿Te gustaría jugar a la pelota conmigo? Con dos se juega mejor. Yo disparo y tú la coges.

—¿Cómo te llamas? —preguntó Alejandro.

—Yo Hefestión, ¿y tú?

—Alejandro.

—Entonces vamos, ponte allí, junto a la pared. Yo tiraré primero y si atrapas la pelota tendrás un punto, luego tiras tú. En cambio, si no la paras el punto lo habré ganado yo y podré tirar otra vez. ¿Entendido?

Alejandro hizo un gesto de asentimiento y se pusieron a jugar, llenando el patio con sus gritos. Cuando estuvieron agotados de cansancio y chorreando sudor, pararon.

—¿Vives aquí? —preguntó Hefestión al tiempo que se sentaba en el suelo.

Alejandro se sentó a su lado.

—Claro. Este palacio es mío.

—No me vengas con cuentos. Eres demasiado pequeño para tener un palacio tan grande.

—El palacio es también mío porque es de mi padre, el rey Filipo.

—¡Por Zeus! —exclamó Hefestión agitando la mano derecha en señal de admiración.

—¿Quieres que seamos amigos?

—Por supuesto, pero para hacerse amigos es preciso intercambiarse una prenda.

—¿Qué es una prenda?

—Yo te doy una cosa a ti y tú me das otra a mí a cambio.

Se hurgó en el bolsillo y sacó un pequeño objeto blanco.

—¡Oh, un diente!

—Sí —silbó Hefestión por el hueco que tenía en el lugar de un incisivo—. Se me cayó la otra noche y a punto he estado de tirarlo. Tómalo, tuyo es.

Alejandro lo tomó y se quedó confuso al no saber qué darle a cambio. Rebuscó en los bolsillos, mientras Hefestión permanecía erguido delante de él esperando con la mano abierta.

Alejandro, al no contar con ningún regalo de la misma importancia, dejó escapar un largo suspiro, tragó saliva y a continuación se llevó una mano a la boca y se cogió un diente que le bailaba desde hacía unos días, pero bastante sujeto aún.

Comenzó a sacudirlo con fuerza hacia adelante y hacia atrás, conteniendo las lágrimas de dolor, hasta que se lo arrancó. Escupió un coágulo de sangre, luego lavó el diente bajo la fuente y se lo entregó a Hefestión.

—Aquí tienes —farfulló—. Ahora somos amigos.

—¿Hasta la muerte? —preguntó Hefestión, echándose al bolsillo la prenda.

—Hasta la muerte —replicó Alejandro.

Era ya hacia finales del verano cuando Olimpia le anunció la visita del tío Alejandro de Epiro.

Sabía que tenía un tío, hermano menor de su madre, que se llamaba como él, pero, aunque lo hubiera visto en otras ocasiones, no le recordaba muy bien porque él era entonces demasiado pequeño.

Le vio llegar acompañado de su escolta y de sus tutores una tarde antes de la puesta de sol, a caballo.

Era un muchacho de gran apostura de unos doce años, con el pelo oscuro y los ojos de un azul intenso; ostentaba las enseñas propias de su dignidad: la cinta de oro en torno al pelo, el manto de púrpura y, en la diestra, el cetro de marfil, porque también él era un soberano, aunque joven y de un país formado únicamente por montañas.

—¡Mira! —exclamó Alejandro vuelto hacia Hefestión, que estaba sentado junto a él con las piernas colgando fuera de la galería—. Ése es mi tío Alejandro. Se llama como yo y también es rey, ¿lo sabías?

—¿Rey de qué? —preguntó el amigo balanceando las piernas.

—Rey de los molosos.

Estaba hablando aún cuando los brazos de Artemisia le cogieron por detrás.

—¡Ven! Debes prepararte para ir a ver a tu tío.

Le llevó en volandas, mientras él agitaba las piernas para no dejar a Hefestión, hasta la estancia de baño de su madre; allí le desnudó, le lavó la cara, le hizo ponerse una túnica y una clámide macedonia orlada en oro, le ciñó una cinta plateada alrededor de la cabeza y acto seguido le puso de pie sobre un asiento para mirarle admirativamente.

—Ven, pequeño rey. Tu mamá te espera.

Le condujo a la antecámara real donde la reina Olimpia aguardaba, ya vestida, peinada y perfumada. Estaba magnífica: los ojos negrísimos contrastaban con el pelo llameante, y la larga estola azul recamada con palmetas de oro a lo largo de los bordes cubría un quitón de corte ateniense ligeramente escotado y sujeto en los hombros mediante un cordoncito del mismo color que la estola.

El surco de entre los senos, que el quitón dejaba en parte al descubierto, estaba espléndidamente adornado con una gota de ámbar del tamaño de un huevo de pichón, incrustada en una cápsula de oro a imitación de una bellota de encina: uno de los regalos de boda de Filipo.

Tomó de la mano a Alejandro y fue a sentarse en el trono al lado de su marido, que estaba esperando ya al joven cuñado.

El muchacho entró por el fondo de la sala y se inclinó ante el soberano, tal como exigía el protocolo, y luego ante su hermana la reina.

Filipo, orgulloso de sus éxitos, enriquecido por las minas de oro de las que se había apoderado en el monte Pangeo, consciente de ser el señor más poderoso de la península helénica o tal vez incluso el más poderoso del orbe después del emperador de los persas, se las ingeniaba cada vez mejor para llenar de asombro a sus visitantes, tanto por la riqueza de sus ropajes como por el fasto de los adornos que lucía.

Tras los saludos de rigor, el joven fue acompañado a sus habitaciones a fin de que se preparase para el banquete.

También a Alejandro le hubiera gustado tomar parte de él, pero su madre le dijo que era demasiado pequeño aún y que podría jugar con Hefestión a los soldaditos de cerámica que había mandado hacer para él a un alfarero de Aloros.

Aquella noche, tras la cena, Filipo invitó a su cuñado a una salita privada para hablar de política; Olimpia se sintió muy ofendida por ello, tanto porque era la reina de Macedonia como porque el rey de Epiro era su hermano.

En realidad, Alejandro era rey nominal pero no de hecho, porque Epiro estaba en manos de su tío Aribas que no tenía ninguna intención de abandonar; sólo Filipo, con su poderío, su ejército y su oro, podría mantenerle establemente en el trono.

Hacerlo formaba parte de sus intereses, porque de ese modo ataría a sí al muchacho y frenaría las pretensiones de Olimpia, la cual, viéndose frecuentemente desatendida por su esposo, había encontrado en el ejercicio del poder las satisfacciones que le eran negadas por una vida gris y monótona.

—Debes tener paciencia unos años más —explicó Filipo al joven soberano—. El tiempo que necesito para hacer entrar en razón a todas las ciudades costeras aún independientes y hacer comprender a los atenienses quién es el más fuerte. No es que la tenga tomada con ellos: simplemente no les quiero cerca molestando en Macedonia. Y además quiero conseguir el control de los estrechos entre Tracia y Asia.

—Por mí está bien, mi querido cuñado —replicó Alejandro que se sentía muy halagado al verse tratado como un verdadero hombre y un verdadero rey a su edad—. Me doy cuenta de que hay pocas cosas más importantes que las montañas de Epiro, pero, si un día quisieras brindarme tu ayuda, te estaría agradecido el resto de mis días.

Para ser nada más que un adolescente, el muchacho razonaba más que bien y Filipo sacó una excelente impresión.

—¿Por qué no te quedas con nosotros? —preguntó—. En Epiro te encontrarás en una situación cada vez más peligrosa y yo prefiero saberte a buen recaudo. Aquí está tu hermana, la reina, que te quiere. Tendrás tus habitaciones, tus emolumentos y cuantas consideraciones son propias de tu rango. Cuando llegue el momento, yo mismo haré que ocupes el trono de tus padres.

El joven rey aceptó de buen grado y se quedó en el palacio real de Pella hasta que Filipo hubiera llevado a cabo el programa político y militar que había de hacer de Macedonia el más rico, el más fuerte y el más temible estado de Europa.

La reina Olimpia había regresado despechada a sus aposentos, a esperar a que su hermano viniera a presentarle sus respetos y volver a verla antes de retirarse. Desde la habitación contigua le llegaban las voces de Hefestión y Alejandro que jugaban con los soldaditos y gritaban:

—¡Estás muerto!

—¡No, tú sí que estás muerto!

Luego el alboroto se atenuó hasta casi desaparecer del todo. Las energías de aquellos pequeños guerreros se apagaron muy pronto tras asomar la Luna en el cielo.

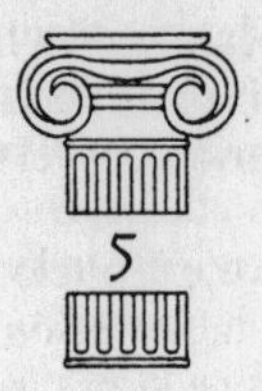

5

Alejandro cumplía siete años y su tío, el rey de Epiro, doce cuando Filipo atacó la ciudad de Olinto y a la alianza calcídica, que controlaban la gran península de forma de tridente. Los atenienses, aliados de la ciudad, trataron de negociar, pero no le encontraron muy predispuesto a ello.

Respondió:

—U os vais de aquí o me voy yo de Macedonia.

Lo que no dejaba mucho margen de maniobra.

El general Antípatro intentó que se tuvieran en cuenta también otros aspectos del problema y tan pronto como los invitados de Atenas hubieron salido, furibundos, de la sala del consejo, observó:

—Esto favorecerá a tus enemigos en Atenas, especialmente a Demóstenes.

—No temas —comenzó diciendo el rey con un encogimiento de hombros.

—Sí, pero es un excelente orador aparte de un buen político. El único que ha comprendido tu estrategia. Ha observado que ya no empleas tropas mercenarias, sino que has formado un ejército macedonio, compacto y motivado, y has hecho de él el pilar de tu trono. Él considera que esta realización hace de ti el enemigo más peligroso. Un contrincante inteligente debe ser tenido en cuenta.

Filipo no supo qué replicar por el momento. Se limitó a decir:

—Haz que algún amigo nuestro de la ciudad no le pierda de vista. Quiero saber todo lo que diga de mí.

—Así lo haré, señor —replicó Antípatro.

Y enseguida alertó a sus informadores en Atenas para que le mantuviesen al día de forma rápida sobre los movimientos de Demóstenes.

Pero cada vez que le llegaba el texto de un discurso del gran orador lo pasaba mal. Lo primero que el rey preguntaba era el título.

—*Contra Filipo* —era normalmente la respuesta.

—¿Otra vez? —gritaba montando en cólera.

Le revolvía tanto el estómago que, si había comido o cenado, la comida le sentaba fatal. Recorría el despacho arriba y abajo como un león enjaulado mientras su secretario le leía el texto; de vez en cuando, paraba a éste gritando:

—¿Qué es lo que ha dicho? ¡Repítelo! ¡Repítelo, maldición!

El pobre secretario tenía la sensación de haber sido él mismo, por iniciativa propia, quien había proferido aquellas palabras.

Lo que más encolerizaba al soberano era la obstinación de Demóstenes al calificar a Macedonia de «estado bárbaro y de segundo orden».

—¿Bárbaro? —gritaba tirando al suelo todo cuanto tenía sobre la mesa—. ¿De segundo orden? ¡Ya le enseñaré yo a ése si es de segundo orden!

—Debes tener en cuenta, señor —le hacía notar el secretario con intención de calmarle—, que, por lo que me consta, las reacciones del pueblo a estas salidas de tono de Demóstenes son más bien tibias. La gente de Atenas está más interesada en saber cómo se resolverán los problemas del latifundio y del reparto de tierras a los campesinos del Ática que en las ambiciones políticas de gran calado de Demóstenes.

A los apasionados discursos contra Filipo siguieron otros en favor de Olinto, a fin de convencer al pueblo de que votase ayudas militares para la ciudad asediada, pero tampoco éstas tuvieron resultados apreciables.

La ciudad cayó al año siguiente y Filipo la arrasó para dar un ejemplo inequívoco a todo aquel que tuviese la más mínima intención de desafiarle.

—¡Así tendrá ése un buen motivo para tratarme de bárbaro! —gritó, cuando Antípatro le invitó a reflexionar sobre las consecuencias, en Atenas y en Grecia, de gesto tan radical.

Y, en efecto, aquella drástica decisión no hizo sino agudizar las diferencias en la península helénica: no había ciudad o pueblo en toda Grecia donde no hubiera un partido promacedonio o un partido antimacedonio.

Por su parte, Filipo se sentía cada vez más próximo a Zeus, padre de todos los dioses, por gloria y poder, aunque los continuos conflictos a los que se lanzaba con la cabeza gacha, «como un carnero enfurecido» para emplear sus propias palabras, comenzaban a pasarle factura.

Bebía mucho durante los intervalos entre un conflicto y otro y se entregaba a excesos de todo tipo, en orgías que duraban noches enteras.

Por el contrario, la reina Olimpia se encerraba cada vez más en sí misma, dedicada al cuidado de los hijos y a las prácticas religiosas. Filipo visitaba ahora raras veces su lecho y, cuando lo hacía, el encuentro terminaba de forma insatisfactoria para ambos. Ella se mostraba fría y distante y él salía humillado de aquel enfrentamiento, dándose cuenta de que su fogosidad no provocaba en la reina la menor palpitación, la menor sensación.

Olimpia era una mujer de carácter no menos fuerte que el de su esposo y celosísima de su dignidad. Veía en su joven hermano, y sobre todo en su hijo, a aquéllos que un día serían sus inflexibles valedores, devolviéndole el prestigio y el poder que le correspondían y que la arrogancia de Filipo le arrebataba día tras día.

Aunque las prácticas religiosas oficiales eran una obligación, carecían para ella evidentemente de sentido. Estaba convencida de que los dioses del Olimpo, si es que existían, no debían de tener el menor interés por las cosas humanas. Otros eran los cultos que la apasionaban, sobre todo el de Dionisos, un dios misterioso capaz de posesionarse de la mente humana y de transformarla, arrastrándola a un torbellino de emociones violentas y de sensaciones ancestrales.

Se decía que se había hecho iniciar en los ritos secretos y que había participado de noche en las orgías del dios, en las que se bebía vino mezclado con poderosas drogas y se bailaba hasta el agotamiento y la alucinación, al ritmo de instrumentos bárbaros.

En aquel estado le parecía correr de noche por los bosques, dejar en las ramas, hechas jirones, las hermosas vestiduras reales, para luego perseguir a las fieras salvajes, abatirlas y alimentarse de su carne cruda y aún palpitante. Y le parecía que luego caía extenuada, presa de un pesado sueño, sobre un manto de oloroso musgo.

Y en aquel estado de semiinconsciencia veía a las divinidades y criaturas de los bosques salir tímidamente de sus guaridas: las ninfas de verde piel como las hojas de los árboles, los sátiros de hirsuto pelo, mitad hombres y mitad cabras, que se acercaban a un simulacro del falo gigantesco del dios, lo coronaban de hiedra y de pámpanos de vid, lo bañaban de vino. Luego desencadenaban la orgía bebiendo vino puro y entregándose a sus cópulas bestiales para alcanzar, en medio de aquel éxtasis frenético, el contacto con Dionisos para imbuirse de su espíritu.

Otros se le acercaban furtivamente con sus enormes falos erectos, espiando ávidamente su desnudez, excitando su lujuria animal...

Así la reina, en lugares recónditos, conocidos únicamente por los iniciados, se sumergía en las profundidades de su naturaleza más salvaje y bárbara, en los ritos que liberaban la parte más agresiva y violenta de su espíritu y de su cuerpo. Al margen de aquellas manifestaciones, su vida era la que las costumbres atribuían a cualquier mujer o esposa, y ella misma entraba en aquella vida como si cerrase tras de sí una pesada puerta que borraba todo recuerdo y toda sensación.

En la quietud de sus aposentos enseñaba a Alejandro lo que de aquellos cultos podía aprender un muchacho; le contaba las aventuras y las peregrinaciones del dios Dionisos que había llegado, acompañado de un cortejo de sátiros y de silenos coronados de pámpanos, hasta la tierra de los tigres y de las panteras: la India.

Pero si bien el influjo de la madre tenía un gran peso en la formación del ánimo de Alejandro, más aún lo tenía la imponente montaña de instrucción que le era suministrada por orden y voluntad de su padre.

Filipo había ordenado a Leónidas, responsable oficial de la educación del muchacho, que organizara su formación sin descuidar nada y así, a medida que Alejandro progresaba, eran llamados a la corte otros pedagogos, preparadores e instructores.

No bien estuvo en condiciones de apreciar los versos, Leónidas comenzó a leerle los poemas de Homero, en particular la *Ilíada*, en la que se mostraban los códigos de honor y de conducta destinados únicamente a un príncipe real de la casa de los Argéadas. De este modo el viejo maestro comenzó a ganarse no sólo la atención, sino también el afecto de Alejandro y de sus compañeros. La cantinela que anunciaba su llegada al aula, no obstante, siguió resonando en los corredores de palacio:

Ek korí korí koróne!
Ek korí korí koróne!

«¡He aquí cómo llega, cómo llega la corneja!» También Hefestión escuchaba junto con Alejandro los versos de Homero, y los dos muchachos se imaginaban, arrobados, aquellas extraordinarias aventuras, la historia de aquel gigantesco conflicto en el que habían tomado parte los hombres más fuertes del mundo, las mujeres más hermosas y los mismos dioses, alineados unos en un bando, otros en el otro.

Ahora Alejandro se daba perfecta cuenta de quién era, de aquel universo que giraba en torno a él y del destino para el que se le preparaba.

Los modelos que le proponían eran los del heroísmo, la resistencia al dolor, el honor y el respeto de la palabra dada, el sacrificio hasta la entrega de la propia vida. A ellos se apegaba día tras día, no tanto por diligencia de discípulo cuanto por propia inclinación natural.

A medida que crecía, su naturaleza se revelaba como lo que era, partícipe al mismo tiempo de la agresividad salvaje del padre, de la cólera real que de repente estallaba como un rayo y de la ambigua y misteriosa fascinación de la madre, de su curiosidad por lo desconocido, de su avidez por el misterio.

Alimentaba hacia la madre un afecto profundo, un apego casi morboso, y hacia el padre una admiración infinita que, sin embargo, con el paso del tiempo, se iba trocando gratamente en afán de competencia, en un deseo cada vez más fuerte de emulación.

Hasta el punto de que las noticias frecuentes ya entonces de los éxitos de Filipo parecían entristecerle más que alegrarle. Comenzaba a pensar que, si su padre lo conquistaba todo, no le quedaría ya a él tierra alguna en la que demostrar su valor y coraje.

Era todavía demasiado joven para darse cuenta de lo grande que era el mundo.

A veces, cuando entraba en el aula de Leónidas con sus compañeros para seguir sus lecciones, ocurría que se cruzaba de pasada con un joven de aspecto melancólico, que podía frisar los trece o catorce años y que se alejaba rápido sin detenerse a hablar.

—¿Quién es ese chico? —preguntó en una ocasión a su maestro.

—Eso no es asunto tuyo —repuso Leónidas y cambió enseguida de conversación.

La mayor aspiración de Filipo, desde que se convirtiera en rey, había sido llevar Macedonia al mundo griego, pero sabía que para conseguirlo tendría que imponerse por la fuerza. Por dicho motivo había dedicado en primer lugar todas sus energías a hacer de su país una potencia moderna, sacándolo de su condición de estado tribal de pastores y agricultores.

Había desarrollado la agricultura en las llanuras, haciendo traer trabajadores expertos de las islas y de las ciudades griegas de Asia Menor, y había estimulado los trabajos de extracción en el monte Pangeo, obteniendo de sus minas hasta mil talentos anuales de oro y de plata.

Había impuesto su autoridad a sus jefes tribales y les había ligado a él mediante la fuerza o con alianzas matrimoniales. Había creado además un ejército como no se había visto nunca otro hasta aquel entonces, un ejército constituido por unidades de infantería pesada enormemente poderosas, unidades de infantería ligera de gran movilidad y escuadrones de caballería que no temían el enfrentamiento en la zona del Egeo.

Pero todo esto no había bastado para que fuera aceptado como griego. Demóstenes, pero asimismo otros muchos oradores y políticos de Atenas, Corinto, Mégara, Sición, seguían llamándole Filipo *El Bárbaro*.

Para ellos eran objeto de risa la pronunciación de los macedonios, quienes acusaban el influjo de los pueblos salvajes que presionaban en sus fronteras septentrionales, y sus monstruosos desafueros en el beber, en el comer y hacer el amor durante sus banquetes, que por lo general degeneraban en orgías. Consideraban bárbaro a un estado basado aún en los vínculos de sangre y no en el derecho de ciudadanía, regido por un soberano que podía mandar sobre todos y estar por encima de las leyes.

Filipo alcanzó su objetivo al conseguir finalmente imponerse a los focenses en la guerra sagrada, logrando su expulsión del consejo del santuario, el más noble y prestigioso consejo de toda Grecia. Los dos votos de que disponían sus representantes fueron asignados al rey de los macedonios, al que fue atribuido el cargo altamente honorífico de presidente de los Juegos Píticos, los más prestigiosos después de los Olímpicos.

Fue la coronación de diez años de esfuerzos decisivos y coincidió con el hecho de que su hijo Alejandro cumplía diez años.

En ese mismo período, un gran orador ateniense de nombre Isócrates pronunció un discurso en el que exaltaba a Filipo como protector de los griegos y como el único hombre que podía aspirar a someter a los bárbaros de Oriente, los persas, que desde hacía más de un siglo amenazaban la civilización y la libertad helénicas.

Alejandro fue informado de estos acontecimientos por sus maestros y tales noticias le llenaron de ansiedad. Se sentía ya lo bastante mayor como para asumir su papel en la historia del país, pero sabía perfectamente que era también demasiado pequeño para poder actuar.

Conforme crecía, su padre le dedicaba cada vez más tiempo, como si le considerase ya un hombre, pero no por ello dejaba de lado sus más audaces proyectos. Su objetivo no era, en efecto, el predominio sobre los estados de la Grecia peninsular: éste era únicamente un medio. Miraba más allá, allende el mar, hacia los infinitos territorios del Asia interior.

A veces, cuando pasaba un período de descanso en el palacio de Pella, le llevaba con él después de cenar a la torre más alta y le señalaba el horizonte en dirección a Oriente, por donde asomaba la Luna de entre las olas del mar.

—¿Sabes qué hay allí, Alejandro?

—Está Asia, papá —respondía él—. El país del sol naciente.

—¿Y sabes lo grande que es Asia?

—Mi maestro de geografía, Cratipo, dice que tiene más de diez mil estadios.

—Pues está en un error, hijo mío. Asia es cien veces más grande que eso. Cuando yo combatía a orillas del río Istro, me encontré a un guerrero escita que hablaba el macedonio. Me contó que allende el río se extendía una llanura vasta como un mar y a continuación montañas tan altas como para penetrar los cielos con sus cumbres. Me explicó que había desiertos tan extensos que se requerían meses para atravesarlos y que además había montañas completamente cubiertas de piedras preciosas: lapislázulis, rubíes, cornalinas.

»Contó que en aquellas llanuras corrían rebaños de miles de caballos ardientes como el fuego, incansables, capaces de correr volando durante días por la extensión infinita. "Existen regiones —me dijo— sepultadas por el hielo, oprimidas por una noche que dura la mitad del año, y otras abrasadas por el ardor del sol en cada estación, donde no crece una brizna de hierba, donde todas las serpientes son venenosas y la picadura de un escorpión mata a un hombre en poco rato". Ésta es Asia, hijo mío.

Alejandro le miró, vio sus ojos arder de sueños y comprendió qué era lo que ardía en el alma de su padre.

Un día, había pasado más de un año de aquella conversación, Filipo entró de repente en su habitación.

—Ponte los pantalones tracios y coge una capa de lana burda. Nada de insignias ni de adornos, ¡pues partimos!

—¿Adónde vamos?

—He hecho preparar ya los caballos y los víveres; estaremos fuera unos días. Quiero que veas una cosa.

Alejandro no hizo ninguna otra pregunta. Se vistió tal como se le había pedido, saludó a su madre asomándose un momento a la entrada de su estancia y bajó a todo correr al patio donde le esperaban una pequeña escolta de la caballería real y dos cabalgaduras.

Filipo estaba ya en la silla, Alejandro saltó sobre su caballo negro y salieron al galope por la puerta abierta de par en par.

Cabalgaron durante varios días hacia Oriente, primero por la costa, luego por el interior, para seguir nuevamente por la costa. Pasaron Therma, Apolonia y Anfípolis, parándose de noche en pequeñas posadas de campo y comiendo la comida tradicional macedonia: asado de cabra, caza, queso curado de oveja y el pan cocido bajo las cenizas.

Tras dejar atrás Anfípolis, comenzaron a trepar por un escarpado sendero hasta que se encontraron, casi de improviso, ante un paisaje desolado. La montaña había sido privada de su manto boscoso, y por todas partes veíanse troncos mutilados y raigones carbonizados. El terreno, tan desnudo, mostraba perforaciones en varias de sus partes y en la entrada de cada cueva se amontonaban enormes cantidades de detritos, como en un gigantesco hormiguero.

Comenzaba a caer una fina e insistente lluvia y los jinetes se cubrieron la cabeza con las capuchas y pusieron los animales a paso de marcha. El sendero principal no tardó en bifurcarse en un laberinto de trincheras por las que se movía una multitud de hombres andrajosos y macilentos, de piel renegrida y rugosa, que cargaban pesadas espuertas llenas de piedras.

Más allá subían al cielo columnas de negro y denso humo, en perezosas volutas, difundiendo por toda la zona una espesa nube que dificultaba la respiración.

—Tápate la boca con la capa —ordenó Filipo a su hijo, sin añadir nada más.

Reinaba por toda la zona un extraño silencio y ni siquiera se oía el ruido de todos aquellos pies, amortiguado como estaba por el denso barrizal en el que la lluvia había transformado el polvo.

Alejandro miraba a su alrededor espantado: así se había imaginado que sería el Hades, el reino de los muertos, y le vinieron a la mente en aquel momento los versos de Homero.

Allí están el pueblo y la ciudad de los cimerios
entre nieblas y nubes, sin que jamás el sol
resplandeciente los ilumine con sus rayos,
ni cuando sube al cielo estrellado,
ni cuando vuelve del cielo a la tierra,
pues una nube perniciosa se extiende sobre
*[los míseros mortales.**

Luego, de golpe, el silencio se vio roto por un ruido sordo y acompasado, como si el puño de un cíclope se abatiese con monstruosa potencia sobre las atormentadas laderas del monte. Alejandro espoleó con los talones a su caballo porque quería saber el origen de aquel estruendo que ahora hacía temblar la tierra como el trueno.

Después que hubo bordeado una prominencia rocosa vio dónde terminaban todos los senderos. Había una máquina gigantesca, una especie de torre hecha de grandes travesaños que llevaba en lo alto una polea. Una soga sostenía una tela metálica colosal, y por el otro lado la soga estaba retorcida sobre una árgana que era maniobrada por cientos de aquellos desdichados, que la hacían girar enrollando la soga en torno al tambor, de modo que la red se alzaba en el interior de la torre de madera.

Cuando alcanzaba la parte superior, uno de los vigilantes soltaba la clavija del freno liberando el tambor, que rodaba en sentido contrario arrastrado por el peso de la red que caía al suelo haciendo pedazos las piedras arrojadas de continuo por las espuertas transportadas a hombros montaña arriba.

Los hombres recogían el mineral fragmentado, llenaban otras es-

* *Odisea*, XI, 14-19.

puertas con él y se lo llevaban por otros senderos hasta una explanada, donde otros lo pulverizaban en los morteros a fin de lavarlo a continuación en el agua de un torrente que era canalizada por medio de una serie de rápidos y rampas, separando las pequeñas pepitas y el polvo de oro que contenían.

—Éstas son las minas del Pangeo —explicó Filipo—. Con este oro he armado y equipado a nuestro ejército, he construido nuestros palacios, he erigido el poderío de Macedonia.

—¿Por qué me has traído aquí? —preguntó Alejandro profundamente turbado.

Mientras hablaba, uno de los porteadores se desplomó casi debajo mismo de las patas de su caballo. Un vigilante se aseguró de si estaba muerto o no; luego hizo una señal a dos desventurados que depositaron en tierra las espuertas, le cogieron por los pies y se lo llevaron a rastras.

—¿Por qué me has traído aquí? —preguntó de nuevo Alejandro.

Filipo se dio cuenta de que el cielo plúmbeo se reflejaba en su mirada sombría.

—No has visto aún lo peor —respondió—. ¿Estás dispuesto a descender bajo tierra?

—No le temo a nada —afirmó el muchacho.

—Entonces sígueme.

El rey se apeó del caballo y se acercó a la entrada de una de las minas. El vigilante que había venido a su encuentro empuñando el látigo se detuvo estupefacto, al reconocer en su pecho la estrella de oro de los Argéadas.

Filipo se limitó a hacer una indicación y volvió atrás, encendió un candil y se dispuso a guiarlos por el subsuelo.

Alejandro siguió al padre, pero apenas hubo entrado sintió que se sofocaba a causa de un hedor insoportable a orina, sudor y excrementos humanos. Había que avanzar inclinados y, en determinados puntos, casi con la espalda doblada, a lo largo de una angosta tripa que resonaba por doquier con un continuo martilleo, un jadear difuso, ataques de tos, estertores agónicos.

De vez en cuando el vigilante se detenía allí donde un grupo de hombres se hallaban ocupados en extraer con el pico el mineral o bien en la bocamina de los pozos. Al fondo de cada uno de éstos palpitaba la claridad de un velón iluminando una espalda huesuda, unos brazos esqueléticos.

A veces el minero, al oír ruido de pasos o de voces que se aproximaban, alzaba el rostro para mirar y Alejandro descubría máscaras desfiguradas por la fatiga, las enfermedades y el horror de vivir.

Más adelante, al fondo de uno de aquellos pozos, vieron un cadáver.

—Muchos se suicidan —explicó el vigilante—. Se lanzan sobre el pico o se traspasan con el cincel.

Filipo se volvió para observar a Alejandro. Estaba mudo y en apariencia impasible, pero sobre sus ojos había caído una mortal oscuridad.

Salieron por la parte opuesta del monte a través de un estrecho agujero y encontraron los caballos y la escolta esperándoles.

Alejandro miró a su padre.

—¿Cuál fue su delito? —preguntó.

Su rostro estaba pálido como la cera.

—Ninguno —repuso el rey—. Salvo haber nacido.

7

Volvieron a montar sobre sus sillas y descendieron al paso bajo la lluvia que volvía a caer. Alejandro cabalgaba en silencio al lado de su padre.

—Quería que supieses que todo tiene un precio. Y quería que supieses también qué clase de precio. Nuestra grandeza, nuestras conquistas, nuestros palacios y nuestras vestiduras... todo debe ser pagado.

—Pero ¿por qué ellos?

—No hay un porqué. El mundo está gobernado por el hado. Al nacer fue establecido que muriesen de ese modo, así como, al nacer, fue establecido también para nosotros un destino que nos es ocultado hasta el último instante.

»Sólo el hombre, de todos los seres vivos, puede ascender hasta casi tocar la morada de los dioses, o bien caer más bajo que los brutos. Tú ya has visto las moradas de los dioses, has vivido en la casa de un rey, pero consideraba justo que vieses también lo que puede reservar la suerte a un ser humano. Entre estos desdichados hay hombres que tal vez un día fueron caudillos o nobles y que el hado precipitó de repente en la miseria.

—Pero si éste es el destino que puede correspondernos a cada uno de nosotros, ¿por qué no ser clementes mientras la fortuna se nos muestra favorable?

—Esto es lo que quería oírte decir. Deberás ser clemente siempre que te sea posible, pero recuerda que no puede hacerse nada por cambiar la naturaleza de las cosas.

En aquel momento Alejandro vio a una niña algo más pequeña que él que subía por el sendero cargada con dos pesadas cestas llenas a rebosar de habas y garbanzos, destinadas probablemente a la comida de los vigilantes.

El joven se apeó del caballo y se detuvo delante de ella: era delgada, iba descalza, con los cabellos sucios, y tenía unos ojazos negros rebosantes de tristeza.

—¿Cómo te llamas? —le preguntó.

La niña no respondió.

—Probablemente no sabe hablar —observó Filipo.

Alejandro se dirigió al padre:

—Yo puedo cambiar su suerte. Mejor dicho, quiero cambiarla.

Filipo asintió:

—Puedes hacerlo, si es eso lo que quieres, pero recuerda que el mundo no cambiará por eso.

Alejandro hizo subir a la pequeña sobre su caballo, detrás de él, y la cubrió con su capa.

Llegaron de nuevo a Anfípolis al anochecer y se hospedaron en la casa de un amigo del rey. Alejandro ordenó que la niña fuese lavada y vestida, y se quedó mirándola mientras comía.

Intentó hablarle, pero ella respondía con monosílabos y nada de lo que decía resultaba comprensible.

—Se trata de alguna lengua bárbara —le hizo notar Filipo—. Si quieres comunicarte con ella, deberías esperar a que aprenda el macedonio.

—Esperaré —replicó Alejandro.

El día siguiente amaneció con un tiempo espléndido y reanudaron el viaje de regreso volviendo a cruzar el puente de barcas sobre el Estrimón, pero, una vez llegados a Bromisco, se dirigieron hacia el sur por la península del monte Athos. Cabalgaron durante toda la jornada y a la hora del ocaso llegaron a un punto en el que se veía un enorme foso, semienterrado, que dividía la península en dos. Alejandro tiró de las riendas de su caballo y se quedó mirando estupefacto aquella obra ciclópea.

—¿Ves ese foso? —preguntó su padre—. Pues fue excavado hará casi ciento cincuenta años por Jerjes, el emperador de los persas, con objeto de permitir el paso de su flota y evitar de este modo correr el riesgo de un naufragio en los escollos de Athos. Trabajaron en ella diez mil hombres turnándose continuamente, día y noche. Y antes el Gran Rey había hecho construir un puente de barcas a través del estrecho del Bósforo, uniendo Asia con Europa.

»Dentro de pocos días recibiremos la visita de una embajada del Gran Rey. Quería que comprendieses el poderío del imperio con el que estamos negociando.

Alejandro asintió y observó largo rato sin hablar de aquella obra colosal; luego, viendo a su padre reanudar el viaje, dio un talonazo a su caballo y se fue detrás de él.

—Quisiera pedirte una cosa —dijo cuando llegó de nuevo a su lado.

—Te escucho.

—Hay un muchacho de Pella que frecuenta las lecciones de Leónidas, pero que no está nunca con nosotros. Las pocas veces que me encuentro con él evita hablar conmigo y tiene normalmente un aspecto triste, melancólico. Leónidas nunca ha querido explicarme quién es, pero estoy seguro de que tú lo sabes.

—Es tu primo Amintas —repuso Filipo sin volverse—. El hijo de mi hermano, muerto en combate, luchando contra los tesalios. Antes de que tú nacieras, era él el heredero del trono y yo gobernaba como regente.

—¿Tratas de decir que debería ser él el soberano?

—El trono es de quien es capaz de defenderlo —replicó Filipo—. Recuérdalo. Por eso, en nuestro país, cualquiera que ha tomado el poder ha eliminado a todos aquéllos que habrían podido urdir asechanzas contra él.

—Pero tú has dejado vivir a Amintas.

—Era el hijo de mi hermano, y no podía acarrearme ningún daño.

—Fuiste... clemente.

—Si quieres llamarlo así...

—¿Padre?

Filipo se volvió: Alejandro le llamaba «padre» cuando estaba rabioso con él o cuando quería hacerle una pregunta muy seria.

—Si fueras a morir en combate, ¿quién sería el heredero del trono, Amintas o yo?

—El más digno.

El muchacho no preguntó nada más, pero aquella respuesta le causó una profunda impresión y no se borró jamás de su mente.

Regresaron a Pella tres días después y Alejandro confió a Artemisia la niña que había arrancado de los horrores del monte Pangeo.

—De ahora en adelante —afirmó, con cierta entonación infantil— estará a mi servicio. Y tú le enseñarás todo cuanto debe saber.

—Pero ¿tiene un nombre al menos? —preguntó Artemisia.

—No lo sé. Yo, de todas formas, la llamaré Leptina.

—Es bonito, y adecuado además para una niña.

Aquel día llegó la noticia de que, a muy avanzada edad, había fallecido Nicómaco. El soberano no dejó de sentir un cierto disgusto porque había sido un excelente médico y porque había ayudado a nacer a su hijo.

En cualquier caso, su consultorio no fue cerrado, aunque su hijo, Aristóteles, había seguido un camino muy distinto y se encontraba en aquellos momentos en Asia, en la ciudad de Atarnea, donde había fundado, tras la muerte de su maestro Platón, una nueva escuela filosófica.

El joven ayudante de Nicómaco, Filipo, había seguido trabajando en el consultorio del médico desaparecido y ejercía la profesión con suma pericia.

Mientras tanto también los chavales que vivían en la corte con Alejandro habían crecido, tanto física como espiritual y anímicamente, y las inclinaciones que habían demostrado de niños se habían visto en gran medida consolidadas; los compañeros que tenían una edad próxima a la de Alejandro, como Hefestión, que era ya su amigo inseparable, o bien Pérdicas y Seleuco, se habían convertido en sus íntimos y formaban un grupo sólido, tanto en el juego como en el estudio; Lisímaco y Leonato se habían acostumbrado, con el paso del tiempo, a la vida en comunidad y desahogaban su exuberancia con los ejercicios físicos y de destreza.

Leonato, en especial, era un apasionado de la lucha, y por dicho motivo seguía estando siempre impresentable, despeinado y cubierto de rasguños y moretones. Los mayores, como Tolomeo y Crátero, eran dos jovenzuelos y recibían ya desde hacía bastante tiempo un duro adiestramiento militar en la caballería.

En aquel período entró a formar parte del grupo un griego de nombre Eumenes, que trabajaba como ayudante en la cancillería del rey y era muy estimado por su inteligencia y sagacidad. Como Filipo había querido que frecuentase la misma escuela que los demás chicos, Leónidas le encontró un sitio en el dormitorio, pero inmediatamente Leonato le desafió a pelear.

—Si quieres ganarte el sitio tienes que batirte —afirmó despojándose de su quitón y quedándose con el torso desnudo.

Eumenes no se dignó ni a mirarle.

—¿Estás loco? Ni lo pienses.

Y se puso a arreglar sus ropas en el arcón que había a los pies de su cama.

Lisímaco se burló de él:

—Lo dije. Este griego es un mierda.

También Alejandro se echó a reír.

Leonato le dio un empellón y le hizo rodar por los suelos.

—Entonces, ¿quieres batirte sí o no?

Eumenes se levantó con aire molesto, se arregló la ropa y dijo:

—Un momento, ahora vuelvo.

Se fue hacia la puerta dejando a todos patidifusos. No bien hubo salido se acercó a un soldado que montaba la guardia en la galería superior de palacio, un tracio corpulento como un oso. Se sacó algunas monedas y se las puso en la mano.

—Sígueme, tengo un trabajo para ti.

Entró en el dormitorio y señaló a Leonato.

—¿Ves a ese pelirrojo de las pecas?

El gigante asintió.

—Pues bien. Cógele y dale una buena tunda.

Leonato se lo olió inmediatamente, se escabulló por entre las piernas del tracio igual que Odiseo por entre las piernas de Polifemo y salió pitando escaleras abajo.

—¿Alguien más tiene algo que objetar? —preguntó Eumenes poniéndose de nuevo a arreglar sus efectos personales.

—Sí, yo —intervino Alejandro.

Eumenes se paró y se volvió hacia él.

—Te escucho —dijo en un tono de evidente respeto—, porque el señor de la casa aquí eres tú, pero ninguno de estos buscarruidos puede permitirse llamarme «un mierda».

Alejandro estalló a reír.

—Bienvenido entre nosotros, señor secretario general.

A partir de aquel momento Eumenes entró a formar parte del grupo a todos los efectos y se convirtió en la fuente de inspiración de toda clase de burlas a costa de éste o del otro, pero sobre todo de su maestro, el viejo Leónidas: le metían lagartijas en la cama y ranas vivas en el potaje de lentejas para vengarse de los palmetazos que les propinaba cuando no se aplicaban al estudio con el debido ahínco.

Una noche Leónidas, que tenía mayor responsabilidad que los otros al preparar los programas de estudio, hizo saber con aire grave que al día siguiente el soberano recibiría la visita de una embajada persa y que también él formaría parte de la misión diplomática por sus conocimientos sobre Asia y sus costumbres; les informó que los mayores de ellos tendrían que prestar servicio en la guardia de honor del rey cubiertos con la armadura de gala, en tanto que los más jóvenes deberían desempeñar un cometido análogo al lado de Alejandro.

La noticia provocó una gran agitación entre los muchachos: ninguno de ellos había visto jamás a un persa y todo cuanto sabían de Persia era lo que habían leído en las obras de Heródoto y de Cresias o en el diario de la famosa «expedición de los diez mil» del ateniense Jenofonte. Todos, por tanto, se pusieron a bruñir las armas y a preparar sus ropas de ceremonia.

—Mi padre tuvo ocasión de hablar con uno que había tomado parte en la expedición de los diez mil —contó Hefestión— y que había tenido a los persas delante mismo en la batalla de Cunaxa.

—¿Qué os parece, muchachos? —intervino Seleuco—. ¡Un millón de hombres!

Y se ponía las manos delante abriéndolas en abanico como si quisiera representar el frente inmenso de los guerreros.

—¿Y los carros falcados? —añadió Lisímaco—. Corren raudos como el viento por sus llanuras, y tienen unas cuchillas que salen de debajo de la caja y fuera de los ejes para segar a los hombres como si se tratara de espigas de trigo. Yo no quisiera encontrármelos delante en el campo de batalla, la verdad.

—Simples trampas que hacen más ruido que daño —observó Alejandro que hasta aquel momento había estado callado escuchando los comentarios de sus amigos—. Eso mismo dice Jenofonte en su diario. En cualquier caso, todos tendremos ocasión de ver cómo se las apañan los persas con las armas. Mi padre el rey ha organizado para pasado mañana una batida para la caza del león en Eordea, en honor de los huéspedes.

—¿Dejarán ir también a los niños? —se carcajeó Tolomeo.

Alejandro se plantó delante de él:

—Yo tengo trece años y no le temo a nada ni a nadie. Repítelo y te haré tragar tus palabras.

Tolomeo se contuvo y también los demás jóvenes dejaron de reír. Desde hacía ya un tiempo habían aprendido a no provocar a Alejandro, por más que no fuese especialmente corpulento. Repetidas veces, en efecto, había dado prueba de una energía sorprendente y de una rapidez de reflejos fulgurante.

Eumenes propuso a todos jugar una partida de dados con la paga semanal en juego y la cosa no pasó de ahí. El dinero, finalmente, acabó en gran parte en sus bolsillos porque el griego sentía verdadera debilidad tanto por el juego como por el vil metal.

Aplacada la cólera, Alejandro dejó a sus compañeros con sus pasatiempos y fue a hacerle una visita a su madre antes de irse a la cama. Olimpia llevaba desde hacía tiempo una vida apartada, aunque seguía conservando un considerable poder en la corte como madre del heredero del trono, y sus encuentros con Filipo se limitaban casi exclusivamente a las ocasiones previstas por el protocolo.

El rey había tomado entretanto por esposas a otras mujeres por razones meramente políticas, pero seguía respetando a Olimpia y, de haber tenido la reina un carácter menos suspicaz y difícil, le habría demostrado tal vez que la pasión que había sentido por ella no estaba del todo muerta.

La soberana se hallaba sentada en un sillón de brazos cerca de un candelabro de bronce de cinco brazos y tenía un papiro abierto sobre las rodillas. Su habitación, fuera del rayo de aquella luz, estaba totalmente a oscuras.

Alejandro entró con paso ligero.

—¿Qué estás leyendo, mamá?

Olimpia levantó la cabeza.

—A Safo —repuso—. Sus versos son maravillosos y sus sentimientos de soledad están tan próximos a los míos...

Se acercó a la ventana mientras contemplaba el cielo estrellado y repitió con voz vibrante y melancólica los versos que había leído:

La noche está a mitad de su curso.
Ya se ha puesto la luna.
Y las Pléyades; mediada es
la noche, pasa la hora,
*y yo duermo sola.**

Alejandro se acercó y vio por un momento, a la incierta luz de la luna, temblar una lágrima en las pestañas de su madre y luego rodar lentamente, regándole la pálida mejilla.

* Fragmento 168b Voigt (el primer verso es un añadido del autor.)

8

El maestro de ceremonias ordenó que sonaran las trompas y los dignatarios persas hicieron su solemne entrada en la sala del trono. El jefe de la delegación era el sátrapa de Frigia, Arsames, acompañado por el gobernador militar de la provincia y por otros magnates que le seguían a algunos pasos.

Estaban flanqueados por una escolta de doce Inmortales, los soldados de la guardia imperial, elegidos todos por su imponente estatura, la majestuosidad de su porte y la dignidad de su linaje.

El sátrapa portaba la tiara floja, el gorro de más alto prestigio después de la tiara rígida de uso exclusivo del emperador. Vestía una sobreveste de biso verde recamado con unos dragones de plata en los calzones adamascados y pantuflas de piel de antílope. También los demás dignatarios iban ataviados con ropajes increíblemente ricos y refinados.

Pero quienes llamaban más la atención de los presentes eran los Inmortales del Gran Rey. De casi seis pies de alto, de tez aceitunada, lucían barbas negrísimas y ensortijadas y el pelo suntuosamente tocado y rizado con el encrespador. Lucían sobrevestes de brocatel de oro largas hasta los pies sobre unas túnicas de biso azul y calzones del mismo color recamados con unas abejas de oro. Llevaban en bandolera los mortíferos arcos de doble curvatura y las aljabas de cedro taraceadas de marfil y de lámina de plata.

Andaban majestuosamente a paso cadencioso apoyando en el suelo las astas de las lanzas, rematadas con unos pomos de oro en forma de granada. Del costado de cada uno colgaba el arma de gala más hermosa que hubiera podido salir de manos del mejor armero del mundo conocido: la deslumbrante *akinake*, daga de oro macizo envainada en su funda labrada a tramos con desfiles de grifos rampantes con ojos de rubíes.

La vaina, asimismo de oro purísimo, estaba suspendida de una presilla enganchada al cinto, de modo que el arma podía oscilar libremente a cada paso de los majestuosos guerreros y al propio tiempo marcarles el ritmo con el fulgor oscilante del precioso metal.

Filipo, que se esperaba una exhibición de fasto semejante, había preparado un recibimiento adecuado alineando a los lados de la sala dos filas de treinta y seis *pezetairoi*, los imponentes soldados de su infantería pesada de línea. Embutidos en sus corazas de bronce, embrazaban los escudos con la estrella de plata de los Argéadas y empuñaban las *sarisas*, enormes astas de cornalina de doce pies de altura. Las puntas de bronce, relucientes cual espejos, llegaban a rozar el techo.

Alejandro, revestido con su primera armadura, que él mismo había diseñado para el artífice, rodeado por su guardia personal, estaba sobre un escabel a los pies de su padre. Del otro lado, junto a la reina Olimpia, estaba sentada su hermana Cleopatra, apenas adolescente y ya de encantadora belleza. Vestía un peplo ático que le dejaba al descubierto los brazos y los hombros cayéndole en elegantes pliegues sobre el pequeño seno floreciente y calzaba sandalias de cintas de plata.

Llegado delante del trono, Arsames se inclinó ante la pareja real, para luego hacerse a un lado y dejar avanzar a los dignatarios con sus presentes: un cinturón de malla de oro con aguamarinas y ojos de tigre para la reina y una coraza india tallada en un caparazón de tortuga para el rey.

Filipo hizo avanzar al maestro de ceremonias con sus presentes para el emperador y la emperatriz: un yelmo escita de chapa de oro y un collar chipriota de cuentas de coral engastado en plata.

Una vez terminada la fase solemne, los huéspedes fueron introducidos en la contigua sala de audiencias y se les hizo sentar en cómodos divanes para la discusión del protocolo de entendimiento que figuraba en el orden del día. También Alejandro fue admitido, porque Filipo quería que comenzara a hacerse una idea cabal de las responsabilidades de un hombre de gobierno y de la manera de administrar las relaciones con una potencia extranjera.

El objeto de las negociaciones era una especie de protectorado de Filipo sobre las ciudades griegas de Asia, conservando un reconocimiento formal de la soberanía persa sobre dicha región. Los persas, por su parte, estaban preocupados por el avance de Filipo en dirección a los estrechos, zona neurálgica, bisagra entre dos continentes y entre tres grandes áreas: Asia Menor, Asia interior y Europa.

Filipo trató de hacer valer sus razones sin crear excesiva alarma entre sus interlocutores:

—No tengo el menor interés en perturbar la paz en la zona de los estrechos. Mi único objetivo es consolidar la hegemonía de los macedonios entre el golfo adriático y la orilla occidental del mar Negro, cosa que sin duda proporcionará estabilidad a toda el área de los estrechos, por medio del tráfico y del comercio, vital para todos.

Dejó al intérprete el tiempo de traducir y se dedicó a observar la expresión de sus huéspedes a medida que sus palabras pasaban una tras otra del griego al persa.

Arsames no dejó traslucir la menor emoción. Se dirigió a Filipo mirándole a los ojos como si pudiera comprenderle directamente y afirmó:

—El problema que el Gran Rey querría resolver es el de tus relaciones con los griegos de Asia y con determinados dinastas griegos de la orilla oriental del Egeo. Nosotros hemos favorecido siempre su autonomía y hemos preferido en todo momento que las ciudades griegas fuesen gobernadas por griegos... amigos nuestros, se entiende. Nos parece que se trata de una solución sensata, que, por una parte, respeta sus tradiciones y su dignidad, y, por otra, salvaguarda tanto sus intereses como los nuestros. Por desgracia... —prosiguió cuando el intérprete hubo terminado— estamos hablando de una zona fronteriza que ha sido siempre objeto de discordia cuando no incluso de áspera disputa o de guerra abierta.

La argumentación comenzaba a acercarse a la cuestión y a tocar fibras sensibles; Filipo, para relajar el ambiente, hizo una señal al maestro de ceremonias a fin de que dejase entrar a algunos hermosísimos efebos y doncellas, todos ellos muy ligeros de ropa, para que sirvieran dulces y vino especiado mezclado con nieve del monte Bermión, conservada en las tinajas de la bodega real.

Las copas de plata estaban cubiertas de una leve escarcha, la cual confería al metal una especie de pátina opaca y transmitía a la mirada, antes que a la mano, una agradable sensación de frescura. El rey dejó que los extranjeros se sirvieran y retomó la conversación.

—Sé perfectamente a qué te refieres, mi ilustre huésped. Sé que en el pasado hubo sangrientas guerras entre griegos y persas sin que se llegase a una solución definitiva. Pero quisiera recordarte que mi país y los soberanos que me antecedieron siempre desempeñaron una función mediadora, y por tanto te ruego que refieras al Gran Rey que nuestra amistad con los estados griegos de Asia está dictada única y exclusivamente por la conciencia de nuestros orígenes comunes, de nuestra religión común y de los antiguos lazos de hospitalidad y de parentesco...

Arsames escuchaba en todo momento con el mismo rostro de esfinge; sus ojos pintados con bistre le añadían una extraña fijeza estatuaria. Alejandro, por su parte, observaba con atención ya al huésped extranjero, ya a su padre, tratando de comprender qué se escondía tras la pantalla de aquellas palabras convencionales.

—No niego —prosiguió Filipo al cabo de un instante— que estamos muy interesados en mantener con esas ciudades relaciones comerciales, y, más aún, que deseamos aprender de su gran experiencia en todos los campos del saber. Queremos aprender a construir, a navegar por mar, a regular el curso de las aguas en nuestra tierra...

El persa, extrañamente, se adelantó al intérprete:

—¿Y qué ofrecéis a cambio?

Filipo disimuló bastante hábilmente su sorpresa. Esperó a la traducción de la pregunta y respondió imperturbable:

—Amistad, presentes de hospitalidad y productos que sólo Macedonia está en condiciones de proporcionar: la madera de nuestros bosques, magníficos caballos y robustos esclavos de las llanuras a lo largo del río Istro. Lo único que deseo es que todos los griegos que viven alrededor de nuestro mar miren al rey de los macedonios como a su amigo natural. Nada más.

Los persas parecieron contentarse con lo que Filipo iba diciendo y en cualquier caso se dieron cuenta de que, aun en el caso que fuese insincero, tampoco podía permitirse planes agresivos, lo cual, por el momento, era suficiente.

Cuando salieron para ser conducidos a la sala del banquete, Alejandro se acercó a su padre y le susurró al oído:

—¿Cuánto hay de verdad en todo lo que has dicho?

—Casi nada —respondió Filipo al salir al corredor.

—Y por tanto también ellos...

—No me han dicho nada importante de veras.

—Pero, entonces, ¿para qué sirven estos encuentros?

—Para husmearse.

—¿Husmearse? —preguntó Alejandro.

—En efecto. Un verdadero político no tiene necesidad de las palabras, se fía mucho más de su olfato. Por ejemplo, ¿tú qué dirías?, ¿que le gustan las muchachas o los muchachos?

—¿A quién?

—A nuestro huésped, obviamente.

—Pues... no sabría decir.

—Le gustan los muchachos. Parecía poner sus ojos en las muchachas, pero con el rabillo del ojo miraba a ese jovenzuelo rubio que escanciaba el vino con hielo. Diré al maestro de ceremonias que se lo lleve al lecho. Es oriundo de Bitinia y entiende el persa. Puede que consigamos descubrir alguna cosa más sobre lo que piensa nuestro persa. Tú, en cambio, después del banquete, te los llevarás a dar una vuelta y les mostrarás el palacio y sus alrededores.

Alejandro asintió y, cuando llegó el momento, asumió con entusiasmo la tarea que le había sido encomendada. Había leído mucho sobre el Imperio persa, se conocía casi de memoria *La educación de Ciro* del ateniense Jenofonte y había reflexionado detenidamente acerca de la *Historia persa* de Ctesias, obra llena de exageraciones fantásticas, pero interesante por ciertas observaciones de costumbres y de paisaje. Aquélla, sin embargo, era la primera vez que podía hablar con persas de carne y hueso.

Acompañado por un intérprete, les enseñó el palacio y los alojamientos de los jóvenes nobles, e inmediatamente se prometió una vez más que le echaría una reprimenda a Lisímaco porque su cama no estaba bien hecha. Explicó que los vástagos de la aristocracia macedonia eran educados en la corte junto con él.

Arsames observó que esto ocurría también en su capital, Susa. Así, el soberano se aseguraba la fidelidad de los jefes tribales y de los reyes bajo su protección y, al mismo tiempo, educaba a una generación de nobles estrechamente ligados al trono.

Alejandro les mostró las caballerizas de los *hetairoi*, los aristócratas que militaban en la caballería y que ostentaban precisamente el título de Compañeros del rey, y les hizo asistir a las evoluciones de algunos soberbios caballos tesalios.

—Magníficos animales —comentó uno de los dignatarios.

—¿Tenéis también vosotros caballos tan hermosos? —preguntó un tanto ingenuamente Alejandro.

El dignatario sonrió.

—¿No has oído hablar, príncipe, de los corceles niseos?

Alejandro sacudió la cabeza, incómodo.

—Son animales de una increíble belleza y potencia a los que se hace pacer únicamente en las planicies de Media, donde crece una hierba muy rica en propiedades nutritivas llamada precisamente «médica». Las flores de color púrpura, en particular, son sus partes más alimenticias. El caballo del emperador es alimentado exclusivamente con flores de médica, cogidas una por una por sus caballerizos y servidas frescas en primavera y en verano y secas durante el otoño y el invierno.

Alejandro, maravillado con aquel relato, trataba de imaginarse cómo debía de ser un caballo de batalla alimentado únicamente por las flores.

Pasaron a continuación a visitar los jardines donde la reina Olimpia había hecho plantar todas las variedades conocidas de rosas de Pieria, que en aquel período del año emanaban un perfume delicadísimo e intenso.

—Nuestros jardineros hacen infusiones y esencias con ellas para las damas de la corte —dijo Alejandro—, pero yo he leído acerca de vuestros parques que nosotros llamamos «jardines». ¿Son realmente tan hermosos?

—Nuestro pueblo es originario de las estepas y de las áridas altiplanicies del norte y por eso los jardines han sido siempre para nosotros un sueño. En nuestra lengua se denominan *pairidaeza*: están encerrados dentro de vastos recintos amurallados y recorridos por un complejo sistema de canales de riego que mantienen verde el manto de hierba en todas las estaciones del año. Nuestros nobles hacen crecer en ellos todo tipo de plantas locales y exóticas y aclimatan allí animales ornamentales procedentes de todas partes del imperio: faisanes, pavos reales, pero también tigres, leopardos blancos, panteras negras. Tratamos de recrear la perfección del mundo tal como saliera de las manos de nuestro dios Ahura Mazda, cuyo nombre sea loado eternamente.

Alejandro les condujo acto seguido, en coche cerrado, a visitar la capital y sus monumentos, los templos, los pórticos, las plazas.

—Pero tenemos también otra capital —explicó—. Egas, próxima a las pendientes del monte Bermión: es de allí de donde proviene nuestra familia y donde descansan nuestros reyes. ¿Es cierto que también vosotros tenéis distintas capitales?

—Oh, sí, joven príncipe —repuso Arsames—. Nuestras capitales son cuatro. Pasargada corresponde a vuestra Egas, sede de los primeros reyes. Allí se alza, en la llanura acariciada por el viento, la tumba de Ciro el Grande, fundador de la dinastía. Luego está Ecbatana, en el Elam, en la cordillera del Zagros, blanca de nieve durante casi todo el año, que es la capital estival. Los muros de la fortaleza están cubiertos de azulejos esmaltados sobre pan de oro, y cuando el Sol se pone la hace resplandecer como una joya sobre un fondo de nieves inmaculadas. Es un espectáculo emocionante, príncipe Alejandro. La tercera capital es Susa, donde el Gran Rey reside durante el invierno, y la cuarta, la capital de principios de año, es la alta Persépolis, perfumada de cedro y de incienso, adornada con una selva de columnas de color púrpura y oro. Se guarda allí el tesoro real, y no existen palabras para describir lo maravillosa que es. Espero que algún día la visites.

Alejandro escuchaba embelesado, y casi podía ver en su fantasía aquella ciudad fabulosa, aquellos jardines de ensueño, aquellos tesoros acumulados durante siglos, aquellos interminables paisajes. Cuando hubieron vuelto a la residencia real, hizo sentar a los huéspedes en unos asientos de piedra y servirles copas de hidromiel. Mientras bebían, siguió preguntando:

—Decidme, ¿cuán grande es el imperio del Gran Rey?

Los ojos del sátrapa se iluminaron y su voz resonó inspirada, como la de un poeta que le canta a su tierra natal:

—El imperio del Gran Rey se extiende al norte hasta donde los hombres no pueden vivir a causa del calor, y reina sobre cien naciones, desde los etíopes de piel rugosa vestidos con pieles de leopardo hasta los etíopes de piel lisa que se cubren con pieles de tigre.

»Dentro de sus fronteras se encuentran desiertos que nadie se ha atrevido jamás a atravesar, se alzan montañas que ningún pie humano ha osado hollar jamás, tan altas que sus cimas están próximas a la Luna. Las recorren los cuatro ríos más grandes de la Tierra, sagrados para dioses y hombres: el Nilo, el Tigris, el Éufrates y el Indo, y otros mil como el majestuoso Coaspis o el turbulento Araxes que desemboca en el Caspio, un mar misterioso cuyos límites se desconocen, pero tan vasto que se refleja en él la quinta parte del cielo... Hay un camino que atraviesa la mitad de sus provincias desde la ciudad de Sardes hasta la capital Susa: un camino totalmente empedrado, con las verjas de oro.

De repente, Arsames se calló y miró fijamente a Alejandro a los ojos. Vio en aquella mirada un deseo formidable de aventura y la luz de una fuerza vital invencible. Comprendió que en aquel joven ardía un alma más poderosa que cualquier otra que hubiese conocido jamás en su vida. Entonces se acordó de un episodio acaecido muchos años antes y del que se había hablado largamente en Persia: un día, en el interior del templo del fuego en la Montaña de la Luz, un soplo misterioso, llegado de la nada, había apagado la sagrada llama.

Y sintió miedo.

9

La partida de caza comenzó con las primeras luces del alba y participaron en ella, por expresa voluntad del rey, también los muchachos más jóvenes: Alejandro con sus amigos Filotas, Seleuco, Hefestión, Pérdicas, Lisímaco y Leonato, aparte de Tolomeo, Crátero y otros.

Eumenes, que había sido asimismo invitado, pidió ser dispensado por una fastidiosa molestia intestinal y mostró una receta del médico de Filipo que prescribía reposo absoluto durante un par de días y una cura astringente a base de huevos duros.

El rey Alejandro de Epiro había hecho llegar expresamente de sus criaderos una jauría de perros de gran tamaño y de excelente olfato que en aquel momento eran lanzados por los batidores, los cuales se habían apostado la noche anterior en las márgenes de un bosque de montaña. Eran perros llegados hacía más de un siglo de Oriente y, como se habían aclimatado excelentemente en Epiro, tierra de los molosos, donde habían surgido los mejores criaderos, también aquellos animales eran comúnmente conocidos como molosos. Por su potencia, su gran estatura y su resistencia al dolor eran lo mejor de cuanto había para la caza mayor.

Los pastores habían detectado desde hacía tiempo, en aquella zona, un león macho que causaba estragos entre los rebaños y las manadas de bovinos, y Filipo había esperado con toda intención aquella oportunidad para dar caza a la fiera, iniciar a su hijo en el único pasatiempo propio de un aristócrata y ofrecer a los huéspedes persas una diversión digna de su rango.

Habían salido tres horas antes del amanecer de la residencia real de Pella y a la salida del sol se habían encontrado a los pies del macizo montañoso que separaba el valle de Axios del de Ludias. La fiera se escondía en alguna parte del corazón del bosque de encinas y hayas que cubría la montaña.

El soberano hizo una señal y los monteros mayores hicieron sonar sus cuernos. El sonido, multiplicado por el eco, repercutió hasta las cumbres de los montes y los batidores lo oyeron. Dieron suelta a los perros, les siguieron a pie y también ellos provocaron un gran estruendo golpeando las virolas de los venablos contra los escudos.

El valle resonó de inmediato con los ladridos de los perros y los cazadores se mantuvieron preparados colocándose en semicírculo en un arco de unos quince estadios.

En el centro se hallaba Filipo con sus generales: Parmenio, Antípatro y Clito, apodado *El Negro*. A su diestra se habían colocado los persas, y todos se habían quedado asombrados de su transformación: nada ya de túnicas recamadas ni de elegantísimas sobrevestes. El sátrapa y sus Inmortales vestían como sus antepasados nómadas de la estepa: bragas de cuero, justillo, gorro rígido, dos venablos en la trabilla, un arco de doble curvatura y flechas. A la siniestra del soberano estaban alineados el rey Alejandro de Epiro con Tolomeo y Crátero y a continuación los más jóvenes: Alejandro, Hefestión, Seleuco y los demás.

Una neblina descendía por el río, extendiéndose cual ligero velo por la llanura verdísima y llena de flores, en gran parte aún cubierta por la sombra de la montaña. De repente un rugido rompió la paz del amanecer dominando los ladridos lejanos de los perros, y los caballos relincharon excitados, piafando y bufando, de modo que resultaba difícil mantenerlos frenados.

Pero ninguno se movía, en espera de que el león se pusiera a la vista. Resonó otro rugido distante, en dirección del río: ¡allí estaba también la hembra!

Por fin el grueso macho salió del bosque y, viéndose rodeado, lanzó un rugido más poderoso aún, que hizo temblar la montaña y espantó a los caballos. Al poco apareció también la hembra, pero las dos fieras salvajes eran reacias a avanzar, por la presencia de los cazadores, y tampoco podían volver atrás acosadas como estaban por la jauría de los batidores. Entonces trataron de salir del paso dirigiéndose al río.

Filipo dio la señal de comienzo de la cacería y todos se precipitaron a la llanura justo en el momento en que el Sol aparecía tras el monte e inundaba el valle de luz.

Alejandro y sus compañeros, que por su posición se encontraban más cerca de la orilla del curso de agua, ansiosos por demostrar su audacia espolearon a sus caballos para cortar el camino a los leones.

Mientras tanto el rey, preocupado porque los chicos acabasen en serio peligro, se lanzó a su vez con el venablo empuñado, mientras los persas se abrían en semicírculo empujando a sus cabalgaduras a una marcha cada vez más rápida a fin de impedir que las fieras buscasen nuevamente refugio en el bosque, para enfrentarse a los perros.

Llevado por el entusiasmo de la carrera, Alejandro estaba ya muy cerca y a punto de arrojar su venablo sobre el macho que le presentaba el flanco, pero en aquel preciso instante desembocó del bosque la jauría y la hembra, espantada, dio un brusco giro hacia el lado opuesto, lanzándose sobre el lomo del caballo del príncipe y derribándolo.

La leona fue rodeada por los perros y tuvo que soltar la presa, de modo que el caballo se alzó de nuevo enseguida y huyó al galope lanzando coces, relinchando y manchando de sangre el prado a su paso.

Alejandro se puso en pie y se encontró frente al león. Estaba desarmado, porque había perdido en su caída el venablo, pero en ese preciso momento llegó Hefestión empuñando su hierro e hiriendo al sesgo a la fiera que rugió de dolor.

Entretanto, la hembra había descuartizado la garganta a un par de perros y se volvía hacia su compañero que, furibundo, atacaba a Hefestión. El muchacho se defendía valientemente con la punta del venablo, pero el león asestaba terribles zarpazos, rugía y se azotaba los costados con la cola.

Filipo y Parmenio estaban ya cerca, pero era cuestión de muy poco tiempo. Alejandro había vuelto a empuñar su venablo y apuntaba, pero sin darse cuenta de que la hembra se disponía a saltar sobre él.

En aquel momento, uno de los guerreros persas, el más alejado de todos, sin detenerse siquiera tensó su gran arco y disparó. La leona saltó, pero el dardo, con agudo silbido, fue a clavársele en un costado dejándola tendida en el suelo, agonizante.

Filipo y Parmenio se acercaron mucho al macho y lo atrajeron lejos de los muchachos. El primero en herirlo fue el rey, pero Alejandro y Hefestión volvieron enseguida al ataque hiriéndolo a su vez, de modo que a Parmenio no le quedó más que asestarle el golpe de gracia.

Alrededor, los perros ladraban y aullaban como locos y los batidores dejaron que lamieran la sangre de ambas fieras de forma que recordasen el olor para la siguiente batida.

Filipo se apeó de la silla y abrazó a su hijo.

—Me has hecho temblar, muchacho, pero también estremecerme de orgullo. Un día serás sin duda rey. Un gran rey.

Abrazó igualmente a Hefestión, que había arriesgado su vida por salvar la de Alejandro.

Cuando el nerviosismo se hubo calmado ligeramente y los monteros mayores se pusieron a desollar las dos bestias cobradas, todos recordaron el momento crucial, el momento en que la leona había dado el salto.

Se volvieron hacia atrás y vieron al extranjero, uno de los Inmortales, inmóvil sobre su caballo con el gran arco de doble curvatura todavía en la mano que había fulminado a la hembra a más de cien pasos de distancia. Sonreía descubriendo, en medio de la poblaba barba negra como ala de cuervo, una doble hilera de blanquísimos dientes.

Sólo entonces se dio cuenta Alejandro de que estaba lleno de contusiones y rasguños y vio que Hefestión perdía sangre por una herida superficial pero dolorosa, causada por la zarpa del león. Le abrazó y le hizo llevar inmediatamente al cirujano para que le curase. Luego se volvió hacia el guerrero persa que le miraba de lejos, montado sobre su caballo niseo.

Se acercó a pie y llegó a pocos pasos de él. Le miró a los ojos y dijo:

—Gracias, huésped extranjero. No lo olvidaré.

El Inmortal no comprendió las palabras de Alejandro porque no sabía griego, pero entendió lo que trataba de decir. Sonrió también e hizo una inclinación con la cabeza, luego espoleó el caballo y alcanzó a sus compañeros.

La caza se reanudó poco después, prolongándose hasta el ocaso, momento en que se dio la señal de acabar. Los porteadores amontonaron las presas caídas bajo los golpes de los cazadores: un ciervo, tres jabalíes y un par de corzos.

Al atardecer, todos los participantes en la batida se reunieron bajo una gran tienda que unos siervos habían levantado en medio de la llanura y, mientras reían y armaban ruido recordando los momentos más destacados de la jornada, los cocineros sacaron de los espetones las piezas de caza cobradas y los trinchadores cortaron las tajadas y las sirvieron a los comensales: en primer lugar al rey, a continuación a los huéspedes, seguidamente al príncipe y por último a todos los demás.

El vino comenzó muy pronto a correr copiosamente y fue servido también a Alejandro y a sus amigos. Con lo realizado aquel día habían demostrado más que de sobras que eran ya unos hombres hechos y derechos.

A determinada hora se presentaron también las mujeres: tocadoras de flauta, danzarinas, expertísimas todas ellas en el arte de animar un banquete con sus danzas, sus frases salaces y su ardor juvenil a la hora de hacer el amor.

Filipo, particularmente alegre, decidió que los invitados participaran en el juego del cotabo y quiso que el intérprete tradujese también para los persas:

—¿Veis a esa muchacha? —preguntó señalando a una danzarina que se estaba desnudando en aquel preciso momento—. Pues debéis darle exactamente entre los muslos con las últimas gotas de vino que queden en el fondo de la copa. Quien dé en el blanco, la ganará en premio. ¡Así que buena puntería!

Metió los dedos índice y medio por una de las asas y lanzó el vino hacia la muchacha. Las gotas fueron a dar en plena cara de uno de los cocineros y todos estallaron a reír.

—¡Debes cepillarte al cocinero, señor! ¡Al cocinero! ¡Al cocinero!

Filipo se encogió de hombros y volvió a intentarlo, pero, a pesar de que la joven se había acercado y presentaba el blanco perfectamente visible, el buen ojo del rey parecía más bien ofuscado.

Los persas, no muy habituados al vino puro, estaban ya en su mayoría por los suelos, debajo de las mesas, y, en cuanto al huésped principal, el sátrapa Arsames, seguía pasándole el brazo por encima de los hombros al jovencito rubio que le había hecho compañía la noche anterior.

Hubo otros intentos, pero el juego no tuvo un gran éxito porque a aquellas alturas del banquete los huéspedes estaban ya demasiado ebrios para un ejercicio de precisión y todo el mundo abrazó a la primera muchacha que cayó en sus manos, mientras que el soberano, en calidad de anfitrión, se quedó con la que había asignado como recompensa para el juego. La fiesta degeneró, como por lo general acostumbraba a ocurrir, transformándose en una orgía, en un enredo de cuerpos semidesnudos y sudorosos.

Alejandro se levantó, se alejó del campamento y caminó, cubierto con un manto, hasta la orilla del río. Oía el murmullo del agua entre las piedras; la Luna, que superaba en aquel momento las crestas del monte Bermión, plateaba las olas y difundía una leve claridad opalina sobre el prado.

Desde la tienda los gritos y gruñidos llegaban ahora más amortiguados, en tanto que comenzaba a subir en cambio la voz del bosque: crujidos, aleteos, susurros y luego, de repente, un canto. Un borboteo como de fuente, primero un tintineo oscuro y cada vez más agudo y argentino que resonaba como el arpegio de un misterioso poeta en la oscuridad perfumada del bosque. Era el canto de un ruiseñor.

Alejandro se quedó absorto escuchando la melodía del pequeño cantor sin darse cuenta del paso del tiempo. De repente advirtió una presencia a su lado y se volvió. Era Leptina. Las mujeres la habían traído con ellas para que las ayudase a poner las mesas.

Ella le observaba con las manos cruzadas sobre el regazo y su mirada era límpida y serena como el cielo encima de ellos. Alejandro le acarició el rostro, le mandó sentarse a su lado y la estrechó entre sus brazos, en silencio.

Por la mañana regresaron a Pella con los huéspedes persas, que fueron invitados a quedarse para el solemne banquete que sería ofrecido al día siguiente.

La reina Olimpia quiso que el hijo fuese enseguida a su encuentro y, cuando le vio lleno de moretones y con grandes rasguños en brazos y piernas, le abrazó convulsivamente, pero él se echó para atrás incómodo.

—Me han contado lo que hiciste. Habrías podido perder la vida.

—No le temo a la muerte, mamá. El poder y la gloria de un rey se justifican sólo si está dispuesto a dar su vida llegado el momento.

—Lo sé. Pero yo tiemblo aún por lo que ha sucedido. Te ruego que refrenes tu audacia, que no te expongas inútilmente. Aún eres un muchacho, debes crecer, fortalecer tus miembros.

Alejandro se la quedó mirado fijamente y con firmeza.

—Tengo que ir al encuentro de mi destino y mi carrera ha comenzado ya. Esto lo sé de cierto. Lo que no sé es adónde me conducirá y dónde acabará, madre.

—Eso nadie lo sabe, hijo —observó la reina, con voz trémula—. El Destino es un dios con el rostro cubierto por un velo negro.

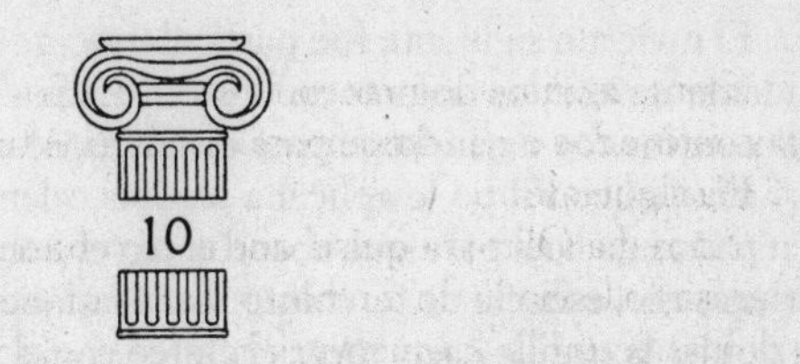

A la mañana siguiente de la marcha de los persas, Alejandro de Epiro entró en la habitación de su sobrino con un envoltorio en brazos.

—¿Qué es? —preguntó Alejandro.

—Un pobre huerfanito. A su madre la mató la leona el otro día. ¿Lo quieres? Es de excelente raza, y si te encariñas de él te demostrará afecto como un ser humano.

Abrió el envoltorio y mostró un cachorro suavísimo de un bonito color leonado, con una mancha más clara en medio de la frente.

—Se llama *Peritas*.

Alejandro lo cogió, lo apoyó sobre sus rodillas y comenzó a acariciarlo.

—Es un bonito nombre. Y el cachorro, una maravilla. ¿De veras puedo quedármelo?

—Tuyo es —repuso el tío—. Pero debes cuidarlo. Su madre le daba aún de mamar.

—Se ocupará Leptina de él. Crecerá rápido y será mi perro de caza y de compañía. Te estoy muy agradecido.

Leptina se mostró entusiasmada por la tarea que se le encomendaba y se aplicó a ella con gran sentido de la responsabilidad.

Ahora los signos de su infancia atormentada se estaban desvaneciendo lentamente y la muchacha parecía florecer día a día. Su piel se volvía más clara y luminosa, sus ojos más límpidos y expresivos, el cabello castaño, que se iluminaba con reflejos cobrizos, más brillante.

—¿Te la llevarás a la cama llegado el momento? —le preguntó Hefestión riendo con ganas.

—Tal vez —replicó Alejandro—. Pero no fue para eso para lo que la saqué del fango en que la encontré.

—¿No? ¿Y, entonces, para qué?
Alejandro no respondió.

El invierno siguiente fue particularmente crudo y el rey acusó repetidamente agudos dolores en la pierna izquierda, donde una vieja herida continuaba dejando sentir a distancia de años sus negativos efectos. El médico Filipo le aplicaba piedras calentadas al fuego y envueltas en paños de lana para que absorbieran el exceso de humedad y le hacía friegas con esencia de terebinto. En ocasiones le obligaba a viva fuerza a doblar la rodilla hasta tocar el glúteo con el talón; era éste un ejercicio que el soberano detestaba más que cualquier otro porque resultaba sumamente doloroso. Pero existía el peligro de que la pierna, ya de por sí algo más corta que la otra, siguiera acortándose.

No resultaba difícil saber cuándo el rey había perdido la cabeza porque rugía como un león y se oía acto seguido un ruido de platos y tazas rotas, señal inequívoca de que había estampado contra la pared todos los ungüentos, las tisanas y los fármacos de su médico homónimo.

Algunas veces Alejandro abandonaba la residencia real de Pella y se aislaba en Egas, la antigua capital, en la montaña. Pasaba allí largos períodos. Se hacía encender en el aposento un buen fuego y estaba horas contemplando caer copiosamente la nieve sobre las cimas, los bosques de abetos azules y los valles.

Le gustaba ver ascender el humo de las cabañas de los pastores hacia los montes y el de las casas en los pueblos, gustaba del silencio sepulcral que en determinados momentos de la tarde o de la mañana reinaba en aquel mundo mágico suspendido entre cielo y tierra, y cuando se acurrucaba se quedaba largas horas despierto con los ojos abiertos en la oscuridad, escuchando el aullido del lobo que resonaba como un lamento por lejanos y retirados valles.

Cuando el sol se ponía en una jornada calma, podía ver cómo la cumbre del Olimpo se teñía de rojo y las nubes, empujadas por el viento Bóreas, navegaban ligeras hacia mundos lejanos. Observaba las bandadas de pájaros que emigraban y le habría gustado volar con ellos sobre las olas del océano, alcanzar la esfera de la Luna con las alas del halcón o del águila.

Y sin embargo, justo en aquellos momentos, sentía que ello le estaba negado y que también él dormiría un día, y para siempre, bajo un gran túmulo en el valle de Egas, como los reyes que le habían precedido.

Entonces sentía que estaba abandonando la mocedad y que se hacía hombre; pensar en ello le producía melancolía y una febril excitación a un tiempo, según que contemplase la luz del ocaso invernal apagarse con un último resplandor de color púrpura sobre la montaña de los dioses o que mirase arder vertiginosamente las llamas en las hogueras que los campesinos encendían en los montes para infundir vigor al sol que iba declinando cada vez más en el horizonte.

Peritas se acurrucaba a sus pies al amor de la lumbre y le observaba aullando, como si comprendiese en aquellos momentos lo que le pasaba por la cabeza.

Leptina, en cambio, permanecía apartada en algún rincón de palacio, dejándose ver únicamente si él la llamaba, para prepararle la cena o para jugar con él una partida de batalla campal, un juego de mesa que se jugaba con soldaditos de cerámica.

Se había vuelto muy hábil, hasta el punto de que conseguía a veces ganar a su contrincante. Entonces se le iluminaba el rostro sin dejar de parpadear.

—¡Soy mejor que tú! —decía riendo—. ¡Podrías nombrarme general!

Una tarde que la vio especialmente alegre, Alejandro la tomó de una mano y le preguntó:

—Leptima, ¿no consigues recordar nada de tu infancia? ¿Cómo te llamabas, cuál era tu país, quiénes eran tus padres?

La muchacha se ensombreció de golpe, bajó la cabeza confusa y se puso a temblar como si una repentina gelidez hubiera atenazado sus miembros. Aquella noche Alejandro la oyó gritar en sueños, varias veces, en una lengua desconocida.

Muchas cosas cambiaron con la vuelta de la primavera. El rey Filipo comenzó en aquel período a mostrar un gran interés por que su hijo fuese conocido lo más posible dentro y fuera de Macedonia. Le presentó, así pues, varias veces ante el ejército formado y quiso asimismo llevárselo con él en cortas campañas militares.

En tales ocasiones le permitía hacerse construir por su propio armero las armas más hermosas y costosas, que Alejandro diseñaba personalmente, y había ordenado a Parmenio que le brindara protección con sus soldados más valerosos, pero que le dejara asomarse a primera línea de combate para que pudiera conocer, como él decía, el olor de la sangre.

Los soldados, en son de broma, llamaban a Alejandro «rey» y a Filipo «general», como si se tratara de un subalterno del hijo, cosa que le hacía enorme gracia al soberano. Filipo había invitado además a muchos artistas para que reprodujeran la imagen de Alejandro, en medallas, bustos y pinturas sobre tabla a fin de regalarlos a los amigos y sobre todo a las delegaciones extranjeras o a las de las ciudades griegas de la península. En dichas imágenes estaba siempre representado, de acuerdo a los cánones más conocidos del arte griego, como un efebo de rasgos purísimos y dorados mechones mecidos por el viento.

El joven príncipe era cada día más apuesto: la temperatura de su cuerpo, naturalmente alta, hacía que no se manifestaran en su rostro los defectos estéticos típicos de la adolescencia. Su piel era lisa, tersa y carente de imperfecciones, ligeramente sonrosada en las mejillas y en el pecho.

Tenía el pelo tupido, suave y ondulado, unos ojos grandes y expresivos y un curioso modo de ladear ligeramente la cabeza sobre el hombro derecho que confería una intensidad muy especial a su mirada, como si escrutara a su interlocutor hasta lo más profundo del alma.

Un día el padre le convocó a su despacho: una sobria habitación con las paredes recubiertas de estantes que contenían los documentos de su cancillería y las obras literarias con las que disfrutaba.

Alejandro se presentó de inmediato, dejando puertas afuera a *Peritas*, que le seguía ya a todas partes y dormía con él.

—Éste es un año sumamente importante, hijo mío: el año en que te harás un hombre.

Le acarició con los dedos el labio superior.

—Comienza a salirte el bozo y tengo un regalo para ti.

Cogió de una gaveta un estuche de madera de boj taraceado con la estrella argéada de dieciséis puntas y se lo entregó. Alejandro lo abrió: contenía una navaja de afeitar de bronce perfectamente afilada y la correspondiente piedra de afilar.

—Gracias. Pero no creo que me hayas llamado por esto.

—No, en efecto —replicó Filipo.

—Entonces, ¿por qué?

—Estás a punto de partir.

—¿Me envías fuera?

—En cierto sentido.

—¿Adónde iré?

—A Mieza.

—Cerca. Poco más de una jornada de viaje. ¿Por qué?

—Vivirás allí durante los próximos tres años a fin de completar tu educación. En Pella existen demasiadas distracciones: la vida de la corte, las mujeres, los banquetes. En Mieza, en cambio, he preparado un lugar hermosísimo, un jardín cruzado por un arroyo de aguas cristalinas, un bosquecillo de cipreses y de laureles, rosales...

—Papá —le interrumpió Alejandro—, pero ¿qué te sucede?

Filipo volvió en sí.

—¿A mí? Nada. ¿Por qué?

—Hablas de rosales, de bosquecillos... Me parece estar oyendo recitar a un ogro los versos de Alceo.

—Hijo mío, lo que quiero decirte es que he preparado para ti el lugar más hermoso y acogedor que me ha sido posible porque es allí donde proseguirás tu instrucción y tu formación como hombre.

—Me has visto cabalgar, combatir, cazar el león. Sé dibujar, conozco la geometría, hablo el macedonio y el griego...

—No basta, hijo mío. ¿Sabes cómo me llaman los griegos, después de que les venciera en la maldita guerra sagrada, después de que les trajera el pan y la prosperidad? Pues me llaman Filipo *El Bárbaro*. ¿Y sabes qué significa eso? Pues significa que no me aceptarán jamás como su caudillo y como su guía porque me desprecian, por más que me teman.

»Nosotros tenemos a nuestras espaldas interminables llanuras recorridas por pueblos nómadas, bárbaros y feroces, y enfrente tenemos las ciudades de los griegos que se reflejan en el mar, que han alcanzado los más altos niveles de excelencia en las artes, en la ciencia, en la poesía, en la técnica y en la política. Somos como los que se sientan delante del vivaque en una noche invernal: su rostro está iluminado y su pecho es calentado por el fuego, pero a sus espaldas reina la oscuridad y el frío.

»Por esto he luchado, para encerrar a Macedonia dentro de unas fronteras seguras e inexpugnables, y por esto haré cuanto esté en mis manos para que mi hijo aparezca ante los griegos como un griego, en la mentalidad y las costumbres, hasta en su misma imagen física. Tendrás la educación más refinada y completa que un hombre pueda recibir en la actualidad. Podrás beber de una de las mentes más capaces de elaborar pensamientos de cuantas existen en todo el mundo griego tanto de Oriente como de Occidente.

—¿Y quién será este extraordinario personaje?

Filipo sonrió.

—Es el hijo de Nicómaco, el médico que te ayudó a venir al mundo, el más célebre y brillante de los discípulos de Platón. Se llama Aristóteles.

11

—¿Podré llevarme conmigo a alquien? —preguntó Alejandro después de que hubo oído cuál era la voluntad de su padre.

—A alguna persona de servicio.

—Quiero a Leptina. ¿Y los amigos?

—¿Hefestión, Pérdicas, Seleuco y demás?

—Me gustaría.

—Irán también ellos, pero habrá lecciones que sólo tú podrás escuchar, aquellas que harán de ti un hombre distinto a todos los demás. Será tu maestro quien establezca el plan de enseñanza, las materias de estudio comunes y las reservadas a ti exclusivamente. La disciplina será férrea: no se admitirá desobediencia de ningún tipo o faltas de atención o aplicación. Y sufrirás castigos exactamente igual que el resto de tus compañeros, si te haces merecedor de ellos.

—¿Cuándo debo partir?

—Pronto.

—¿Cuándo es pronto?

—Pasado mañana. Aristóteles está ya en Mieza. Prepara tu bagaje, elige a las personas de servicio, aparte de la muchacha, y pasa un poco de tiempo con tu madre.

Alejandro asintió y se quedó en silencio. Filipo le miró con el rabillo del ojo y vio que se mordía el labio inferior para no dejar traslucir su emoción.

Se acercó a él y apoyó una mano en uno de sus hombros.

—Es necesario, hijo mío, créeme. Quiero que te conviertas en griego, que participes de la única civilización del mundo que forma hombres y no siervos, que es depositaria de los conocimientos más avanzados, que habla la lengua en la que fueron escritas la *Ilíada* y la *Odisea*, que representa a los dioses como hombres y a los hombres como dioses... Lo cual no significa traicionar tu origen, porque seguirás siendo en cualquier caso macedonio en el fondo de tu espíritu: los hijos de los leones, leones son.

Alejandro permanecía callado y hacía girar entre sus manos el estuche con su navaja de afeitar nueva.

—No hemos estado mucho juntos, hijo —prosiguió Filipo. Y le pasaba la mano rugosa por entre los cabellos, alborotándoselos—. No ha habido tiempo. Como puedes ver, soy un soldado y he hecho por ti lo que me ha sido posible hacer; conquistarte un reino tres veces más grande que el que recibiste en herencia de tu abuelo Amintas y hacerles entender a los griegos, y de modo especial a los atenienses, que aquí hay una gran potencia que deben respetar. Pero no estoy a la altura de formar tu mente, ni lo están tampoco los maestros que has tenido hasta ahora aquí en palacio. Éstos no tienen ya nada que enseñarte.

—Haré tal y como lo has decidido —afirmó Alejandro—. Me iré a Mieza.

—No te estoy desterrando, hijo, nos veremos, iré a verte, y también tu madre y tu hermana podrán visitarte con frecuencia. Sólo he querido preparar para ti un lugar de recogimiento para tus estudios. Naturalmente te seguirán también tu maestro de armas, tu instructor de equitación y tu montero mayor. No quiero un filósofo, quiero un rey.

—Como quieras, papá.

—Una cosa más. Tu tío Alejandro nos deja.

—¿Por qué?

—Hasta ahora ha sido un soberano como lo es un actor de teatro. Llevaba las vestiduras de soberano, la diadema, pero no el reino, que ha estado en realidad en manos de Aribas. Pero tu tío tiene ahora veinte años: ya es hora de que comience a trabajar. Quitaré de en medio a Aribas y le pondré en el trono de Epiro.

—Me alegro por él, pero lamento que parta —dijo Alejandro, habituado como estaba a escuchar los planes de su padre como si fuesen cosa hecha.

Sabía que Aribas contaba con el apoyo de los atenienses y que había una flota suya en Corcira, con un contingente de infantería de desembarco.

—¿Es cierto que los atenienses están en Corcira y preparan un desembarco? Acabarás por chocar frontalmente con ellos.

—No tengo nada contra los atenienses, es más, les admiro. Pero han de comprender que acercarse a mis fronteras es como poner la mano dentro de la boca del león. En cuanto a tu tío, también yo siento separarme de él. Es un buen muchacho y un excelente soldado y... me llevo mejor con él que con tu madre.

—Lo sé.

—Me parece que ya nos hemos dicho todo. No olvides saludar a tu hermana y, obviamente, también a tu tío. Y asimismo a Leónidas. Él no es un famoso filósofo, pero es un buen hombre que te ha enseñado todo lo que ha podido y está orgulloso de ti como si fueses su hijo.

Fuera de la puerta se oía a *Peritas* que rascaba tratando de entrar.

—Así lo haré —replicó Alejandro—. ¿Puedo irme?

Filipo asintió y luego se acercó a la pared de detrás del escritorio, como si buscara un documento que tuviese que consultar, pero en realidad no quería que su hijo le viera con los ojos relucientes.

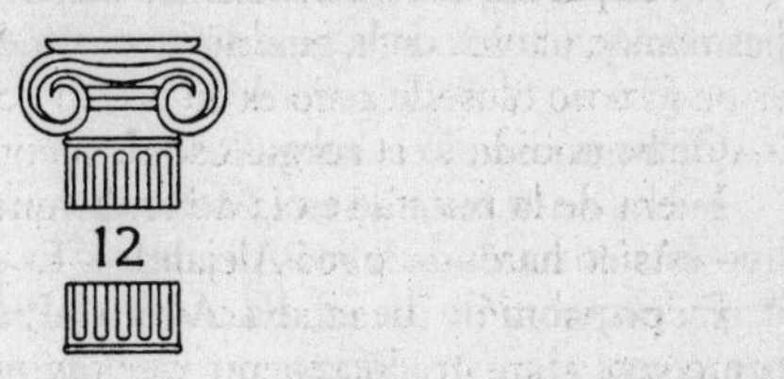

Alejandro fue a visitar a su madre el día siguiente al anochecer. Estaba acabando de cenar y las doncellas retiraban ya la mesa. La reina le hizo detenerse con un gesto y mandó traer una silla.

—¿Has cenado? —preguntó—. ¿Puedo hacerte traer algo?

—He cenado ya, mamá. Se ha celebrado el banquete de despedida por tu hermano.

—Lo sé, pasará a despedirse antes de irse a la cama. Entonces, mañana será un gran día.

—Eso parece.

—¿Estás triste?

—Un poco.

—No deberías. ¿Sabes cuánto gasta tu padre para llevar a Mieza a media Academia?

—¿Por qué a media Academia?

—Porque Aristóteles no está solo. Con él están su sobrino y discípulo Calístenes, y Teofrasto, el gran científico.

—¿Cuánto gasta?

—Quince talentos al año durante tres años. Se lo puede permitir, por Zeus, las minas del Pangeo le proporcionan mil al año. En oro. ¡Ha puesto tal gran cantidad de oro en el mercado ayudando a amigos, corrompiendo a enemigos y financiando sus proyectos que en los últimos cinco años los precios en toda Grecia se han quintuplicado! También los de los filósofos.

—Veo que estás de mal humor, mamá.

—¿Acaso no debería? Tú te vas, mi hermano también. Yo me quedo sola.

—Tienes a Cleopatra. Te quiere, y además me parece que se parece mucho a ti. A pesar de su juventud, tiene un carácter fuerte y decidido.

—Sí —asintió Olimpia—. Es cierto.

Siguieron algunos instantes de silencio. En el patio resonaban los pasos cadenciosos de la guardia que comenzaba su turno de noche.

—¿Tú no estás de acuerdo?

Olimpia sacudió la cabeza.

—No, no se trata de eso. Mejor dicho, de todas las decisiones de Filipo ésta es sin duda la más prudente. Es que mi vida es difícil, Alejandro, y empeora de día en día. Aquí en Pella he sido considerada siempre como «la extranjera»: no me han aceptado nunca. Mientras tu padre me amó, todo resultó llevadero. Más aún, bonito. Pero ahora...

—Yo creo que mi padre...

—Tu padre es un rey, hijo mío, y los reyes no son como el resto de los humanos: deben casarse cuando lo exige el interés de su pueblo, una, dos, tres veces, o bien repudiar a sus mujeres por igual motivo. Deben guerrear interminablemente, deben tramar, hacer y deshacer alianzas, traicionar a amigos y hermanos, si ello fuera preciso. ¿Crees que hay espacio para una mujer como yo en el corazón de un hombre de esta clase? Pero no me compadezcas. También yo soy una reina, y la madre de Alejandro.

—Pensaré en ti todos los días, mamá. Te escribiré y trataré de verte cada vez que me sea posible. Pero recuerda que mi padre es mejor que otros muchos hombres. Que la mayor parte de los que yo conozco.

Olimpia se levantó.

—Lo sé —dijo, y se acercó a él—. ¿Puedo abrazarte?

Alejandro la estrechó contra sí y sintió la tibieza de sus lágrimas en las mejillas, luego se volvió hacia la puerta y salió. La reina tomó de nuevo asiento en su silla de brazos y permaneció inmóvil largo rato, con la mirada clavada en el vacío.

Cleopatra, apenas le vio, se le arrojó al cuello llorando.

—¡Bueno, bueno! —exclamó Alejandro—. Que no me voy al destierro, sólo a Mieza: son pocas las horas de marcha y podrás venir a verme cuando lo desees, así lo ha dicho nuestro padre.

Cleopatra se secó las lágrimas y se sonó la nariz.

—Dices eso para animarme —lloriqueó.

—En absoluto. Y además estarán también los chicos. Sé que alguno de ellos ha tratado de hacerte la corte.

Cleopatra se encogió de hombros.

—¿Quieres decir que no te gusta ninguno?

La joven no respondió.

—¿Sabes qué se dice por ahí?

—¿Qué? —preguntó de repente llena de curiosidad.

—Que te gusta Pérdicas. Alguno va diciendo también que te gusta Eumenes. ¿No te gustarán, por casualidad, los dos?

—Yo sólo te quiero a ti. —Y de nuevo le arrojó los brazos al cuello.

—Una bonita mentira —objetó Alejandro—, pero haré como que me lo creo porque me complace. De todas formas, aunque te gustase alguno no habría nada de malo en ello. Es verdad que no debes hacerte ilusiones: será nuestro padre quien decida acerca de tu boda y elija a tu esposo, cuando sea el momento, y si estuvieses enamorada sólo sufrirías por ese motivo.

—Lo sé.

—Si fuera yo quien tuviese que decidir, te dejaría casarte con quien quisieras, pero nuestro padre no dejará escapar la ventaja política de tu matrimonio, si le conoceré yo. Y no hay nadie que no hiciera cualquier cosa por casarse contigo. ¡Eres tan hermosa! Entonces, ¿me prometes que vendrás a verme?

—Te lo prometo.

—¿Y que no llorarás cuando dentro de un momento salga por esa puerta?

Cleopatra asintió, mientras dos lagrimones surcaban sus mejillas. Alejandro le dio un último beso y se fue.

Pasó el resto de la velada con los amigos, que le habían preparado un festín de despedida, y se emborrachó por primera vez en su vida. Lo mismo hicieron todos los demás, pero, al no estar habituados, vomitaron y se sintieron mal. *Peritas*, por no ser menos, se orinó en el piso.

Cuando trató de llegar a su dormitorio, Alejandro se dio cuenta de que la cosa no era tan sencilla. Pero, en un determinado punto, alguien apareció en la oscuridad con un velón, le sostuvo, le ayudó a meterse en el lecho, le pasó un paño húmedo por la cara, le mojó los labios con jugo de granada y se fue. Volvió a aparecer al cabo de un rato con una taza humeante, le hizo beber una infusión de manzanilla y le arregló las mantas.

En un atisbo de conciencia, Alejandro la reconoció: era Leptina.

Mieza era de por sí un lugar encantador, que se extendía a los pies del monte Bermión en una cuenca verdísima, atravesada por un arroyo y rodeada por bosques de encinas. Pero la residencia que Filipo había preparado era tan hermosa que Alejandro pensó que su jardinero había aprendido algún secreto de los huéspedes persas, para crear también en Macedonia un «paraíso» como los que ellos tenían en Elam o en Susiana.

Una vieja residencia de caza había sido completamente restaurada y modificada con objeto de disponer en su interior los aposentos para los huéspedes, las salas de estudio con las bibliotecas anexas, el odeón para la música y hasta un pequeño teatro para la representación de dramas. Era perfectamente conocida la altísima consideración que Aristóteles sentía en especial por la tragedia, pero también por la comedia.

Había un estudio para la clasificación de las plantas y un laboratorio farmacéutico, pero lo que más asombro causó a Alejandro fue el estudio de dibujo y pintura, así como el taller anexo de fundición dotado con el instrumental más avanzado y con los mejores materiales perfectamente ordenados en los anaqueles: panes de arcilla, cera, estaño, cobre, plata, todos con el distintivo argéada de la estrella de dieciséis puntas que garantizaba el peso y el título.

Alejandro sabía que era bastante bueno en dibujo y se esperaba un pequeño estudio luminoso con alguna mesa con albayalde y algún carboncillo. Pero aquel imponente instrumental le pareció un derroche excesivo.

—Esperamos a un huésped —explicó el intendente—, pero tengo órdenes terminantes de tu padre de no decirte nada. Debe ser una sorpresa.

—¿Dónde está? —preguntó Alejandro.

—Ven. —Fue conducido a una ventana de la planta baja que daba al patio interior del edificio—. Ahí lo tienes.

El vigilante señaló a la de más edad de entre un grupito de tres personas que paseaban bajo el ala de poniente del pórtico.

Era un hombre de unos cuarenta años, seco, de porte erguido y ademanes mesurados, casi estudiados. Tenía unos ojos pequeños y vivacísimos que seguían los gestos de sus interlocutores y poco menos que las palabras en el movimiento de sus labios, pero al mismo tiempo no se perdían nada de cuanto había o sucedía a su alrededor.

Alejandro se dio cuenta inmediatamente de que le estaba ya observando sin haberle mirado fijamente un solo instante. Entonces salió al aire libre y se quedó de pie ante la puerta aguardando a que él hubiese recorrido la mitad del pórtico hasta llegar a donde se encontraba él.

Al poco le tuvo delante: los ojos de Aristóteles eran grises, plantados bajo una frente alta y despejada, surcada por dos profundas arrugas. Tenía los pómulos salientes, acentuados además por una marcada delgadez de las mejillas. La boca, regular, estaba sombreada por unos poblados bigotes y una barba muy cuidada, que le enmarcaba el rostro confiriendo a su expresión un aire de profunda reflexión.

Alejandro no pudo evitar notar que el filósofo se peinaba para delante el pelo de la nuca a fin de cubrir la amplia calvicie de la parte superior de la cabeza. Aristóteles lo advirtió y por un momento su mirada se tornó gélida. El príncipe bajó inmediatamente los ojos.

El filósofo le dio la mano.

—Me siento dichoso de conocerte. Quisiera presentarte a mis discípulos: mi sobrino Calístenes, que estudia literatura y cultiva la historia, y Teofrasto —añadió señalando al compañero que tenía a su izquierda—. Tal vez hayas oído hablar de su destreza como zoólogo y botánico. La primera vez que vimos a tu padre en Asso, en Tróade, se distrajo inmediatamente poniéndose a observar las largas astas de las *sarisas* de sus lanceros. Y cuando el soberano hubo terminado de hablar, Teofrasto me susurró al oído: «Estacas de cerezo silvestre macho, cortadas en agosto y con luna nueva, puestas a secar, grabadas con piedra pómez y tratadas con cera de abeja. Lo más duro y elástico que existe en el mundo vegetal». ¿No es extraordinario?

—Lo es, en efecto —confirmó Alejandro y estrechó la mano primero a Aristóteles y luego a sus ayudantes, en el mismo orden en que su preceptor los había mencionado—. Bienvenidos a Mieza —continuó acto seguido—. Sería un honor para mí si quisierais comer conmigo.

Aristóteles no había dejado de observarle desde el mismo momento de verle y se había quedado profundamente admirado. El «muchacho de Filipo», como le llamaban en Atenas, tenía una mirada de una profunda intensidad, unos rasgos de una armonía maravillosa, una voz de timbre vibrante y sonoro. Todo en él revelaba un ardiente deseo de vivir y de aprender, una gran capacidad de compromiso y de aplicación.

El ladrar festivo de *Peritas*, que irrumpía en aquel momento en el patio y comenzaba a morder las cintas de las sandalias de Alejandro, interrumpió aquella silenciosa comunicación entre preceptor y discípulo.

—Es un hermosísimo cachorro —observó Teofrasto.

—Se llama *Peritas* —dijo Alejandro, agachándose para cogerlo en brazos—. Me lo regaló mi tío. A su madre la mató una leona en la última cacería en que tomamos parte.

—Te quiere mucho —le hizo notar Aristóteles.

Alejandro no replicó y les llevó al comedor. Les hizo tomar asiento delante de las mesas y se recostó a su vez con gracia. Tenía a Aristóteles exactamente enfrente.

Un siervo trajo el aguamanil y la jofaina para las abluciones y le entregó una toalla. Otro comenzó a servir la colación: huevos duros de codorniz, caldo y cocido de gallina y a continuación pan, carne asada de pichón y vino de Tasos. Un tercer sirviente depositó en tierra, cerca de Alejandro, la escudilla con la sopa de pan de *Peritas*.

—¿De veras crees que *Peritas* me quiere? —preguntó Alejandro mirando a su cachorro, que meneaba la cola feliz con el morro dentro de la escudilla.

—Seguramente —repuso Aristóteles.

—Pero ¿no implicaría ello que un perro tiene sentimientos, y por tanto un alma?

—Es una pregunta que te supera —observó Aristóteles quitándole la cáscara a un huevo—. Y también a mí. Una pregunta para la que no puede haber una respuesta cierta. Recuerda una cosa, Alejandro, un buen maestro es aquél que da respuestas honestas.

»Yo te enseñaré a reconocer las características de los animales y de las plantas, a subdividir en especies y géneros unos y otras, a hacer uso de tus ojos, de tus oídos, de tus manos para reconocer la naturaleza que te rodea de modo profundo. Lo que significa reconocer también las leyes que la rigen, en los límites de lo posible.

»¿Ves este huevo? Tu cocinero lo ha cocido y por tanto ha detenido su devenir, pero dentro de esta cáscara existía, en potencia, un pájaro en condiciones de volar, alimentarse, reproducirse, emigrar a decenas de miles de estadios de distancia. En cuanto huevo no es nada de todo eso, pero lleva impresas en él las características de su especie, la forma, podríamos decir.

»La forma actúa dentro de la materia con diferentes resultados o consecuencias. *Peritas* es una de dichas consecuencias, como lo eres tú, como lo soy yo.

Mordió el huevo.

—Y como lo hubiera sido este huevo de haber podido convertirse en pájaro.

Alejandro le miró. La lección había comenzado.

13

—Te he traído un regalo —anunció Aristóteles entrando en la biblioteca. Tenía en la mano una cajita de madera que, por su aspecto, parecía ser muy vieja.

—Gracias —dijo Alejandro—. ¿Qué es?

—Ábrela —le exhortó el filósofo ofreciéndosela.

Alejandro la tomó, la apoyó sobre una mesa y la abrió: contenía dos grandes rollos de papiro, cada uno de ellos diferenciado por un cartelito blanco atado a los palitos y escrito con tinta roja.

—¡La *Ilíada* y la *Odisea*! —exclamó con entusiasmo—. Un maravilloso regalo. Gracias. Es un regalo que deseaba desde hacía tiempo.

—Es una edición más bien antigua, una de las primeras copias de la versión ateniense de Pisístrato —explicó Aristóteles mostrándole el encabezamiento—. La hice transcribir a mis expensas cuando estaba en la Academia, en tres ejemplares. Me siento feliz de darte uno.

El superintendente, que estaba algo distante, pensó para sus adentros que bien podía permitírselo con todo el dinero que le pagaba Filipo, pero permaneció callado preparando todo cuanto Aristóteles había pedido para las lecciones del día.

—Leer las gestas de los héroes del pasado resulta fundamental para la educación de un joven, así como lo es también asistir a la representación de las tragedias —prosiguió el filósofo—. El lector, o el espectador, se sienten movidos a la admiración por las grandes y nobles gestas, por la generosidad de quien ha pasado por padecimientos y dado su vida por la propia comunidad y por los propios ideales o ha expiado hasta el fondo sus errores o los de sus antepasados. ¿No estás de acuerdo?

—Sí, por supuesto —asintió Alejandro volviendo a cerrar con cuidado la cajita—. Hay una cosa, sin embargo, que quisiera saber por ti:

¿por qué debo ser educado como los griegos? ¿Por qué no puedo ser simplemente un macedonio?

Aristóteles se sentó.

—Pregunta interesante la tuya, mas para responderte tengo que explicarte antes qué significa ser griego. Sólo así podrás decidir si aplicarte a aprender mis enseñanzas o no. Ser griego, Alejandro, es el único modo de vivir digno de un ser humano. ¿Conoces el mito de Prometeo?

—Sí, era el titán que robó el fuego a los dioses para dárselo a los hombres y sacarles de su miseria.

—Así es, en efecto. Ahora bien, cuando los hombres se emanciparon de su condición de brutos, trataron de organizarse para vivir en comunidad y desarrollaron sustancialmente tres formas de hacerlo: aquélla en la que manda un solo hombre y que se conoce como monarquía, aquélla en la que mandan unos pocos llamada oligarquía y aquélla en la que todos los ciudadanos ejercen el poder que se denomina democracia. Y ésta es la realización más grande del ser griego.

»Aquí, en Macedonia, la palabra de tu padre es ley; en Atenas, quien gobierna ha sido elegido por la mayoría de los ciudadanos, pero también, por lo mismo, un zapatero remendón o un mozo de cuerda pueden ponerse en pie en la asamblea y pedir que una decisión ya aprobada por el gobierno de la ciudad sea revocada, si encuentran un número suficiente de personas dispuestas a apoyar su moción.

»En Egipto, en Persia y también en Macedonia, no hay más que un hombre libre: el rey. Todos los demás son siervos.

—Pero los nobles... —trató de intervenir Alejandro.

—También los nobles. Es cierto que tienen más privilegios, que gozan de una vida más grata, pero también ellos deben obedecer.

Aristóteles calló porque había visto que sus palabras habían dado en el blanco y quería que produjesen su efecto en el ánimo del muchacho.

—Me has regalado los poemas de Homero —replicó al cabo de un momento Alejandro—, pero los conozco ya en parte. Y recuerdo perfectamente que cuando Tersites se levanta en la asamblea de los guerreros para ofender a los reyes, Odiseo le golpea con el cetro hasta hacerle llorar y luego dice:

No es un bien la soberanía de muchos: uno sólo
es príncipe, uno sólo es rey: aquél a quien el
hijo del artero Cronos ha dado cetro y leyes
*para que reine sobre nosotros.**

* *Ilíada*, II, 204-206.

»Éstas son las palabras de Homero.

—Es cierto. Pero Homero habla de tiempos muy remotos, en los que los reyes eran indispensables por la dureza de los tiempos, por los continuos asaltos de los bárbaros, por la presencia de fieras y de monstruos en una naturaleza aún salvaje y primitiva. Te he regalado los poemas de Homero para que crezcas en el culto de los sentimientos más nobles, de la amistad, del valor, del respeto a la palabra dada. Pero el hombre de hoy, Alejandro, es un animal político. No cabe duda de ello. El único ambiente en el que cabe desarrollarse es la *polis*, la ciudad, tal como fuera concebida por los griegos.

»Es la libertad la que permite a cada espíritu expresarse, crear, generar grandeza. Como puedes ver, el estado ideal sería aquél en el que todos supiesen gobernar virtuosamente como ancianos, después de haber obedecido virtuosamente como jóvenes.

—Es lo que yo hago ahora y haré en el futuro.

—Tú eres una sola persona —replicó Aristóteles—. Yo te hablo de muchos miles de ciudadanos que viven como iguales bajo la tutela de la ley y de la justicia, las cuales honran a quienquiera que lo merezca, regulan los intercambios y el comercio, castigan y enmiendan a quien está equivocado. Una comunidad semejante se mantiene cohesionada no por lazos de sangre, de familia o de tribu, como aquí, en Macedonia, sino por la ley, ante la cual todos los ciudadanos son iguales. La ley pone remedio a los defectos y a las imperfecciones de los individuos, limita los conflictos y la competencia, premia la voluntad de hacer y de sobresalir, alienta a los fuertes, apoya a los débiles. En una sociedad semejante no es una vergüenza ser humilde y pobre, sino no hacer nada para mejorar la propia condición.

Alejandro permaneció en silencio, meditabundo.

—Ahora te daré una prueba concreta de lo que digo —prosiguió Aristóteles—. Ven comigo.

Salió por una puerta lateral al exterior del edificio y llegó a un ventanuco que daba al laboratorio de fundición.

—Mira —dijo indicando el interior—. ¿Ves a ese hombre?

Alejandro asintió. En el laboratorio había un hombre de unos cuarenta años, ataviado con una corta túnica de trabajo y un mandil de cuero, acompañado de un par de ayudantes, uno de unos veinte años y el otro de unos dieciséis. Se hallaban los tres atareados ordenando los instrumentos, poniendo la gruesa cadena que sostenía el crisol, para verter el carbón en la fragua.

—¿Sabes quién es? —preguntó Aristóteles.

—Nunca le he visto antes.

—Pues es el artista más grande que existe actualmente en el mundo. Es Lisipo de Sición.

—El gran Lisipo... Vi una vez una escultura suya en el santuario de Hera.

—¿Y sabes qué hacía antes de convertirse en lo que es hoy? Pues era operario. Trabajó durante quince años de operario en una fundición, con un estipendio de dos óbolos diarios. ¿Y sabes cómo se convirtió en el divino Lisipo? Pues gracias a los encargos de la ciudad. Es la ciudad la que propicia el talento, la que permite a cada hombre crecer como una pujante planta.

Alejandro miró al nuevo huésped, que tenía una complexión poderosa: ancho de hombros, los brazos musculosos y las manos anchas y nudosas de quien ha trabajado duramente durante mucho tiempo.

—¿Por qué está aquí?

—Ven. Vamos a conocerle, él mismo te lo dirá.

Entraron por la puerta principal y Alejandro le saludó:

—Soy Alejandro, hijo de Filipo, rey de los macedonios. Bienvenido a Mieza, Lisipo. Es un honor para mí conocerte. Éste es mi maestro: Aristóteles, hijo de Nicómaco, de Estagira. En cierto sentido también él es macedonio.

Lisipo presentó a sus discípulos, Arquelao y Cares, pero mientras hablaba, Alejandro sintió sus ojos en su propio rostro. La mirada del artista recorría sus rasgos volviéndolos a dibujar en su mente.

—Tu padre me ha encargado que modele tu retrato en bronce. Quisiera saber cuándo podrás posar para mí.

Alejandro miró a Aristóteles, que se sonrió.

—Cuando quieras, Lisipo. Puedo muy bien hablar mientras tú le reproduces... si no te es una molestia.

—Al contrario —replicó Lisipo—, será un privilegio para mí escucharte.

—¿Qué te parece el muchacho? —le preguntó luego el filósofo después de que Alejandro hubiera salido para enseñar el resto del edificio a Arquelao y a Cares.

—Tiene la mirada y los rasgos de un dios.

14

La vida en Mieza estaba regida por horarios extremadamente regulares. A Alejandro y a sus compañeros se les despertaba cada día antes de la salida del sol, desayunaban a base de huevos crudos, miel, vino y harina, una mezcla llamada «el bocado de Néstor» por ser una antigua receta descrita en la *Ilíada*; luego salían a caballo con el instructor durante un par de horas.

Una vez terminada la lección de equitación, los jóvenes pasaban bajo la tutela del maestro de armas que les adiestraba en la lucha, en la carrera, en la esgrima, en el tiro con arco, con la lanza y con la jabalina. A continuación, pasaban el resto del tiempo con Aristóteles y los demás.

A veces el maestro de armas, más que ejercitarles con los acostumbrados ejercicios, les llevaba a cazar junto con los huéspedes de su casa. En los bosques había jabalíes, ciervos, corzos, lobos, osos, linces y también leones.

Un día, de vuelta de una batida, Aristóteles les recibió en la puerta de entrada ataviado de un extraño modo: calzaba unas botas de piel curtida que le llegaban hasta media pierna y un mandil con peto. Miró a los animales muertos y eligió a una hembra de jabalí evidentemente preñada.

—¿Te importaría hacerla traer a mi laboratorio? —le dijo al montero mayor e hizo una seña a Alejandro de que le siguiera.

Ello significaba que iba a tener lugar una lección para él solo.

El muchacho dio algunas órdenes para que se hiciera lo que su preceptor pedía. La jabalina fue colocada sobre una gran mesa a cuyo lado Teofrasto había alineado una serie de instrumentos quirúrgicos todos ellos perfectamente afilados y relucientes.

Aristóteles pidió que le pasaran un bisturí y se dirigió al joven príncipe:

—Si no te encuentras muy cansado, quisiera que asistieses a esta operación. Aprenderás cosas importantes. Allí tienes el material para escribir —añadió señalando un cálamo, tinta y unas hojas de papiro encima de un pupitre—, así podrás tomar apuntes y anotar cuanto veas durante la disección.

Alejandro dejó en un rincón el arco y las flechas, tomó el cálamo y el papiro y se acercó a la mesa.

El filósofo sajó el vientre de la cerda y, en el interior del útero del animal, aparecieron enseguida seis jabatos. Los midió uno por uno.

—Faltaban dos semanas para el parto —observó—. Así pues, esto es el útero, o sea, la matriz donde se forman los fetos. Esta bolsa interior es la placenta.

Alejandro, una vez superado un primer momento de repugnancia por el olor y la vista de aquellas vísceras sanguinolentas, se puso a tomar apuntes y luego también a dibujar.

—¿Ves? Los órganos de un cerdo o de un jabalí, que viene a ser lo mismo, se asemejan muchísimo a los de un ser humano. Mira, éstos son los pulmones, o sea, los fuelles que posibilitan la respiración, y esta membrana, que separa la parte superior de las vísceras, la más noble, de la inferior, es el *fren*: los antiguos creían que era la sede del alma. En nuestra lengua, todas las palabras que indican alguna actividad mental o de raciocinio o incluso de locura, que es la degeneración del pensamiento, derivan del término *fren*, membrana.

Alejandro hubiera querido preguntar qué movía el *fren*, qué regulaba su rítmico subir y bajar, pero ya conocía la respuesta: «No existen respuestas sencillas para los problemas complejos». Por lo que no dijo nada.

—Esto, en cambio, es el corazón: una bomba como la de vaciar el fondo de las naves, pero infinitamente más complicada y eficaz. Según los antiguos es la sede de los sentimientos y del intelecto porque su movimiento se acelera si un hombre es dominado por la ira o el amor, o simplemente por la lujuria. En realidad, el movimiento del corazón se acelera también si uno sube unas escaleras, y esto demuestra que es el centro de todas las funciones de la vida del hombre.

—Por supuesto —admitió Alejandro, mirando fijo y perplejo las manos ensangrentadas del maestro que hurgaban entre aquellas vísceras.

—Una hipótesis plausible podría ser que cuando aumenta la intensidad del vivir es necesario que la sangre circule más deprisa. Y existen dos sistemas de circulación: el que tiene su origen en el corazón y el que torna al corazón, completamente separados, como puedes ver. En esto —añadió depositando el bisturí en una bandeja— nosotros somos muy parecidos a los animales. Pero hay algo en lo que somos totalmente distintos —puntualizó—. El escalpelo y el martillo —pidió vuelto hacia Teofrasto, y con unos pocos golpes secos y expertos partió el cráneo de la bestia—. El cerebro. Nuestro cerebro es mucho más grande Siempre había pensado que todas sus circunvoluciones servían para dispersar el calor corporal, pero no parece que el hombre produzca más calor que los animales. Es una cuestión que debo considerar.

Aristóteles había terminado y pasó los intrumentos a Teofrasto para que los hiciera limpiar. Se lavó las manos y pidió a Alejandro que le entregara los apuntes y los esbozos.

—Excelente —comentó—. Yo no habría sabido hacerlo mejor. Ahora puedo entregar esta bestia al carnicero. A mí me gustan mucho las salchichas y las morcillas, pero por desgracia, desde hace algún tiempo, tengo problemas para digerirlas. Haz que me asen unas pocas costillas para la cena, si no te importa.

En otra ocasión Alejandro le encontró enfrascado en la misma operación, pero con un objeto mucho más diminuto: un huevo de gallina que había sido incubado únicamente dieciséis días.

—Mi vista ya no es la de otro tiempo y por eso he de pedirle ayuda a Teofrasto. Presta mucha atención porque luego deberás ayudarme tú.

Teofrasto manejaba con precisión increíble una hoja finísima y afilada, que mantenía entre el pulgar y el índice. Había quitado la clara de huevo y separado el feto en el interior de la yema.

—A los diez días del comienzo de la incubación ya es posible reconocer el corazón y los pulmones del polluelo. ¿Los ves? Tú que tienes buena vista, ¿los ves?

Teofrasto indicó los pequeños grumos sanguinolentos a los que se refería su maestro.

—Sí, los veo —afirmó Alejandro.

—Bien, pues el mismo mecanismo hace que una semilla se desarrolle en una planta.

Alejandro se quedó mirando sus ojillos grises y vivacísimos.

—¿Lo has hecho alguna vez con un ser humano? —le preguntó.

—En más de una ocasión. He seccionado fetos de pocas semanas. Daba dinero a una partera que practicaba abortos a las prostitutas de un burdel de la zona del Cerámico, en Atenas.

El joven palideció.

—No hay que tener miedo de la naturaleza —observó Aristóteles—.

¿Sabes una cosa? Cuanto más próximos están los seres humanos al momento de la concepción, más se parecen entre sí.

—¿Significa ello que todas las formas de vida tienen un mismo origen?

—Tal vez, pero no necesariamente. El hecho es, muchacho, que la materia es mucha, el tiempo de la vida humana breve, los medios de investigación escasos. ¿Comprendes por qué es difícil dar respuestas? Hace falta humildad. Es preciso estudiar, describir, catalogar, dar un paso tras otro, alcanzar grados cada vez mayores de conocimiento. Como cuando uno sube una escalera: un peldaño tras otro.

—Es verdad —confirmó Alejandro, pero en la expresión de su rostro podía leerse una ansiedad que contrastaba con sus palabras, como si su deseo de conocer el mundo no pudiera conciliarse con la paciente disciplina que le proponía su maestro.

Durante bastante tiempo Lisipo se limitó a dejarse ver durante las lecciones, y mientras Aristóteles hablaba o practicaba alguno de sus experimentos, él trazaba esbozos y dibujos del rostro de Alejandro, tanto en las hojas de papiro como en las mesas de madera blanqueadas con escayola o albayalde. Luego, un día, se acercó a él y le dijo:

—Estoy listo.

Desde ese momento Alejandro estuvo ocupado diariamente por lo menos durante una hora en el estudio de Lisipo para las sesiones definitivas. El artista había puesto un bloque de greda sobre un sustentáculo y modelaba un retrato. Sus dedos corrían inquietos sobre la húmeda arcilla, buscando, persiguiendo formas que le venían a la mente, formas reconocidas por un momento en el rostro del modelo o sugeridas por la repentina luz de su mirada.

Luego la mano destruía lo que había plasmado, volvía a llevar la materia a su estado informe para recomenzar inmediatamente después, con prontitud y obstinación, a reconstruir una expresión, una emoción, el destello de una intuición.

Aristóteles le miraba fascinado, seguía la danza de sus dedos sobre la greda, la sensibilidad misteriosa de aquellas manos enormes de artesano que creaban, instante tras instante, la imitación casi perfecta de la vida.

«No es él —pensaba en aquellos momentos el filósofo—. No es Alejandro... Lisipo está modelando al joven dios que imagina ante sí, un dios que tiene los ojos, los labios, la nariz, los cabellos de Alejandro, pero que es otro, es más y menos, al mismo tiempo.»

El científico observaba al artista, estudiaba la mirada atenta y febril, espejo mágico que absorbía lo verdadero y lo reflejaba transformado, recreado por su mente antes que por sus manos.

El modelo en greda fue terminado al cabo de sólo tres sesiones de posar durante las cuales Lisipo había plasmado una y mil veces los rasgos del rostro del muchacho. Luego pasó al modelo en cera que había de transferir su forma efímera a la eternidad del bronce.

La luz del sol que comenzaba a descender hacia las crestas del monte Bermión difundía una dorada claridad en la estancia cuando el artista hizo girar el basamento móvil del sustentáculo, mostrando a Alejandro su retrato.

El joven se quedó maravillado a la vista de su propia efigie prodigiosamente imitada por la diáfana tonalidad de la cera y sintió que una oleada de emoción le subía del corazón. También Aristóteles se acercó a la obra.

Había mucho más que un retrato en aquellas formas soberbias y fatigadas al mismo tiempo, en el caos estremecido de aquella cabellera que cubría y casi enmarcaba el rostro de sobrehumana belleza, la frente majestuosa y serena, los ojos almendrados, teñidos de una misteriosa melancolía, la boca sensual e imperiosa en el el contorno sinuoso y limpio de los labios.

Había un gran silencio en aquel momento, una gran paz en la estancia impregnada de la luz líquida y suave del atardecer y en la mente de Alejandro resonaban las palabras de su maestro que hablaban de la forma que plasma la materia, del intelecto que regula el caos, del alma que imprime el propio sello en la carne perecedera y efímera.

Se volvió hacia Aristóteles, que estaba contemplando con sus ojillos grises de gavilán un milagro que escapaba a las categorías de su genio y preguntó:

—¿Qué piensas?

El filósofo se despertó y volvió la mirada hacia el artista que se había sentado en una banqueta, como si las energías hasta aquel momento derrochadas con loca prodigalidad se hubiesen agotado de golpe.

—Que si Dios existe —dijo—, tiene las manos de Lisipo.

15

Lisipo se quedó en Mieza durante toda la primavera y Alejandro hizo amistad también con sus ayudantes, que le contaron historias maravillosas sobre el arte y el carácter del maestro.

El joven posó también para él, de cuerpo entero y hasta a caballo, pero un día, al entrar por casualidad en su estudio en un momento en que Lisipo se hallaba fuera, observó, entre los dibujos desordenadamente amontonados sobre la mesa, un retrato extraordinario de Aristóteles.

—¿Te gusta? —preguntó en aquel momento el escultor, que apareció de repente a sus espaldas.

—Perdóname —dijo Alejandro con un leve sobresalto—. No quería curiosear entre tus cosas, pero este dibujo es magnífico. ¿Ha posado para ti?

—No, he hecho unos esbozos observándole mientras hablaba o paseaba. ¿Lo quieres?

—No. Guárdalo tú. Tal vez un día tengas que hacerle una estatua también a el. ¿No crees que un gran sabio se la merece más que un rey o un príncipe?

—Creo que la merecen ambos, si también el rey o el príncipe se muestran prudentes —repuso Lisipo con una sonrisa.

De tanto en tanto Alejandro recibía visitas, y durante algunos meses pudo también hacer vida en común con sus amigos intensificando las actividades físicas y militares, especialmente en los períodos en que Aristóteles se hallaba ausente por sus especiales investigaciones o por encargos que le encomendaba Filipo. Otras veces se dirigía él mismo a Pella para ver a sus padres y a su hermana Cleopatra, que estaba cada día más hermosa.

Cuando volvía a Mieza reanudaba sus actividades, que le exigían cada vez un mayor empeño y absorbían todas sus energías, tanto físicas como mentales. El sistema metódico que Aristóteles aplicaba a su investigación inspiraba asimismo su modo de organizar los estudios.

Había hecho instalar un reloj de sol en el patio y un reloj hidráulico en la biblioteca, diseñados ambos por él, y con ellos medía la duración de cualquier lección o de cualquier sesión de trabajo al objeto de que a todas las disciplinas se les dedicara el tiempo adecuado.

En un ala del edificio estaba creciendo, mientras tanto, una rica colección de plantas medicinales, de animales disecados, de insectos, mariposas y minerales. Había incluso bitumen que le habían mandado de Oriente algunos de sus amigos de Atarneo, y Alejandro no creía lo que sus ojos veían cuando su maestro le prendió fuego provocando una llamarada calentísima pero maloliente.

—Me parece que el aceite de oliva es mucho mejor —comentó.

En lo que se mostró también de acuerdo Aristóteles.

El maestro lo coleccionaba todo en su manía de catalogar cuanto era cognoscible en la naturaleza y había trazado también un mapa de las fuentes de aguas termales repartidas por las diversas zonas del país, estudiando sus propiedades curativas. El mismo Filipo había sacado algún provecho de ello para su pierna tomando baños de barro caliente en una fuente de Lincestide.

En la escuela de Mieza, había una pared entera de anaqueles dedicada a la colección de animales petrificados, peces en su mayor parte, pero también plantas, hojas, insectos e incluso un pájaro.

—Me parece que ésta es la prueba de que el diluvio existió de veras, puesto que encontramos estos peces en las montañas de los alrededores —decía Alejandro, una observación que no tenía nada de necia.

A Aristóteles le hubiera gustado dar una explicación muy distinta, pero tuvo que admitir que, por el momento, el mito del diluvio era la única historia que podía dar una explicación de aquel fenómeno. En cualquier caso, el asunto le parecía de importancia secundaria: su parecer era que había que recoger aquellos objetos, medirlos, describirlos y dibujarlos en espera de que alguien, en años futuros, encontrase una explicación irrebatible basada en datos incontrovertibles.

Él obtenía, en cualquier caso, gran satisfacción de la relación con su discípulo, porque el hijo de Filipo le hacía continuamente preguntas y esto es lo que todo maestro desea.

En el aspecto político, Aristóteles se puso a recoger, con la ayuda de sus ayudantes y del propio Alejandro, las constituciones de los diferentes estados y de las distintas ciudades, tanto de Oriente como de Occidente, tanto griegas como bárbaras.

—¿Quieres reunir todas las constituciones existentes en el mundo? —le preguntó Alejandro.

—¡Ojalá pudiese hacerlo —suspiró Aristóteles—, pero mucho me temo que sea una empresa irrealizable!

—¿Y cuál es el fin de tu búsqueda? ¿Descubrir cuál es la mejor de todas?

—Eso es imposible —repuso el filósofo—. En primer lugar porque no existen referencias para establecer cuál es la constitución perfecta, a pesar de lo que acerca de este asunto dijera mi maestro Platón. Mi meta no es tanto llegar a la constitución ideal como observar más bien de qué modo cada comunidad se ha organizado de acuerdo con sus propias necesidades, el ambiente en el que se ha desarrollado, los recursos de que puede disponer, los amigos y los enemigos con los que debía enfrentarse.

»Esto, obviamente, implica que no puede existir una constitución ideal, teniendo en cuenta que, en cualquier caso, los ordenamientos democráticos de las ciudades griegas son los únicos que pueden regular la vida de los hombres libres.

En aquel instante Leptina cruzó el patio con un ánfora llena de agua apoyada en el costado y por un momento Alejandro volvió a ver el infierno del Pangeo.

—¿Y los esclavos? —preguntó—. ¿Puede existir un mundo sin esclavos?

—No —respondió Aristóteles—. Como no puede existir un telar que teja la tela por sí solo. Cuando esto sea posible, entonces se podrá prescindir de los esclavos, pero no creo que eso suceda nunca.

Un día el joven príncipe le planteó al maestro la pregunta que hasta aquel momento no se había atrevido a formular:

—Si el ordenamiento democrático de las ciudades griegas es el único digno de los hombres libres, ¿por qué has aceptado educar al hijo de un rey y por qué eres amigo de Filipo?

—Ninguna institución humana es perfecta y el sistema de las ciudades griegas tiene un problema enorme: la guerra. Muchas ciudades, pese a estar regidas por ordenamientos democráticos en su interior, tratan de prevalecer sobre las demás, de asegurarse los mercados más ricos, las tierras más fértiles, las alianzas más ventajosas. Esto conduce a guerras continuas que desgastan las mejores energías y favorecen al enemigo secular de los griegos: el imperio de los persas.

»Un rey como tu padre puede convertirse en el mediador en estas discordias y luchas intestinas, puede hacer prevalecer el sentido de la unidad contra la simiente de la división y puede desempeñar la tarea de guía y árbitro que, si es necesario, sepa imponer la paz también mediante la fuerza. Mejor un rey griego que salve la civilización griega de la destrucción que no la guerra continua de todos contra todos y, al final, el dominio y la esclavitud bajo el talón de los bárbaros.

»Esto es lo que yo pienso. Por eso acepté educar a un rey. De lo contrario no habría habido dinero suficiente para comprar a Aristóteles.

Alejandro se dio por satisfecho con aquella respuesta, que consideró acertada y honesta. Con el paso del tiempo, sin embargo, se daba cuenta de una contradicción que sentía crecer dentro de sí: por un lado, la educación que recibía, y que, estaba convencido, le empujaba hacia la moderación en su comportamiento, en su manera de pensar y en sus deseos, y hacia el arte y el conocimiento; por otro, su naturaleza, ardiente de por sí, le empujaba a seguir los ideales arcaicos de valor guerrero y de arrojo que descubría en los poemas homéricos y en los versos de los poetas trágicos.

Su descendencia, por parte materna, de Aquiles, el héroe de la *Ilíada*, el enemigo irreductible de Troya, era para él un hecho natural y la lectura del poema que se había habituado incluso a guardar bajo la almohada, a la que dedicaba siempre los últimos momentos de la jornada, le excitaba el ánimo y la fantasía, le proporcionaba un frenesí incontenible.

En aquellos momentos tan sólo Leptina conseguía calmarle. Desde hacía tiempo le permitía estar a su lado o le pedía una mayor intimidad. Acaso era la necesidad de la madre lejana, de la hermana, pero también del contacto con manos que sabían acariciar, dispensar un placer ligero y delicado que crecía con dulzura hasta inflamarle la mirada y los miembros. Leptina le preparaba cada tarde un baño caliente y le derramaba agua por encima de los hombros y del cuerpo, le acariciaba los cabellos y la espalda hasta que se abandonaba...

Acompañaba a los momentos de abandono, cada vez más a menudo, un deseo inmoderado de actuar, de salir de la paz de aquel retiro y de seguir los pasos de los grandes del pasado. Aquel furor primitivo, aquellas ansias de enfrentamiento físico comenzaban a veces a dejarse traslucir también en sus actos cotidianos. Un día que había salido con los amigos de caza, tuvo un encontronazo con Filotas, por un corzo que éste sostenía haber abatido primero, y había llegado a cogerle del gaznate. Le habría estrangulado de no haberle frenado sus compañeros.

En otra ocasión había estado a punto de abofetear a Calístenes porque había puesto en duda la veracidad de Homero.

Aristóteles le observaba atentamente y con preocupación; había dos naturalezas en Alejandro: una la del joven de exquisita cultura e insaciable curiosidad que le planteaba mil preguntas, que sabía cantar, dibujar y recitar de memoria las tragedias de Eurípides, y otra la del guerrero furioso y bárbaro, el exterminador implacable, que se hacía cada vez más evidente, con ocasión de la caza, de la carrera, de los ejercicios guerreros en los que la fogosidad le hacía perder el control hasta llevar la punta de su espada a la garganta de quien tenía enfrente con el solo objeto de prepararle y adiestrarle.

Entonces el filósofo parecía percibir el misterio de aquella mirada que se ensombrecía de repente, de aquella sombra inquietante que se adensaba en el fondo del ojo izquierdo, como la noche de un caos primigenio. Pero no había llegado aún el momento de poner en libertad al joven león argéada.

Aristóteles sentía que aún tenía mucho que enseñarle, que tenía que canalizar sus formidables energías, que debía indicarle una meta y un objetivo. Tenía que dotar a aquel cuerpo, nacido para la salvaje violencia de la batalla, de una mente política capaz de concebir un programa y de sacarlo adelante. Sólo así llevaría a cabo su obra maestra, como Lisipo.

Pasó el otoño y llegó el invierno y los correos trajeron a Mieza la noticia de que Filipo no regresaría a Pella. El rey de Tracia se había desmandado y había que darle un escarmiento.

El ejército, por tanto, afrontó los durísimos rigores del invierno en aquellas zonas azotadas por los gélidos vientos procedentes de las interminables llanuras nevadas de Escitia o de los picos helados del Hemo.

Fue una campaña de una espantosa dificultad en la que los soldados tuvieron que vérselas con un enemigo escurridizo que combatía en su propio territorio y que estaba habituado a sobrevivir incluso en las condiciones más adversas, pero cuando volvió la primavera todo el inmenso territorio que se extendía desde las riberas del Egeo hasta el gran río Istro estaba pacificado y unido al Imperio macedonio.

El rey fundó una ciudad en el centro de aquellas tierras salvajes y la llamó con su nombre, Filipópolis, provocando en Atenas las ironías de Demóstenes que la calificó de «ciudad de ladrones» o «ciudad de delincuentes».

La primavera volvió a reverdecer también los pastos de Mieza y a hacer regresar a los pastores y mayorales de la llanura hacia los prados de montaña.

Un día, tras el ocaso, la quietud del lugar se vio rota por el ruido de un galope desenfrenado y luego por el resonar de secas órdenes, de voces excitadas. Un jinete de la guardia real llamó a la puerta del despacho de Aristóteles.

—El rey Filipo está aquí. Quiere ver a su hijo y hablar contigo.

Aristóteles se levantó presuroso para ir al encuentro de su ilustre huésped y mientras recorría el corredor daba órdenes apresuradas a todos cuantos encontraba a su paso para que hicieran preparar el baño y la cena para el rey y sus acompañantes.

Cuando el filósofo llegó al patio, Alejandro ya se le había adelantado bajando las escaleras precipitadamente.

—¡Papá! —gritó corriendo al encuentro de su padre.

—¡Hijo mío! —exclamó Filipo estrechándole largo rato entre sus brazos.

16

Alejandro se desprendió del abrazo de su padre y le miró. La campaña de Tracia le había dejado profundas marcas: tenía la piel quemada por el hielo, una gran cicatriz en el arco superciliar derecho, el ojo semicerrado y las sienes plateadas.

—Papá, ¿qué te ha pasado?

—Ha sido la campaña más dura de mi vida, hijo mío, y el invierno ha sido un enemigo más encarnizado y despiadado aún que los guerreros tracios, pero ahora nuestro imperio se extiende desde el Adriático hasta el Ponto Euxino, desde el río Istro hasta el paso de las Termópilas. Los griegos deberían reconocerme como su caudillo.

Alejandro hubiera querido hacerle enseguida otras mil preguntas, pero vio que los siervos y las doncellas acudían para cuidar de la persona de Filipo y dijo:

—Necesitas un baño, papá. Continuaremos en la cena nuestra conversación. ¿Quieres alguna cosa en especial?

—¿Hay corzo?

—Tanto como quieras. Y vino del Ática.

—Con permiso de Demóstenes.

—¡Con permiso de Demóstenes, papá! —exclamó Alejandro y corrió a la cocina para vigilar que todo fuera perfectamente preparado.

Aristóteles se reunió con el rey en la estancia del baño y se sentó para escuchar lo que quería decirle mientras las doncellas le daban masaje en los hombros y le enjabonaban la espalda.

—Es un baño tonificante a la salvia. Te sentirás mucho mejor después. ¿Cómo estás, señor?

—Destrozado, Aristóteles, y tengo todavía muchas cosas que hacer.

—Con sólo que pararas un par de semanas, no digo que ello fuera a devolverte la juventud, pero podrías recuperar la normalidad: una buena dieta desintoxicante, masajes, baños termales, ejercicios para tu pierna. Y ese ojo... que ha sido mal curado. Tengo que hacerte una revisión, apenas disponga de un momento.

—¡Ah! No puedo permitirme ninguno de esos lujos, y los cirujanos militares ya sabemos cómo son... De todos modos, debo darte las gracias; la dieta invernal de combate que estudiaste para mis soldados ha dado unos excelentes resultados. A muchos, creo, les ha salvado la vida.

El filósofo hizo una ligera inclinación con la cabeza.

—Estoy en una situación crítica, Aristóteles —prosiguió el rey—. Necesito de tu consejo.

—Habla.

—Sé que no estás de acuerdo, pero estoy preparando la toma de todas las ciudades que han permanecido ligadas a Atenas en el área de los estrechos. Perinto y Bizancio serán puestas a prueba: he de ver de parte de quién están.

—Si les obligas a elegir entre Atenas y tú, elegirán a Atenas, y tú deberás hacer uso de la fuerza.

—He cogido al mejor ingeniero militar actualmente disponible, que está proyectando para mí máquinas monstruosas, de noventa pies de altura. Me cuestan una fortuna, pero valen la pena.

—En cualquier caso, mi parecer contrario no iba a disuadirte de tu propósito.

—No, en efecto.

—Pues, entonces, ¿para qué te sirven mis consejos?

—Por la situación de Atenas. Mis informadores me dicen que Demóstenes quiere reunir una liga panhelénica en mi contra.

—Es comprensible. A sus ojos eres el enemigo más peligroso y una amenaza para la independencia y la democracia de las ciudades griegas.

—De haber querido llegar hasta Atenas, lo habría hecho. En cambio me he limitado a consolidar mi autoridad en las zonas de directa influencia macedonia.

—Has arrasado Olinto y...

—¡Me hicieron rabiar!

Aristóteles arqueó las cejas y suspiró.

—Comprendo.

—Entonces, ¿qué puedo hacer por esta liga? Si Demóstenes consigue su propósito, tendré que hacerle frente con el ejército en campo abierto.

—Por ahora no creo que haya ningún peligro. Las discordias, las rivalidades y las envidias entre los griegos son tan grandes que no se hará nada de todo ello, creo yo. Pero si prosigues con tu política de agresión, lo único que conseguirás será unirles aún más. Tal como sucedió en tiempos de la invasión de los persas.

—¡Pero yo no soy un persa! —tronó el soberano.

Y descargó un fuerte puñetazo contra el borde de la pila desencadenando una pequeña tempestad.

Tan pronto como las aguas se hubieron calmado, Aristóteles prosiguió:

—Eso no cambia nada: desde siempre, cuando una potencia se vuelve hegemónica, todas las demás se coaligan en su contra. Los griegos tienen en gran estima su total independencia y están dispuestos a todo con tal de conservarla. Demóstenes sería capaz de tratar con los persas, ¿comprendes? Para ellos tiene más valor la conservación de la independencia que los lazos de sangre y de cultura.

—Es cierto. Debería quedarme tranquilo a la espera de los acontecimientos.

—No. Pero has de saber que cada vez que tomas una iniciativa militar contra posesiones o aliados atenienses pones en dificultades a los amigos que tienes en el interior de la ciudad, que son señalados como traidores o corruptos.

—Algunos lo son —observó Filipo sin alterarse—. En cualquier caso, sé que tengo razón y por tanto seguiré adelante. He de pedirte un favor, sin embargo. Tu suegro es el señor de Asso: si Demóstenes se pone a negociar con los persas, él podría ser informado de ello.

—Le escribiré —prometió Aristóteles—. Pero recuerda: si estás decidido a llevar adelante tus planes de este modo, antes o después te toparás con la coalición de Demóstenes. O algo muy parecido.

El soberano permaneció en silencio. Se puso en pie y el filósofo no pudo dejar de advertir en su cuerpo unas cicatrices recientes mientras las mujeres le secaban y le revestían con vestiduras limpias.

—¿Cómo está mi chico? —preguntó el rey.

—Es una de las personas más extraordinarias que he conocido en mi vida. Pero cada día que pasa me resulta más difícil mantenerle bajo control. Sigue tus empresas y muerde el freno. Quisiera distinguirse, dar prueba de su valor. Teme que cuando sea su turno no quede ya nada por conquistar.

Filipo sacudió la cabeza sonriendo.

—Si todos los problemas fuesen ésos... Ya hablaré yo con él. Pero por el momento quiero que se quede aquí. Tiene que terminar su educación.

—¿Has visto el retrato que le ha hecho Lisipo?

—Aún no. Pero me han dicho que es estupendo.

—Lo es. Alejandro ha decidido que en el futuro sólo Lisipo podrá retratarle. Ha quedado muy impresionado.

—He dado ya la orden de que se hagan copias para regalar a todas las ciudades aliadas a fin de que las expongan en público. Quiero que los griegos vean que mi hijo ha crecido en las laderas del monte de los dioses.

Aristóteles le acompañó al comedor, pero tal vez sería más apropiado llamarlo refectorio. El filósofo, en efecto, había eliminado los lechos para comer, así como las mesas preciosas, y había hecho instalar una mesa con sillas como en las casas de los poderosos o bajo las tiendas de campaña militares. Le parecía más conveniente para el clima de estudio y de recogimiento que debía reinar en Mieza.

—¿Has observado si tiene relaciones con muchachas? Ya es hora de que empiece —observó el rey mientras caminaban por los corredores.

—Tiene un temperamento muy reservado, casi diría que esquivo. Pero está esa muchacha, me parece que se llama Leptina.

Filipó arrugó la frente.

—Así que continúa.

—No hay gran cosa que contar. Ella le es fiel como a una divinidad. Y por otra parte es el único ser humano del sexo femenino que tiene acceso a su persona a cualquier hora del día y de la noche. No sé qué más decirte.

Filipo se rascó en el mentón la hirsuta barba.

—No me gustaría que me hiciese ningún bastardo con esa sierva. Tal vez sea mejor que le mande a una hetaira conocedora del oficio. Así no tendremos problemas y le podrá enseñar también algo de interés.

Habían llegado ya delante de la entrada del comedor y Aristóteles se detuvo.

—Yo en tu lugar no lo haría.

—Pero no os crearía ninguna molestia. Te hablo de una persona de primer orden en cuanto a educación y experiencia.

—No se trata de eso —objetó el filósofo—. Alejandro te ha dejado ya elegir a su maestro y al artista que le ha hecho el retrato porque te quiere y porque es muy culto para su edad. Pero no creo que te permita ir más allá, violar su intimidad.

Filipo refunfuñó algo incompresible, para luego decir:

—Tengo hambre. ¿Es que aquí no se come?

Cenaron todos juntos en medio de una gran alegría y *Peritas* se quedó bajo la mesa royendo los huesos de corzo que los comensales arrojaban al suelo.

Alejandro quiso conocer todos los detalles de la campaña de Tracia: quiso saber cómo eran las armas de los enemigos, las técnicas de combate, cómo estaban fortificados sus pueblos y ciudades. Y quiso saber también cómo se habían batido los dos reyes enemigos: Kersebleptes y Teres.

En un determinado momento, mientras los criados retiraban la mesa, Filipo saludó a todos los presentes:

—Ahora, permitidme despediros y desearos buenas noches. Quisiera quedarme un poco en compañía de mi hijo.

Todos se levantaron, devolvieron el saludo y se retiraron. Filipo y Alejandro se quedaron solos, a la luz de los velones, en la gran sala vacía, uno enfrente del otro. Únicamente se oía, debajo de la mesa, un ruido de huesos rotos. *Peritas* había crecido ya y tenía una dentadura de león.

—¿Es cierto que volverás a partir enseguida? —preguntó Alejandro—. ¿Mañana?

—Sí.

—Esperaba que te quedases algunos días.

—También yo lo esperaba, hijo.

Siguió un largo silencio. Filipo no justificaba nunca sus decisiones.

—¿Qué harás?

—Ocuparé todos los asentamientos atenienses en la península de Quersoneso. Estoy construyendo las máquinas de asalto más grandes que se hayan visto jamás. Quiero a nuestra flota en los estrechos.

—Por los estrechos pasa el trigo para Atenas.

—Así es.

—Será la guerra.

—No hay ni que decirlo. Quiero que me respeten. Habrá una liga panhelénica, tienen que comprender que sólo yo puedo ser su jefe.

—Llévame contigo, papá.

Filipo le miró fijamente a los ojos.

—No es aún el momento, hijo. Tienes que completar tus estudios, tu formación, el adiestramiento.

—Pero yo...

—Escucha. Has tenido ya alguna breve experiencia de lo que es una campaña militar, has dado prueba de valor y de destreza en la caza y sé que eres muy bueno en el manejo de las armas, pero, créeme, aquello a lo que un día tendrás que enfrentarte será mil veces más duro. He visto a mis hombres morir de frío y fatiga, les he visto sufrir penas atroces, con los miembros desgarrados por espantosas heridas. He visto a otros caer mientras escalaban una muralla y despanzurrarse contra el suelo y he oído sus gritos desgarradores en medio de la noche, durante horas y horas antes de hacerse el silencio.

»Y mírame a mí, mira mis brazos: se dirían ramas de un árbol sobre el que un oso hubiera afilado sus uñas. He sido herido en once ocasiones, renqueante y medio ciego... Alejandro, Alejandro, tú ves la gloria, pero la guerra es sobre todo horror. Y sangre, sudor, excrementos; es polvo y fango; y sed y hambre, hielo y calor insoportable. Deja que sea yo quien afronte todo esto por ti, mientras me sea posible hacerlo. Quédate en Mieza, Alejandro. Durante un año más.

El joven no dijo nada. Sabía que aquellas palabras no admitían réplica. Pero la mirada herida y experimentada de su padre le pedía que comprendiera y que le siguiera guardando afecto.

Afuera, en lontananza, oíase el ruido sordo del trueno y los relámpagos amarillos encendían de repente los bordes de unos nubarrones sobre los oscurecidos picos del Bermión.

—¿Cómo está mamá? —preguntó Alejandro de sopetón.

Filipo bajó la mirada.

—He sabido que te has traído una nueva mujer. La hija de un bárbaro.

—Un jefe escita. Tengo que hacerlo. Y tú harás lo mismo cuando sea el momento.

—Lo sé. Pero ¿cómo está mamá?

—Bien. Dadas las circunstancias.

—Entonces me voy. Buenas noches, papá.

Se levantó y se dirigió hacia la salida, seguido por su perro. Filipo envidió al animal que le haría compañía a su hijo, escuchando su respiración en la noche.

Se puso a llover, con gotas al principio grandes y escasas y luego cada vez más abundantes. El rey, que se había quedado a solas en la sala vacía, se levantó a su vez. Salió bajo el pórtico mientras un relámpago enceguecedor iluminaba como si fuera de día el amplio patio seguido inmediatamente de un trueno estruendoso. Se apoyó en una columna y se quedó inmóvil y absorto mirando la lluvia que crujía.

17

Las cosas fueron exactamente tal como Aristóteles las había previsto: puestas entre la espada y la pared, Perinto y Bizancio se alinearon del lado de Atenas, y Filipo respondió asediando Perinto, una ciudad en la orilla meridional del Helesponto, erigida sobre un promontorio rocoso y unida al continente por un istmo.

Había plantado sus reales a una altura desde la que podía dominar toda la situación y cada tarde convocaba a consejo a sus generales: Antípatro, Parmenio y Clito, llamado *El Negro* porque era moreno de pelo, tenía los ojos negros y la tez oscura. Además estaba casi siempre también de un humor negro, pero era un excelente oficial.

—¿Han decidido negociar la rendición sí o no? —preguntó al entrar sin siquiera sentarse.

—No, señor —dijo Parmenio—. Y en mi opinión ni siquiera piensan en ello. La ciudad está bloqueada por tierra por nuestra trinchera, es cierto, pero sigue recibiendo refuerzos por mar, por medio de la flota bizantina.

—Y nosotros no podemos hacer nada contra eso —rebatió El Negro—. No tenemos el control del mar.

Filipo descargó un puñetazo sobre la mesa.

—¡Me importa un rábano el control del mar! —gritó—. Dentro de unos días estarán listas mis torres de asalto y haré pedazos sus murallas. ¡Entonces les quiero ver, si es que todavía les quedan ganas de hacerse los valientes!

El Negro sacudió la cabeza.

—¿Qué tienes tú que decir?

—Nada. Y es que tampoco veo la cosa fácil ni siquiera así.

—¿Ah no, eh? Entonces escúchame bien: quiero que esas malditas máquinas estén listas para ponerse en movimiento dentro de dos días como máximo, aunque para ello tenga que emprenderla a patadas en el culo desde con el ingeniero jefe hasta con el último carpintero. ¿Me habéis comprendido bien?

—Te hemos comprendido muy bien, rey —repuso Antípatro con su acostumbrada paciencia.

La ira de Filipo conseguía obrar milagros en determinadas situaciones. Al cabo de tres días las máquinas comenzaron su marcha hacia las murallas, gimiendo y chirriando: eran torres que se movían por sí solas y más altas que los bastiones de Perinto, y eran accionadas por un sistema de contrapesos, pudiendo contener cada una de ellas cien guerreros, catapultas y arietes.

Los asediados comprendieron qué les esperaba, y el recuerdo de lo que había sucedido en Olinto, reducida a cenizas por la cólera del soberano, multiplicó sus energías. Excavaron minas y quemaron las máquinas en una salida nocturna. Filipo las hizo reconstruir y excavó contraminas a fin de debilitar los cimientos de los muros, mientras los arietes los embestían sin descanso, noche y día, haciendo atronar la ciudad entera con el fragor ensordecedor de los golpes.

Al final los muros cedieron, pero los generales macedonios se encontraron frente a una amarga sorpresa. Antípatro, que era el mayor y el más respetado, fue encargado de dar al rey la mala noticia.

—Señor, los muros se han hundido, pero yo desaconsejo lanzar la infantería al asalto.

—¿No? ¿Y por qué si puede saberse?

—Ven a verlo tú mismo.

Filipo se acercó a una de las torres, trepó hasta lo alto de ella y se quedó mudo no bien echó un vistazo al otro lado de los muros derruidos: los asaltantes habían unido la hilera de casas en el primer banqueo de la ciudad, creando de hecho un segundo recinto amurallado. Y dado que Perinto estaba toda ella escalonada en terrazas, era evidente que la cosa se repetiría hasta el infinito.

—Maldición —gruñó el rey volviendo a descender a tierra.

Se encerró en su tienda royéndose los hígados durante días y buscando el modo de salir de aquel callejón sin salida en el que había ido a parar, pero las malas noticias no habían acabado. Se presentó su Estado Mayor al completo a traérselas.

—Señor —anunció Parmenio—, los atenienses han alistado a diez mil mercenarios con el dinero de los gobernadores persas de Asia Menor y los han desembarcado en Perinto.

Filipo agachó la cabeza. El acontecimiento tan temido por Aristóteles se había hecho lamentablemente realidad: Persia había tomado partido contra Macedonia.

—Bonito contratiempo —comentó El Negro—, como si el clima no fuese ya lo bastante sombrío.

—Y eso no es todo —añadió Antípatro.

—¿Qué más hay? —gritó Filipo—. ¿Es posible que tenga que sacaros las palabras de la boca con tenazas?

—Pronto está dicho —continuó Parmenio—. Nuestra flota está bloqueada en el mar Negro. Trataba de interceptar un convoy de trigo que se dirigía a Perinto, pero por desgracia los atenienses se dieron cuenta de ello, movieron su flota de noche, por sorpresa, y han bloqueado la entrada del Bósforo.

Filipo, desalentado, se dejó caer en un asiento y se cogió la cabeza con las manos.

—Ciento treinta naves y tres mil hombres —murmuró—. No puedo perderlos. ¡No puedo perderlos! —gritó acto seguido poniéndose en pie como movido por un resorte y midiendo a largos pasos la tienda de campaña.

Mientras tanto, a bordo de sus naves en el Bósforo, las tripulaciones cantaban ya victoria y cada noche, al caer las tinieblas, encendían hogueras en los braseros y proyectaban alrededor su luz con escudos bruñidos, a fin de que las naves macedonias no tratasen de pasar al amparo de la oscuridad. Pero no sabían que Filipo, cuando estaba encerrado en una trampa y no podía hacer uso de la fuerza, recurría entonces a la astucia, volviéndose más peligroso aún si cabe.

Una noche, el comandante de un trirreme ateniense que patrullaba la orilla occidental del estrecho vio una chalupa que descendía la corriente tratando de mantenerse lo más cerca posible de la orilla para no ser vista.

Ordenó dirigir la luz del brasero hacia la orilla y la chalupa resultó inmediatamente visible, rodeada de lleno por el luminoso rayo proyectado por el escudo.

—¡Quietos donde estáis —ordenó el oficial— u os mando a pique!

Y pidió al timonel que virara a estribor o que orientara el gran espolón de bronce del trirreme contra el flanco de la pequeña embarcación.

Los ocupantes de la chalupa, aterrorizados, se detuvieron, y cuando el comandante ateniense les ordenó que se acercaran, remaron hacia la nave y subieron a bordo.

Había algo extraño en su comportamiento y aspecto, pero con sólo abrir la boca al oficial ateniense no le cupo ya la menor duda: eran sin duda macedonios y no pescadores tracios, como pretendían hacer creer.

Hizo que les registraran y colgado del cuello de uno de ellos encontró un estuche de cuero con un mensaje en su interior. ¡Aquélla era decididamente una noche afortunada! Pidió a uno de sus hombres que le diera luz con un velón y leyó.

> Filipo, rey de los macedonios, a Antípatro.
> Lugarteniente general, ¡salve!
> Se nos presenta la ocasión de una aplastante victoria sobre la flota ateniense que se halla detenida en el Bósforo. Haz avanzar cien naves desde Tasos y bloquea la salida meridional del Helesponto. Yo haré bajar mi flota por el norte y los atraparemos en medio. No tendrán salida. Deberás estar en la entrada del estrecho la primera noche de luna nueva.
> Cuídate.

—¡Por los dioses! —exclamó el comandante tan pronto como hubo terminado de leer—. No hay tiempo que perder.

Ordenó inmediatamente invertir el rumbo y remar enérgicamente hacia el centro del estrecho donde la nave capitana cabeceaba anclada. Subió a bordo, solicitó parlamentar con el navarca, un anciano oficial de gran experiencia llamado Foción, y le hizo entrega del mensaje interceptado. El oficial lo leyó rápidamente y acto seguido lo pasó a su escriba, un hombre muy competente que había trabajado durante años como secretario de la asamblea de Atenas.

—He visto otras cartas de Filipo en nuestro archivo: y es sin duda de su puño y letra, así como también el sello es suyo —dijo tras haber examinado escrupulosamente el documento.

Poco después, desde la proa de la nave capitana, el navarca hacía relucir con su escudo la señal de retirada para todas las naves de la flota.

Llegaron frente a Tasos al cabo de tres días para descubrir que de la flota de Antípatro no había ni sombra, entre otras razones porque la flota de Antípatro no había existido jamás. Pero al mismo tiempo la escuadra real pudo descender tranquilamente el Bósforo y el Helesponto y buscar abrigo en un puerto seguro.

En uno de sus discursos contra Filipo, Demóstenes le había llamado «El Zorro»: cuando éste tuvo conocimiento de lo sucedido, se dio cuenta de que jamás un apelativo había sido más merecido.

El soberano macedonio abandonó el asedio de Perinto a comienzos del otoño y marchó al norte para castigar a las tribus escitas que se habían negado a mandarle refuerzos; derrotó y dio muerte a su rey Atas, que había hecho acto de presencia en el campo de batalla por más que superara los noventa años de edad.

En el camino de vuelta, sin embargo, ya en pleno invierno, el ejército de Filipo fue atacado por la más feroz de las tribus tracias, los tribalos: sufrió serias bajas y tuvo que abandonar todo el botín. El propio rey fue herido y a duras penas logró reconducir a la patria a sus soldados, abriéndose camino combatiendo.

Regresó a su palacio de Pella, postrado por las fatigas y los dolores desgarradores que le producía la herida en la pierna, exhausto, casi irreconocible. Pero el mismo día reunió al consejo y se informó acerca de cuanto había sucedido en Grecia y en Macedonia durante su ausencia. Ninguna de las noticias era buena, y de haber tenido aún energías se habría enfurecido como un toro.

Decidió, en cambio, que lo consultaría con la almohada y a la mañana siguiente convocó al médico Filipo y le dijo:

—Mírame bien. ¿Cómo me encuentras?

El médico le miró de arriba abajo, vio su color terroso y su mirada apagada, sus labios secos y agrietados, notó su voz rota.

—En pésimas condiciones, señor.

—No tienes pelos en la lengua.

—Necesitas un buen médico. Cuando te haga falta un adulador, ya sabes dónde encontrarle.

—Tienes razón. Ahora escúchame: estoy dispuesto a beber cualquier brebaje que quieras prepararme, a dejarme romper el espinazo y retorcer los huesos del cuello por tus masajistas, a dejarme meter tus lavativas por el culo, a comer peces apestosos en vez de asado de buey durante todo el tiempo que quieras, a beber agua de manantial hasta que me nazcan ranas en el estómago, pero, por todos los dioses, ponme sano porque a comienzos del verano quiero que mi rugido pueda oírse hasta en Atenas e incluso más allá.

—¿Me obedecerás? —preguntó el médico desconfiado.

—Te obedeceré.

—¿Y no estamparás mis medicinas y mis pociones contra la pared?

—No lo haré.

—Entonces ven a mi despacho. Tengo que hacerte una revisión.

Algún tiempo después, una tranquila tarde de primavera, se presentó en las habitaciones de la reina sin hacerse anunciar. Olimpia, avisada por las doncellas, se miró un momento en el espejo y luego fue a su encuentro en la puerta.

—Me alegro de verte restablecido; entra, siéntate. Es un honor para mí recibir en estos aposentos al rey de los macedonios.

Filipo se sentó y permaneció un rato con los ojos gachos.

—¿Es necesario este lenguaje oficial? ¿No podemos conversar como dos esposos que llevan bastantes años juntos?

—Juntos no es que sea la palabra más apropiada —replicó Olimpia.

—Tu lengua corta más que una espada.

—Es porque no tengo ninguna espada.

—He venido para hablar contigo.

—Te escucho.

—Tengo que pedirte un favor. Mis últimas campañas no han sido lo que se dice muy afortunadas. He perdido bastantes hombres y gastado inútilmente mis fuerzas. En Atenas creen que estoy acabado y hacen caso de lo que dice Demóstenes como si fuese un oráculo.

—Es lo que he oído decir.

—Olimpia, no quiero llegar ahora a un enfrentamiento directo ni tampoco quiero provocarlo. Por ahora, debe prevalecer todavía la buena voluntad. El deseo de arreglar las diferencias...

—¿En qué debería ayudarte?

—Yo no puedo enviar una embajada a Atenas en estos momentos, pero pensaba que, si lo hicieses tú, la reina, cambiarían muchas cosas. Tú no has tomado nunca iniciativas contra ellos. Hay incluso quien piensa que también tú eres víctima de Filipo.

Olimpia no hizo ningún comentario.

—En resumidas cuentas, que sería como una embajada enviada por una potencia neutral, ¿comprendes? Olimpia, necesito tiempo, ¡ayúdame! Y si no quieres ayudarme, piensa en tu hijo. Es su reino lo que estoy construyendo, su hegemonía sobre todo el mundo griego lo que estoy preparando.

Se calló recobrándose tras su perorata. Olimpia se volvió hacia la ventana como si quisiera evitar su mirada y se quedó también en silencio durante algunos instantes. Luego dijo:

—Lo haré. Mandaré a Oreos, mi secretario. Es un hombre juicioso y prudente.

—Es una excelente elección —aprobó Filipo que no se esperaba tamaña disponibilidad.

—¿Puedo hacer algo más por ti? —preguntó aún la reina, pero el suyo era el tono frío de una despedida.

—También quería decirte que dentro de unos días iré a Mieza. —El rostro de Olimpia mudó de repente de expresión, y sus mejillas pálidas se tiñeron de rosa—. Traeré a casa a Alejandro —añadió el soberano.

La reina ocultó el rostro entre la estola, pero no pudo disimular las emociones violentas que le asaltaban en aquel momento.

—Ni siquiera me preguntas si he cenado —le dijo Filipo.
Olimpia levantó los ojos relucientes.
—¿Has cenado? —repitió imitándole servilmente.
—No. Yo... yo esperaba que me pidieras que me quedara.
La reina bajó la cabeza.
—No me siento bien hoy. Lo siento.
Filipo se mordió un labio y salió dando un portazo.
Olimpia se apoyó en la pared como si se sintiera desfallecer y escuchó su paso pesado retumbar en el corredor y perderse en el fondo de la escalinata.

18

Alejandro corría por el prado inundado de luz primaveral, salpicado de flores; corría medio desnudo y descalzo, en contra del viento que soplaba en sus cabellos y traía del mar hasta él un ligero olor salobre. *Peritas* corría a su lado controlando el paso para no superar a su amo y para no perderle. Ladraba de vez en cuando como si quisiera llamar su atención y el joven volvía la cabeza hacía él sonriendo, pero sin pararse.

Era uno de aquellos momentos en los que su alma se liberaba, en los que volaba como un pájaro, galopaba como un caballo de batalla. Entonces su naturaleza ambigua y misteriosa de centauro, violenta y sensible a la vez, tenebrosa y solar, parecía expresarse en un movimiento armónico, en una especie de danza iniciática bajo el ojo fúlgido del Sol o en la sombra imprevista de una nube.

A cada salto su cuerpo escultural se contraía para estirarse seguidamente en una amplia zancada, su melena dorada golpeaba suave y brillante en su espalda cual una crin, y los brazos, ligeros, acompañaban como alas el alzarse del pecho en el jadeo excitado de la carrera.

Filipo le contemplaba en silencio, tieso sobre la grupa de su caballo, en la linde del bosque; luego, cuando le vio ya cerca y se percató de que el ladrido, de pronto más fuerte, del perro le había descubierto, espoleó al caballo y se acercó a su lado saludándole con la mano, sonriendo, pero sin detenerle, encantado por la potencia de aquella carrera, por el prodigio de aquellos miembros infatigables.

Alejandro se detuvo en la orilla de un arroyo y se arrojó de una zambullida al agua; Filipo se apeó de su cabalgadura y le esperó. El muchacho salió de la corriente de un salto, junto con el perro, y ambos se sacudieron el agua de encima. Filipo le abrazó estrechamente y sintió a su vez la mordaza del hijo, no menos poderosa. Se dio cuenta de que se había hecho un hombre.

—He venido para llevarte conmigo —dijo—. Volvemos a casa.

Alejandro le miró incrédulo.

—Palabra de rey —aseguró Filipo—. Pero llegará el día en que recordarás este período de tu vida con nostalgia. Yo no tuve la misma suerte; no he tenido cantos, ni poesía, ni sabios discursos. Y por eso estoy tan cansado, hijo, por eso me pesan ya tanto los años.

Alejandro no dijo nada y caminaron juntos por el prado, hacia casa; el joven seguido por su perro, el padre sosteniendo por la brida a su caballo.

De repente, desde detrás de una colina que ocultaba a la vista el retirado lugar de Mieza, se oyó un relincho. Era un sonido agudo y penetrante, un bufido poderoso, como de fiera, de una criatura quimérica. Luego se oyeron alaridos de hombres, gritos y llamadas, y un ruido de cascos de bronce que hacían temblar la tierra.

El relincho resonó más alto aún y furibundo. Filipo se dio la vuelta hacia el hijo y dijo:

—Te he traído un regalo.

Alcanzaron lo alto de la colina y Alejandro se detuvo estupefacto: abajo, ante sus ojos, un semental negro se encabritaba con un repentino empinarse sobre las patas traseras, brillante de sudor como una estatua de bronce bajo la lluvia, sostenido por cinco hombres agarrados a cuerdas y riendas que trataban de controlar su formidable potencia.

Era más negro que ala de cuervo y tenía una estrella blanca en medio de la frente en forma de bucráneo. A cada movimiento del cuello o de la espaldilla arrojaba al suelo a los caballerizos y los arrastraba por la hierba cual muñecos inertes. Luego volvía a caer sobre las pezuñas delanteras, coceaba hacia atrás furibundo, azotaba el aire con la cola, sacudía la larga crin resplandeciente.

Una baba sanguinolenta orlaba el labio del maravilloso corcel, que a trechos se detenía, con el cuello doblado hacia el suelo para aspirar todo lo posible, para hinchar el pecho de aire y expulsarlo de nuevo cual aliento de fuego, cual soplo de dragón. Y relinchaba una vez más, sacudía la soberbia cerviz, tensaba el agrupamiento de músculos que le engrosaba la cruz.

Alejandro, como si hubiera recibido un fustazo, se sacudió de improviso y gritó:

—¡Dejadlo! ¡Dejad libre a ese caballo, por Zeus!

Filipo apoyó una mano sobre su hombro.

—Espera un poco más, muchacho, espera a que lo hayamos domado. Sólo un poco más de paciencia y será tuyo.

—¡No! —gritó Alejandro—. ¡No! Sólo yo puedo domarlo. ¡Dejadlo! Os digo que lo dejéis.

—Pero se escapará —dijo Filipo—. ¡Hijo mío, he pagado una fortuna por él!

—¿Cuánto? —preguntó Alejandro—. ¿Cuánto has pagado por él, papá?

—Trece talentos.

—¡Apuesto otros tantos a que consigo domarlo! ¡Pero diles a esos desgraciados que lo dejen! ¡Te lo ruego!

Filipo le miró y le vio casi fuera de sí a causa de la emoción, las venas del cuello hinchadas como las del semental enfurecido.

Se volvió hacia los hombres y ordenó:

—¡Dejadle libre!

Obedecieron. Uno tras otro fueron soltando los lazos y le dejaron solamente las riendas del cuello. De inmediato el animal se alejó corriendo por la llanura. Alejandro se lanzó en su persecución y llegó junto a él ante la mirada asombrada del rey y de sus caballerizos.

El soberano sacudió la cabeza murmurando:

—Oh, dioses, le va a reventar el corazón a ese muchacho, le va a reventar el corazón.

Peritas gruñía entre dientes. Pero los hombres hicieron una alusión como queriendo decir «escucha». Sentía que le hablaba, en medio del jadeo de la carrera le gritaba algo, palabras que el viento se llevaba junto con los relinchos del animal que casi parecía responderle.

De improviso, cuando parecía que el joven se venía abajo por el esfuerzo, el caballo aminoró su carrera, trotó un poco y luego se puso a paso de andadura mientras sacudía la cabeza y bufaba.

Alejandro entonces se le acercó, despacio, poniéndose del lado del Sol. Ahora podía verlo, iluminado de lleno, podía ver su frente amplia y negra y la mancha blanca en forma de cráneo de buey.

—*Bucéfalo* —susurró—. *Bucéfalo*... Sí, éste es tu nombre... Éste es. Te gusta, ¿es bonito, eh?

Se le acercó hasta casi tocarlo. El animal sacudió la cabeza, pero no se movió y el muchacho alargó la mano y le acarició el cuello, con delicadeza, y a continuación la mejilla y el morro suave cual musgo.

—¿Quieres correr conmigo? —dijo—. ¿Quieres correr?

El caballo relinchó alzando la cabeza con altivez y Alejandro comprendió que asentía. Lo miró fijamente a los ojos ardientes y acto seguido, de un salto, montó sobre su grupa y gritó:

—¡Vamos, *Bucéfalo*! —y le tocó el vientre con los talones.

El animal se lanzó al galope, distendiendo el resplandeciente lomo, alargando la cabeza y las patas y la larga cola floqueada. Corrió raudo como el viento dando vueltas por la llanura hasta llegar al bosque y al río; el ruido martilleante de sus cascos parecía de trueno.

Se detuvo delante de Filipo, que casi no podía creer lo que habían visto sus ojos.

Alejandro se deslizó a tierra.

—Es como cabalgar a Pegaso, padre, es como si tuviese alas. Así debían de ser *Balio* y *Janto*, los caballos de Aquiles, hijos del viento. Gracias por habérmelo dado.

Y le acariciaba el cuello y el pecho sudorosos. *Peritas* comenzó a ladrar, celoso de aquel nuevo amigo de su amo; el muchacho le acarició también a él, para tranquilizarlo.

Filipo le miraba asombrado, como incapaz de darse cuenta aún de lo que había pasado. Luego le besó en la cabeza y afirmó:

—Hijo mío, búscate otro reino: Macedonia no es lo suficientemente grande para ti.

19

—¿De veras has pagado trece talentos? —Preguntó Alejandro mientras cabalgaba al lado de su padre.

Filipo asintió.

—Creo que es el precio más alto jamás pagado por un caballo. Es el animal más hermoso que han dado en muchos años los criaderos de Filónicos, en Tesalia.

—Vale mucho más —dijo Alejandro acariciando el cuello de *Bucéfalo*—. Ningún otro caballo de batalla en el mundo habría sido digno de mí.

Comieron en compañía de Aristóteles y Calístenes: Teofrasto había regresado a Asia para proseguir sus investigaciones y de vez en cuando transmitía al maestro informes acerca de sus descubrimientos.

Compartían la mesa también dos pintores ceramistas que Aristóteles había hecho venir de Corinto, no con el fin de pintar vasos, sino de trabajar en otra tarea mucho más delicada que había encargado el propio Filipo: un mapa del mundo conocido.

—¿Puedo verlo? —preguntó el rey impaciente, cuando hubo terminado de comer.

—Claro está —repuso Aristóteles—. Es también mérito de tus conquistas lo que hemos conseguido representar.

Pasaron a una sala amplia y bien iluminada donde el gran mapa, realizado sobre piel curtida de buey clavada con algunas tachuelas en una mesa de madera de igual medida, campeaba imponente y brillante debido a los colores con que los artistas habían representado mares, montañas, ríos y lagos, golfos e islas.

Filipo lo observó encantado. Su mirada recorrió los perfiles desde Oriente hasta Occidente, desde las columnas de Hércules a las extensiones de la llanura escita, desde el Bósforo hasta el Cáucaso, desde Egipto hasta Siria.

Lo rozaba con los dedos, como temeroso de tocarlo, buscaba los países, amigos y enemigos, reconocía, con los ojos que le relucían, la ciudad que recientemente había fundado en Tracia y que llevaba su nombre: Filipópolis. Por fin podía ver, en concreto, la vastedad de sus dominios.

Hacia Oriente y hacia el norte el mapa se difuminaba hacia la nada, así como también hacia el sur donde se extendían las arenas infinitas de los libios y de los garamantas.

Sobre una mesa lateral había numerosas hojas de papiro con estudios preparatorios. Filipo abrió algunas de ellas y se detuvo en un dibujo que representaba la Tierra.

—Así pues, ¿crees que es redonda? —preguntó a Aristóteles.

—No es que lo crea, es que estoy convencido de ello —rebatió el filósofo—. Es redonda la sombra que la Tierra proyecta sobre la Luna durante los eclipses. Y si observas una nave alejarse de puerto, primero ves desaparecer el casco, y luego el mástil. En cambio, sucede todo lo contrario si la ves acercarse.

—¿Y qué hay aquí abajo? —preguntó el rey señalando un área indicada con las letras *antipodes*.

—Nadie lo sabe. Pero es probable que existan tierras iguales en superficie a éstas en que vivimos. Es una cuestión de equilibrio. El problema estriba en que no sabemos por cuánto espacio se extienden las regiones boreales.

Alejandro se volvió hacia él y luego posó la mirada, absorto, en las provincias del inmenso imperio que se decía se extendía desde el mar Egeo hasta la India; le volvían a la mente las inspiradas palabras con las que tres años antes el huésped persa había descrito su patria.

En aquel momento imaginaba que corría a caballo de *Bucéfalo* por aquellas inmensas mesetas, que volaba sobre montañas y desiertos hasta los confines del mundo, hasta las olas del río Océano que, según Homero, rodeaban la Tierra entera.

Le sacó de su ensimismamiento la voz del padre y su mano apoyada en un hombro.

—Arregla tus cosas, hijo mío, imparte las disposiciones pertinentes a tus siervos para que preparen tu bagaje, todo cuanto quieras llevarte a casa, a Pella. Y despídete de tu maestro, pues no le verás por un tiempo.

Dicho esto, el rey se alejó para que pudieran quedarse a solas a fin de decirse adiós.

—Ha pasado deprisa este tiempo —dijo Aristóteles—. Me parece haber llegado ayer mismo a Mieza.

—¿Adónde vas? —le preguntó Alejandro.

—Seguiré aquí aún durante un tiempo. Hemos acumulado mucho material y una cierta cantidad de apuntes y anotaciones que ahora deben ser cuidadosamente clasificados. Ello llevará algún tiempo. Además, estoy llevando a cabo determinados estudios acerca de la transmisión de las enfermedades de un cuerpo a otro.

—Me alegro de que te quedes; así podré venir a verte alguna vez. Tengo muchas preguntas que hacerte aún.

Aristóteles le miró fijamente y durante un instante leyó aquellos interrogantes en el brillo mudable e inquieto de su mirada.

—Las preguntas que han quedado en tu fuero interno son aquéllas para las que no hay respuesta, Alejandro... o si la hay, deberás buscarla en tu espíritu.

La luz de la tarde primaveral iluminaba las hojas esparcidas, repletas de anotaciones y dibujos, los botes de los pintores con los colores y los pinceles, el gran mapa del mundo conocido y los ojillos grises y serenos del filósofo.

—Y luego, ¿adónde piensas ir? —preguntó aún Alejandro.

—Primero a Estagira, a mi casa.

—¿Crees que has logrado hacer de mí un griego?

—Creo haberte ayudado a hacerte un hombre, pero sobre todo he comprendido una cosa: que no serás nunca ni griego ni macedonio. Serás únicamente Alejandro. Te he enseñado todo cuanto me ha sido posible: ahora seguirás tu camino y nadie puede decir adónde te conducirá. Sólo sé una cosa de cierto: que cualquiera que quiera seguirte deberá abandonarlo todo, su casa, su hacienda, su patria, y aventurarse a lo desconocido. Adiós, Alejandro, que los dioses te protejan.

—Adiós, Aristóteles. Que los dioses te guarden también a ti, si quieren que brille un poco de luz en este mundo.

Se dejaron así, con una larga mirada. No iban a volver a verse nunca más.

Alejandro se quedó despierto hasta entrada la noche, preso de una fuerte agitación que le impedía conciliar el sueño. Contemplaba desde la ventana los campos tranquilos y la luna que iluminaba las cimas, blancas aún de nieve del Bermión y del Olimpo, pero oía ya en sus oídos el fragor de las armas, el relincho de los caballos lanzados al galope.

Pensaba en la gloria de Aquiles que se había hecho merecedor del canto de Homero, en el arreciar de la batalla y en el entrechocar de las armas, mas no conseguía comprender cómo podría todo esto convivir en su ánimo con el pensamiento de Aristóteles, las imágenes de Lisipo, los cármenes de Alceo y de Safo.

Pensó que tal vez la respuesta estaba en sus orígenes, en la naturaleza de su madre Olimpia, salvaje y melancólica a la vez, y en la de su padre, amable y despiadada, impulsiva y racional. Tal vez estaba en la naturaleza de su pueblo que tenía a sus espaldas las más salvajes tribus bárbaras y ante los ojos las ciudades de los griegos con sus templos y sus bibliotecas.

Al día siguiente vería a su madre y a su hermana. ¿Las encontraría muy cambiadas? ¿Y cuánto había cambiado él? ¿Cuál sería su lugar, ahora, en la residencia real de Pella?

Trató de calmar el tumulto de su ánimo con la música; tomó la cítara y se sentó en el antepecho de la ventana. Tocó una canción que había oído numerosas veces cantar a los soldados de su padre por la noche en torno al fuego de guardia. Una canción elemental como su propio dialecto montañés, pero llena de pasión y de nostalgia.

En un determinado momento se dio cuenta de que Leptina había entrado en su habitación, al reclamo de la melodía, y ahora estaba sentada en el borde del lecho escuchando maravillada.

La luz de la luna le acariciaba el semblante y los hombros, los blancos y tersos brazos. Alejandro dejó la cítara mientras ella desnudaba su pecho con leve ademán y extendía hacia él sus brazos. Se tumbó a su lado y Leptina le apretó la cabeza entre los pechos al tiempo que le acariciaba los cabellos.

20

Alejandro fue presentado ante el ejército formado tres días después de su regreso a Pella; al lado de su padre, pasó revista a las tropas, revestido de su armadura y montado en *Bucéfalo*: primero, a la diestra, la caballería pesada de los *hetairoi*, los Compañeros del rey, los nobles macedonios de todas las tribus montañesas, luego la infantería de línea de los *pezetairoi*, los llamados «compañeros de a pie», compuesta por campesinos de la llanura encuadrados en la formidable falange.

Estaban dispuestos en cinco líneas; cada uno de ellos llevaba una *sarisa* de longitud distinta y progresiva, de modo que, cuando las bajaban, todas las puntas asomaban en primera línea.

Un oficial gritó a los hombres la orden de presentar armas y una selva de astas herradas se extendió para rendir honores al rey y también a su hijo.

—Acuérdate, hijo mío: la falange es el yunque y la caballería el martillo —dijo Filipo—. Cuando un ejército enemigo es empujado por nuestros jinetes contra esa barrera de puntas no tiene escapatoria.

Luego, en el ala izquierda, pasaron revista a La Punta, el escuadrón que encabezaba la caballería real y que era lanzado en el momento más crucial de la batalla para asestar el golpe mortal que desbarataba el orden de combate de las filas enemigas.

Los jinetes gritaron:

—¡Salve, Alejandro!

Y golpearon las jabalinas contra los escudos, un homenaje que reservaban únicamente a su caudillo.

—Tuyo es el mando —explicó Filipo—. Serás tú, de ahora en adelante, quien mande en la batalla a La Punta.

En aquel momento se separó de la formación el grupo de jinetes revestidos con magníficas armaduras y con la cabeza cubierta por resplandecientes yelmos adornados con altos morriones.

Montaban caballos de batalla con el bocado de plata y gualdrapas de lana de color púrpura y se distinguían en medio de todos los demás por lo imponente de su cabalgadura y por la nobleza de su porte. Se lanzaron al galope como en una carga furibunda y luego, a una señal, se exhibieron en una larga, imponente y perfecta conversión. El jinete que se encontraba dentro del amplio radio contenía a su caballo, mientras que los demás avanzaban a velocidad cada vez mayor, de modo que el último no debía disminuir lo más mínimo el paso.

Una vez realizada la espectacular maniobra lanzaron de nuevo al galope a sus cabalgaduras, hombro con hombro, cabeza con cabeza, dejando detrás una nube de polvo, y se detuvieron en un espacio muy exiguo delante del príncipe.

Un oficial gritó con voz estentórea:

—¡La cuadrilla de Alejandro!

Y luego fue llamándoles uno por uno:

—¡Hefestión! ¡Seleuco! ¡Lisímaco! ¡Tolomeo! ¡Crátero! ¡Pérdicas! ¡Leonato! ¡Filotas!

¡Sus amigos!

Una vez terminada la llamada alzaron las jabalinas y gritaron:

—¡Salve, Aléxandros!

Finalmente, rompiendo el protocolo, los jóvenes rodearon a Alejandro, casi le hicieron caer de su caballo y le estrecharon en un abrazo que no se acababa nunca, ante los ojos del rey y de sus soldados inmóviles en las filas.

Se apiñaron en torno a su príncipe gritando de alegría, lanzando al aire las armas, saltando y bailando como locos.

Cuando fue disuelta la parada, también se unió al grupo Eumenes que, siendo griego, no formaba parte del ejército, pero que se había convertido en aquel tiempo en el secretario personal de Filipo y tenía en la corte un papel de gran importancia.

Aquella misma tarde Alejandro tuvo que hacer acto de presencia en el banquete que los amigos ofrecían en su honor en casa de Tolomeo. La sala había sido arreglada con suma pompa y esmero: los lechos y las mesas eran de madera taraceada decorada con aplicaciones de bronce dorado, los candelabros eran espectaculares bronces de Corinto en forma de muchachas que sustentaban velones, y del techo pendían otras linternas en forma de vasos trepados que proyectaban en las paredes un curioso juego de luces y sombras. Los platos de las viandas eran de plata maciza finamente cincelados en los bordes; los manjares habían sido preparados por cocineros de Esmirna y de Samos, de gusto griego pero refinados conocedores de la cocina asiática.

Los vinos procedían de Chipre, de Rodas, de Corinto y hasta de la lejana Sicilia, donde los agricultores coloniales estaban superando ya, por la calidad y excelencia de sus caldos, a sus colegas de la madre patria. Éstos eran servidos de una gigantesca crátera ática, de casi un siglo de antigüedad, decorada con una danza de sátiros que perseguían a ménades semidesnudas. En cada mesa había una copa del mismo servicio decorada por el propio artista con escenas picantes de festín: tañedoras de flauta desnudas entre los brazos de jóvenes coronados de hiedra que brindaban, hubiérase dicho que anticipadamente, por lo que la velada reservaba.

Alejandro, al aparecer, fue recibido con una ovación y el dueño de la casa fue a su encuentro con una bellísima copa de dos asas, colmada de vino chipriota.

—¡Hola, Alejandro! Después de tres años de agua fresca habrás criado ranas en el estómago. ¡Al menos, nosotros nos marchamos antes! Bebe un poco de esto, que te dejará como nuevo.

—Bueno, dinos, ¿qué te enseñó Aristóteles en sus lecciones secretas? —preguntó Eumenes.

—¿Y de dónde has sacado ese caballo? —inquirió Hefestión—. Nunca he visto uno igual en mi vida.

—Lo creo —comentó Eumenes sin esperar la respuesta—. Ha costado trece talentos. Yo mismo firmé la orden de pago.

—Sí —confirmó Alejandro—. Fue un regalo de mi padre. Pero gané otros tantos apostando a que lo domaría. Hubierais tenido que verlo —prosiguió enfervorizado—. Lo sostenían entre cinco y la pobre bestia estaba aterrorizada, le tiraban del bocado y le hacían daño.

—¿Y tú? —preguntó Pérdicas.

—¿Yo? Nada. Les ordené a esos desgraciados que lo dejaran irse y luego fui corriendo detrás de él...

—¡Basta de hablar de caballos! —gritó Tolomeo para dominar el alboroto que armaban sus amigos agolpándose en torno a Alejandro—. ¡Hablemos de mujeres! Y tomad asiento, que la cena está lista.

—¿Y de mujeres qué? —gritó más fuerte Seleuco—. ¿Sabes que Pérdicas está enamorado de tu hermana?

Pérdicas se puso colorado como un tomate y le dio un empellón haciéndole rodar por los suelos.

—¡De veras! —insistió Seleuco—. Yo le he visto guiñándole el ojo durante una ceremonia oficial. ¡Un guardia personal con los ojos tiernos! ¡Ja, ja! —se rió burlonamente.

—Y no sabéis ésta —añadió Tolomeo—. Mañana tiene que estar al mando de la escolta que conducirá a la princesa a ofrecer el sacrificio de iniciación a la diosa Artemisa. Yo en tu lugar no me fiaría ni un pelo de él.

Alejandro, viendo a Pérdicas rojo como un pavo, trató de cambiar de tema y pidió un poco de silencio.

—¡Eh, hombres! Sólo una cosa. ¡Quiero deciros que me alegra volver a estar con vosotros y que me siento orgulloso de que mis amigos y compañeros constituyan la cuadrilla de Alejandro!

Levantó la copa y se la bebió de un trago.

—¡Vino! —ordenó Tolomeo—. Poned vino a todo el mundo.

Luego dio unas palmadas y, mientras los huéspedes ocupaban sus puestos en sus lechos para comer, algunos siervos escanciaban el vino sacándolo de la crátera y otros comenzaban a servir los manjares: asados de perdiz, tordos, urogallos, patos y, por último, rarísimos y exquisitos faisanes.

Alejandro había querido que a su diestra estuviera su más querido amigo, Hefestión, y a la siniestra Tolomeo, que era el dueño de la casa.

Después de los platos de caza vino un cuarto de ternera asado que el jefe de mesa trinchó poniendo una porción delante de cada uno, mientras los sirvientes traían cestas de oloroso pan recién salido del horno, nueces descascaradas y huevos de pato hervidos.

Inmediatamente hicieron su entrada las tañedoras de flauta con sus instrumentos y se pusieron a tocar. Eran todas ellas hermosísimas y exóticas: misias, carias, tracias, bitinias; llevaban el cabello recogido con cintas de color o con tocados orlados de plata y oro e iban vestidas a imitación de las amazonas, con cortas túnicas y arcos y aljabas en bandolera, objetos de escena de uso en los teatros.

Tras la primera canción, algunas de ellas dejaron los arcos y, tras la segunda, las aljabas y a continuación el calzado y las túnicas, quedando completamente desnudas, con sus jóvenes cuerpos resplandecientes de ungüentos perfumados a la luz de las lámparas. Comenzaron a danzar al son de la música de las flautas y de los tímpanos, moviéndose por delante de las mesas y entre los lechos de los comensales.

Los amigos habían dejado de comer, pero seguían bebiendo y estaban ya en el culmen de la excitación. Algunos se levantaron, se despojaron de sus vestiduras y se unieron a la danza, que el ritmo cada vez más acelerado de los tímpanos y de los tamboriles llevaba poco a poco al paroxismo.

De repente Tolomeo cogió a una muchacha de una mano deteniendo su movimiento vertiginoso y le hizo darse la vuelta de modo que se mostrase a Alejandro.

—Es la más hermosa de todas —afirmó—. La he cogido para ti.

—¿Y para mí? —preguntó Hefestión.

—¿Te gusta ésta? —preguntó Alejandro parando a otra muchacha maravillosa, pelirroja ésta.

Tolomeo había dado orden a los siervos de que alimentasen las lámparas de modo que algunas se apagaran en un determinado momento dejando la sala en un especie de penumbra.

Los jóvenes se abrazaron sobre los lechos, las alfombras y las pieles que cubrían parte del suelo, mientras la música de las tañedoras de flauta seguía sonando entre las cuatro paredes llenas de frescos como marcando el ritmo a sus excitados jadeos y al movimiento de sus cuerpos relucientes a la incierta luz de las escasas lámparas que ardían aún en los rincones de la gran sala.

Alejandro se fue ya avanzada la noche, preso de la ebriedad y de una excitación incontrolable. Era como si una fuerza largo tiempo reprimida se hubiera desencadenado de repente y le dominase por completo.

Para recuperar la lucidez mental se detuvo en una terraza del palacio azotada por el Bóreas y se quedó agarrado a la baranda hasta que vio ponerse la Luna tras los montes de Eordea.

Allí, oculto en la oscuridad, se hallaba el tranquilo retiro de Mieza, donde tal vez Aristóteles velaba entrada la noche siguiendo el hilo sutil de sus pensamientos. Le pareció que habían pasado años desde que le había dejado.

Fue despertado por un guardián poco antes del amanecer y se sentó sobre el lecho aguantándose la cabeza, que estaba a punto de estallarle.

—Espero que tengas una buena razón para despertarme, porque de lo contrario...

—La razón no es otra que la llamada del rey, Alejandro. Quiere que vayas enseguida a verle.

El joven se puso en pie a duras penas, llegó como pudo hasta la palangana para las abluciones y sumergió varias veces la cabeza en ella, luego se echó una clámide sobre los desnudos hombros, se ató las sandalias y siguió a su guía.

Filipo le recibió en una estancia de la armería real y enseguida vio que estaba de pésimo humor.

—Ha sucedido una cosa muy grave —dijo—. Antes de que volvieras de Mieza le pedí a tu madre que me ayudara en un delicada misión: una embajada a Atenas para tratar de bloquear un plan de Demóstenes que podía resultar perjudicial para nuestra política. Pensaba yo que un enviado de la reina contaría con mayores posibilidades de ser escuchado y de obtener algo provechoso. Por desgracia estaba equivocado. El enviado ha sido acusado de ser un espía y torturado hasta la muerte. ¿Sabes qué significa esto?

—Que hemos de entrar en guerra con Atenas —repuso Alejandro, que había recuperado al ver a su padre parte de su lucidez.

—La cosa no es tan sencilla. Demóstenes está tratando de constituir una liga panhelénica y de llevarla a la guerra contra nosotros.

—Les derrotaremos.

—Alejandro, ya es hora de que sepas que las armas no son la solución a todos los problemas. Yo he hecho lo imposible por ser reconocido como cabeza de una liga panhelénica, no como su enemigo. Tengo un proyecto ambicioso: llevar la guerra a Asia contra los persas. Derrotar y rechazar lejos de las costas del Egeo al secular enemigo de los griegos y hacerme con el control de todas las vías comerciales que llegan desde Oriente hasta nuestras costas. Para hacer realidad este proyecto, he de imponerme como el jefe indiscutido de una gran coalición que reúna todas las fuerzas de los estados griegos, y tengo que hacerlo de forma que en todas las ciudades importantes se consolide el partido que me apoya, no el que me quiere muerto. ¿Comprendes?

Alejandro asintió.

—¿Qué piensas hacer?

—Por ahora esperar. En la última campaña he sufrido considerables bajas y he de reconstruir las secciones de nuestro ejército segadas por la guerra en el Helesponto y en Tracia. No temo batirme, pero prefiero hacerlo cuando las posibilidades de victoria sean mayores.

»Mandaré avisar a todos nuestros informadores en Atenas, en Tebas y en las demás ciudades de Grecia, de manera que tenga continuamente noticias sobre la evolución de la situación política y militar. Demóstenes necesita Tebas si quiere tener un mínimo de esperanzas en un enfrentamiento con nosotros, porque Tebas cuenta con un ejército de tierra más poderoso después del nuestro. Así, debemos estar al tanto del momento oportuno para tratar de impedir que esta alianza se consolide. Ello no debería de ser difícil, pues atenienses y tebanos siempre se han odiado. De todos modos, si a pesar de todo se fundase la alianza, entonces deberíamos atacar con la fuerza y la celeridad del rayo.

»El tiempo de tu educación ha concluido, Alejandro. De ahora en adelante serás puesto al corriente de todo cuanto suceda que nos afecte de cerca. Tanto de día como de noche, haga buen tiempo o malo. Ahora te pido que vayas a contarle a tu madre la noticia de la muerte de su enviado. Ella le tenía en gran aprecio, pero no le ahorres los detalles: quiero que sepa todo cuanto ha sucedido.

»Y tú estáte preparado: la próxima vez que mandes a tus compañeros no será en una cacería del león o del oso. Será en la guerra.

Alejandro salió para dirigirse a las habitaciones de su madre y encontró en la galería a Cleopatra, vestida con un hermosísimo peplo jónico recamado, que descendía la escalinata seguida de un par de doncellas con una voluminosa cesta.

—Así que es cierto que te vas —le dijo.

—Sí, me voy al santuario de Artemisa a ofrendar a la diosa todos mis juguetes de niña y mis muñecas —repuso su hermana señalando la cesta.

—Ya, estás hecha una mujer. El tiempo pasa rápido. ¿Piensas ofrendárselos todos?

Cleopatra sonrió.

—Todos exactamente no... ¿Te acuerdas de la muñequita egipcia de brazos y piernas móviles y con su cajita con todo lo preciso para maquillar que me regaló papá para mi cumpleaños?

—Sí, me parece que sí —replicó Alejandro haciendo un esfuerzo de memoria.

—Pues ésa me la guardo para mí. Que la diosa me perdone, ¿qué dices tú?

—Oh, no me cabe ninguna duda de que haces bien. Buen viaje, hermana querida.

Cleopatra le dio un beso en una mejilla y luego bajó rápidamente las escaleras seguida por las doncellas hasta el cuerpo de guardia, donde la aguardaba un carruaje y la escolta mandada por Pérdicas.

—Pero yo no quiero ir en carruaje —se quejó—. ¿No puedo montar a caballo?

Pérdicas sacudió la cabeza.

—He recibido ordenes de... y además, ¿con ese vestido, princesa?

Cleopatra levantó el borde del peplo hasta la barbilla y mostró que debajo llevaba un quitón cortísimo.

—¿Lo ves? ¿Acaso no parezco la reina de las amazonas?

Pérdicas se puso rojo como una amapola.

—Bien lo veo, princesa —hubo de admitir tragando saliva.

—¿Entonces? —Cleopatra dejó caer el peplo sobre los tobillos.

Pérdicas suspiró.

—Sabes que soy incapaz de negarte nada. Pero hagamos lo siguiente. Tú entra en el carruaje ahora. Luego, cuando nos hayamos alejado un poco y ya no nos vea nadie, podrás montar a caballo. Haré subir al coche... a uno de mis guardias. No irá muy mal con tus doncellas, que digamos.

—¡Magnífico! —exclamó exultante la muchacha.

Se pusieron en marcha cuando el sol comenzaba a asomar por detrás del monte Ródope y tomaron el camino que conducía al norte hacia Europos. El templo de Artemisa surgía a medio camino en un istmo que dividía dos lagos gemelos. Un lugar de una maravillosa belleza.

Apenas estuvieron fuera del alcance de la vista, Cleopatra pidió a gritos parar, se quitó el peplo ante la mirada perpleja de la escolta y cogió el caballo de uno de los miembros de la guardia haciéndole ocupar a éste su sitio en el carruaje. Reanudaron el viaje acompañados por los grititos de las doncellas.

—¿Ves? —observó Cleopatra—. Así nos divertiremos todos mucho más.

Pérdicas asintió, tratando de mantener la mirada fija delante de él, pero sus ojos no hacían sino volverse hacia las piernas desnudas de la princesa y el contoneo de sus caderas, que le producían vértigo.

—Siento haberte creado tantos problemas —se excusó la muchacha.

—Problemas ninguno —replicó Pérdicas—. Es más... He sido yo quien ha pedido llevar a cabo esta tarea.

—¿De veras? —preguntó Cleopatra mirándole de reojo.

Pérdicas asintió, cada vez más incómodo.

—Te estoy agradecida. También a mí me gusta que seas tú quien me acompañe. Sé que eres muy valiente.

El joven sintió que se le hacía un nudo en la garganta, pero trató de refrenarse, entre otras cosas porque se sentía observado por sus hombres.

Cuando el sol estuvo en lo alto del cielo, se detuvieron para almorzar a la sombra de un árbol y Pérdicas pidió a Cleopatra que se cambiara y dejara de cabalgar: ya faltaba poco para el santuario.

—Tienes razón —hubo de admitir la muchacha.

Hizo salir al miembro de la guardia del carruaje y ella se puso el peplo de ceremonia.

Llegaron al templo a primeras horas de la tarde. Cleopatra entró, seguida de las doncellas con la cesta, caminó hasta los pies de la estatua de Artemisa, hermosísima y muy antigua, de madera tallada y policromada, y depositó los juguetes, las muñecas, las ánforas y las copas en miniatura. Luego la invocó:

—Virgen diosa, deposito a tus pies los recuerdos de mi niñez y te ruego que me compadezcas si carezco de la fuerza de voluntad suficiente para permanecer virgen como tú. Alégrate, te lo suplico, por estos presentes, y no me envidies si mi deseo es disfrutar de las alegrías del amor.

Hizo una generosa ofrenda a los sacerdotes del santuario y salió.

El lugar era de una increíble belleza: el templete, rodeado de rosales, se alzaba en un prado verdísimo y se reflejaba en los dos lagos gemelos que se abrían a derecha e izquierda, azules cual dos ojos que reflejaban el cielo.

Pérdicas se acercó.

—He hecho preparar el alojamiento para ti y tus doncellas, aquí en la hospedería del santuario, para pasar la noche.

—¿Y tú?

—Yo velaré tu sueño, señora mía.

La muchacha agachó la cabeza.

—¿Toda la noche?

—Así es. Toda la noche. Yo soy responsable de...

Cleopatra alzó los ojos y sonrió.

—Sé que eres muy valiente, Pérdicas, pero siento que tengas que quedarte despierto toda la noche. Pensaba que...

—¿Qué pensabas, señora mía? —preguntó el joven con ansiedad creciente.

—Que... si fueras a aburrirte... podrías subir a verme para hablar un poco conmigo.

—Oh, sería un gran placer y un honor y...

—Entonces dejaré la puerta abierta.

Sonrió también, guiñándole un ojo, y corrió a reunirse con sus doncellas que estaban jugando a la pelota en el prado, en medio de las rosas floridas.

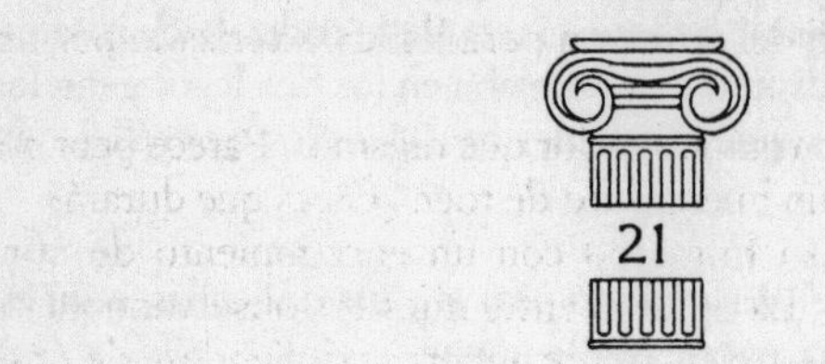

21

Al poco tiempo del regreso de Alejandro a Pella, el consejo del santuario de Delfos pidió a Filipo que tutelara los derechos del templo de Apolo contra la ciudad de Ánfisa, cuyos habitantes habían cultivado abusivamente tierras pertenecientes al dios. Mientras el soberano se aprestaba a valorar cuál podía ser el verdadero objetivo de aquella nueva guerra sagrada recibió noticias importantes de Asia.

Se las trajo en persona uno de sus espías, un griego de Cilicia de nombre Eumolpo, que se dedicaba a una actividad comercial en la ciudad de Solos y que había llegado por mar desembarcando en el puerto de Therma. El rey le recibió, a solas, en su despacho privado.

—Te he traído un regalo, señor —anunció el espía apoyando sobre la mesa de Filipo una preciosa estatuilla de lapislázuli que representaba a la diosa Astarté—. Es muy antigua y rara y representa a la Afrodita de los cananeos. Protegerá largos años tu vigor viril.

—Te doy las gracias, pues tengo en mucho mi vigor viril, pero espero que no hayas venido únicamente por esto.

—Por supuesto que no —replicó Eumolpo—. Hay grandes novedades de la capital persa: el emperador Artajerjes III ha sido envenenado por su médico, por orden, al parecer, de un eunuco de la corte.

Filipo sacudió la cabeza.

—Los castrados son infieles. Una vez quisieron regalarme uno, pero yo lo rechacé. Envidian a todos aquéllos que tienen aún la posibilidad, negada para ellos, de joder. Es comprensible, por otra parte. Y en cualquier caso, he aquí la prueba de que hice bien.

—El eunuco se llama Bagoas. Parece que ha sido un asunto de celos.

—Castrado y enculado por si fuera poco. Es normal —comentó Filipo—. ¿Y ahora qué va a pasar?

—Ha pasado ya, señor. El tal Bagoas ha convencido a los nobles para que ofrezcan la corona a Arsés, hijo del difunto Artajerjes y de una de sus esposas, Atosa. Aquí le tienes —dijo sacándose del bolsillo una moneda y dejándosela a Filipo encima de la mesa—. Está recién acuñada.

El rey observó el perfil del nuevo emperador, caracterizado por una enorme nariz aquilina.

—No tiene un aspecto tranquilizador que digamos. Parece peor aún que su padre, que ya era un hueso duro de roer. ¿Crees que durará?

—Qué sé yo —suspiró Eumolpo con un encogimiento de hombros—. Es difícil decirlo. La opinión entre nuestros observadores, sin embargo, es que es Bagoas quien quiere gobernar sirviéndose de Arsés y que este último durará mientras haga lo que Bagoas diga.

—Tiene sentido. Haré llegar mis respetos al nuevo soberano y a ese capón de Bagoas y veremos cómo se lo toman. Tú manténme informado de todo cuanto suceda en la corte de Susa y no tendrás que lamentarte de ello. Ahora pasa a ver a mi secretario, que te pagará lo convenido, y dile que venga a verme.

Eumolpo saludó ceremoniosamente y desapareció, dejando a Filipo reflexionando acerca de lo que convenía hacer. Cuando apareció Eumenes, ya había tomado su decisión.

—¿Me has llamado, señor?

—Siéntate y escribe.

Eumenes tomó un escabel, una mesita y un estilo, mientras el soberano comenzaba a dictar:

> Filipo, rey de los macedonios, a Arsés, rey de los persas, Rey de Reyes, luz de los arios, etcétera, etcétera... ¡Salve!
>
> El rey Artajerjes, tercero de este nombre, tu padre y predecesor, nos causó una gran ofensa sin que mediara ninguna provocación por nuestra parte. Enroló y pagó a tropas mercenarias y las entregó a nuestros enemigos mientras nosotros estábamos ocupados en el cerco de Perinto y en la guerra contra Bizancio.
>
> Los daños que sufrimos fueron ingentes. Por eso te pido el pago de una indemnización de...

Eumenes levantó la cabeza esperando la cifra.

> ... quinientos talentos.

Eumenes dejó escapar un silbido.

Si no accedes a nuestra petición deberemos considerarte un enemigo, con todo lo que ello comporta.

Cuídate, etcétera, etcétera.

—Transcríbelo a papiro y tráemela para que la selle. Deberá ser enviada por medio de un correo veloz.

—¡Por Zeus, señor! —exclamó Eumenes—. Es la misiva más perentoria que he visto jamás. Arsés no va a tener más opción que responderte en el mismo tono.

—No busco otra cosa —afirmó el rey—. Calculando que la misiva tarde un mes o dos en llegar y y la respuesta otro mes o dos, cuento con el tiempo justo para solventar los asuntos en Grecia. Tras lo cual me ocuparé de ese castrado y de su gordinflón. Haz que Alejandro lea este escrito y escucha lo que piensa él de todo ello.

—Así lo haré, señor —aseguró Eumenes saliendo con su tablilla bajo el brazo.

Alejandro leyó la carta y se dio cuenta de que su padre había decidido invadir ya Asia y que no buscaba más que un pretexto para desencadenar la guerra.

Volvió a Mieza apenas se vio libre de la multitud de compromisos que su regreso a Pella había comportado: la participación en las reuniones de gobierno, en el recibimiento de huéspedes extranjeros, embajadas y delegaciones, y en las asambleas del ejército, fundamentales para las relaciones entre la Corona y los nobles que la sostenían.

Aristóteles había partido ya, pero permanecía allí su sobrino Calístenes para ordenar la colección de ciencias naturales y para encargarse de la edición de las obras que el filósofo había dedicado expresamente a su regio alumno: un estudio sobre la monarquía y otro sobre la colonización, donde teorizaba sobre la difusión en el mundo del modelo de la ciudad-estado griega, único vehículo verdadero de libertad, laboratorio de civilización espiritual y material.

Alejandro se quedó, de todos modos, unos pocos días allí para descansar y reflexionar, comiendo con Calístenes, un joven de gran cultura que poseía un profundo conocimiento de la situación política de los estados griegos.

Su pasión por la historia le había llevado a procurarse no sólo las grandes obras clásicas de Ecateo de Mileto, Heródoto y Tucídides, sino también las de los historiadores occidentales como el siracusano Filisto, que contaba los avatares de las ciudades griegas de Sicilia y de Italia, un país en el que emergían nuevas potencias tales como la ciudad de Roma, fundada por el héroe troyano Eneas y visitada por Heracles en su viaje de regreso de la lejana Iberia.

Tras la cena se sentaban fuera, bajo el pórtico, a hablar hasta tarde.

—Mientras tu padre estaba combatiendo contra los escitas, el consejo del santuario de Delfos ha declarado una nueva guerra sagrada contra los habitantes de Ánfisa.

—Lo sé —replicó el príncipe—. Ninguna de las dos partes, sin embargo, está en condiciones de imponerse a la otra. Hay tebanos detrás de Ánfisa, pero no se dejan ver a fin de no atraer los rayos del consejo y la situación es nuevamente crítica, sobre todo con vistas a lo que decida hacer Atenas. El consejo nos ha hecho llegar ya una petición oficial de intervención y no creo que mi padre se la haga repetir dos veces.

Calístenes escanció un poco de vino a ambos.

—El consejo está presidido por los tesalios, que son amigos vuestros... Conocen bien a tu padre y no me extrañaría nada que hubiera concebido él mismo toda esta maniobra.

Alejandro depositó la copa sobre la mesa.

—Yo soy un historiador, Alejandro, y creo ser un buen discípulo de mi tío, así como lo has sido tú. Por lo que no debería extrañarte el que recurra a la lógica antes que escuchar chismes de segunda o tercera mano.

»Ahora bien, déjame adivinar una cosa: tu padre sabe perfectamente que la opinión pública en Atenas no siente aprecio por los tebanos, pero sabe igualmente que Demóstenes tratará de lograr por todos los medios posibles que los atenienses cambien de idea y defiendan a Tebas que está apoyando a Ánfisa en contra del consejo del santuario, es decir, en contra de Filipo.

»Demóstenes, por su parte, sabe que sólo uniendo las fuerzas de Atenas con las de Tebas existe esperanza de evitar la consolidación definitiva de la hegemonía macedonia sobre Grecia y, por tanto, hará lo imposible por cerrar un pacto con los tebanos, aunque a costa de desafiar al más alto consejo religioso de los griegos y al oráculo del dios Apolo.

—¿Y cómo actuarán los tebanos, según tú? —preguntó Alejandro, lleno de curiosidad por conocer hasta el fondo la valoración de su interlocutor.

—Dependerá de dos factores: de lo que hagan los atenienses y el ejército macedonio en la Grecia central. Tu padre tratará de ejercer el máximo de presión posible sobre los tebanos para impedir que se coaliguen con Atenas. Sabe perfectamente que en ese caso tendría en su contra a la mayor potencia terrestre y a la mayor potencia naval de toda Grecia, un bocado excesivo incluso para el propio rey de los macedonios.

Alejandro se quedó en silencio durante unos instantes, como si escuchase los sonidos de la noche que llegaban del cercano bosque, y Calístenes le escanció una vez más vino.

—¿Qué piensas hacer cuando hayas terminado tu trabajo aquí en Mieza? —le preguntó después de que se hubo humedecido apenas los labios.

—Creo que me reuniré con mi tío en Estagira, pero mucho me gustaría seguir la guerra de cerca.

—Podrás seguirme, si mi padre me pide que me una a él.

—Eso me haría muy dichoso —replicó Calístenes, y se veía que se esperaba una propuesta semejante, propuesta que venía a satisfacer a un tiempo su ambición y la de Alejandro.

—Entonces ven a Pella cuando hayas terminado aquí, en Mieza.

Calístenes aceptó entusiasmado. Se separaron ya avanzada la noche después de haber conversado largamente de temas filosóficos. Al día siguiente el joven entregó a su huésped las dos obras de Aristóteles que había prometido, acompañada cada una de ellas de una carta del filósofo.

Alejandro regresó a palacio tres días después, hacia el atardecer, justo a tiempo de tomar parte en el consejo de guerra reunido por su padre. Estaban los generales Antípatro, Parmenio y Clito *El Negro*, así como los comandantes de las principales unidades de la falange y de la caballería. Alejandro estaba presente en calidad de comandante de La Punta.

En la pared del fondo de la sala del consejo había un mapa de Grecia que Filipo había mandado hacer unos años antes a un geógrafo de Esmirna y el soberano explicó, con la ayuda de aquella representación cartográfica, cómo pretendía moverse.

—No quiero atacar inmediatamente Ánfisa —afirmó—. Grecia central es un territorio peligroso e impenetrable, donde es fácil quedarse aprisionado en angostos valles, perder en un instante toda libertad de maniobra y ser superados por el enemigo. En primer lugar, por tanto, deberemos asegurarnos el dominio de las llaves de esa región, es decir, Kithinion y Elatea. A continuación, decidiremos lo que conviene hacer.

»Nuestras tropas están ya en marcha acercándose por Tesalia; Parmenio y yo las alcanzaremos pronto, porque partiremos mañana mismo. Antípatro estará al mando de las secciones que se queden para defender Macedonia.

Alejandro esperaba ansiosamente que el rey comunicase qué tarea le había reservado en las operaciones de guerra, pero se quedó desilusionado.

—Dejaré a mi hijo el sello argéada para que sea él quien me represente en mi ausencia. Cada cosa que él haga tendrá valor de decreto real.

El joven hizo ademán de ponerse en pie, pero una mirada de su padre le fulminó. Hizo su entrada en aquel momento Eumenes con el sello y se lo entregó a Alejandro que se lo puso, a su pesar, en el dedo diciendo.

—Le estoy agradecido al rey por el honor que me brinda y trataré de estar a su altura.

Filipo se volvió hacia su secretario:

—Lee a los comandantes la carta que he hecho enviar al nuevo rey de los persas. Quiero que sepan que alguno podría partir pronto para Asia con el fin de prepararnos el camino.

Eumenes leyó en tono solemne y clara voz.

—Si la respuesta es la que me imagino —prosiguió el rey—, Parmenio podría pasar los estrechos y asegurarse la posesión de la orilla oriental en previsión de una invasión nuestra de Asia, mientras que nosotros nos ocuparemos de enseñar de una vez por todas a los griegos que puede existir una sola liga panhelénica: la que mande yo. Es todo cuanto tenía que comunicaros; ahora podéis volver a vuestras ocupaciones.

Alejandro esperó a que todos hubieran salido, al final del consejo, para hablar de tú a tú con su padre.

—¿Por qué me dejas en Pella? Tengo que mandar La Punta en la batalla, no en las paradas. Antípatro está sin duda más que capacitado para despachar los asuntos de gobierno en tu ausencia.

—He meditado largamente antes de tomar esta decisión y no es mi intención cambiarla. El gobierno del país es una tarea más difícil y acaso más importante que la guerra. Tengo muchos enemigos, Alejandro, no sólo en Atenas y en Tebas, sino también en Pella y en Macedonia, por no hablar de Persia, y necesito dejar detrás de mí una situación apaciguada, en buenas manos, mientras yo me encuentro lejos combatiendo. Y me fío de ti.

El joven agachó la cabeza al no poder oponer ningún argumento a aquellas palabras. Pero Filipo había comprendido su estado de ánimo y prosiguió:

—El sello que te ha sido dado es signo de una de las más altas dignidades del mundo entero y llevarlo implica facultades mucho más altas que las que se requieren para guiar la carga de un escuadrón de caballería.

»Es aquí, en palacio, donde aprenderás a ser un rey, no en el campo de batalla; la profesión de un soberano es la política, no el uso de la lanza y de la espada. No obstante, si llega el momento del enfrentamiento final, si tengo necesidad en el campo de batalla de todas las fuerzas de que dispongo, te mandaré llamar y serás tú quien mande La Punta en la batalla. Nadie más. Vamos, no pongas esa cara, te he preparado una sorpresa para mantener alta tu moral.

Alejandro sacudió la cabeza.

—¿Qué te traes entre manos?

—Ya lo verás —dijo Filipo con una media sonrisa.

Se levantó y salió de la sala del consejo. Poco después Alejandro le oyó llamar con grandes voces a su escudero y ordenar traerle el caballo enjaezado así como alertar a la guardia. Fue a asomarse a la galería que daba al patio justo a tiempo de verle alejarse al galope en medio de la noche.

El joven se quedó en su despacho hasta tarde a fin de prepararse para las obligaciones del día siguiente; poco antes de medianoche, apagó el velón y fue hacia su aposento. No bien entró, llamó a Leptina, pero la muchacha no respondía.

—¡Leptina! —repitió perdiendo la paciencia.

Ésta debía de estar enferma o rabiosa contra él por algún motivo que él ignoraba. Otra voz llegó desde la penumbra de su dormitorio:

—Leptina ha tenido que marcharse lejos. Estará de vuelta mañana.

—¡Por Zeus! —exclamó Alejandro al oír aquella voz desconocida desde el dormitorio.

Echó mano a la espada y entró.

—No es precisamente esa espada la que te servirá para traspasarme —observó la voz.

Alejandro se encontró delante de él, sentada sobre el lecho, a una muchacha estupenda a la que no había visto nunca con anterioridad.

—¿Quién eres y quién te ha dado permiso para entrar en mi habitación? —comenzó por preguntar.

—Soy la sorpresa que tu padre, el rey Filipo, deseaba hacerte. Me llamo Kampaspe.

—Lo siento, Kampaspe —replicó Alejandro indicándole la puerta de salida—, pero si quisiese ese tipo de sorpresas, sabría arreglármelas yo muy bien solo. Adiós.

La muchacha se puso en pie, pero, en vez de encaminarse hacia la puerta, con gesto rápido y ligero se desató las hebillas que le sostenían el peplo y se quedó delante de él tan sólo con el calzado de cintas de plata.

Alejandro dejó caer inerte a un costado la mano que mantenía recta indicando la salida y se quedó mirándola sin decir esta boca es mía. Era la mujer más bella que hubiera visto en su vida, tan bella como para quitarle el hipo y hacerle hervir la sangre en las venas. Su cuello era terso y suave, sus hombros rectos, sus senos turgentes y erectos, sus muslos esbeltos y lisos como si hubieran sido esculpidos en mármol de Paros. Sintió la lengua seca contra el paladar.

La joven se acercó y le tomó de la mano arrastrándolo hacia la estancia del baño.

—¿Puedo desnudarte? —le preguntó comenzando a desenganchar las fíbulas que sostenían su quitón y su clámide.

—Temo que Leptina esté furiosa y que... —comenzó a balbucear Alejandro.

—Tal vez, pero tú te sentirás sin duda dichoso y satisfecho. Te lo aseguro.

Ahora también el príncipe estaba desnudo y la muchacha se pegó contra él, pero tan pronto como notó su formidable reacción se echó para atrás y le arrastró consigo a la pila de baño.

—Aquí será aún más hermoso. Ya verás.

Alejandro la siguió y ella comenzó a acariciarle con una sabiduría y una destreza que hasta aquel momento le eran desconocidas, excitando su lujuria hasta el espasmo y luego retirándose delicadamente y reanudando sus caricias en puntos periféricos.

Cuando notó que él estaba en el colmo de la excitación, se deslizó fuera de la pila y fue a tumbarse en el lecho, chorreando agua perfumada a la luz dorada de las lámparas, y se abrió de muslos. El joven la abrazó con fogosidad, pero ella le susurró al oído:

—Ya usarás el ariete de este modo cuando tengas que desmantelar los muros de alguna ciudad. Permíteme que sea yo ahora quien te guíe y verás...

Alejandro la dejó hacer y se hundió en el placer como una piedra en el agua, un placer cada vez más fuerte e intenso, hasta el clímax. Pero Kampaspe quería más aún y comenzó a excitarle nuevamente con la boca húmeda y ardiente para luego montar sobre él y guiar también, con extenuante lentitud, la danza del amor. Aquella noche el joven príncipe comprendió que el placer podía llevarle mil veces más alto de lo que había llegado con el ingenuo y elemental amor de Leptina.

22

Desde el momento de su partida, todos los días sin excepción, Alejandro recibió despachos de su padre que le informaban de la marcha de las operaciones y de sus desplazamientos. Se enteró así de que, en su primera intervención, Filipo había hecho realidad plenamente su programa tomando Kithinion y a continuación Elatea, hacia finales del verano.

Filipo, rey de los macedonios, a Alejandro, salve.

Hoy, tercer día del mes de *metagithnion*, he ocupado Elatea.

Mi primera empresa ha provocado pánico en Atenas porque todos pensaban que inmediatamente después conduciría el ejército contra ellos y que empujaría también a los tebanos a marchar contra mí. Pero Demóstenes ha convencido a la ciudadanía de que mi acción no tiende sino a presionar a Tebas para impedir que se alíe con los atenienses. Y les ha convencido para enviarle con una delegación encargada de estipular una alianza con los tebanos. También yo he decidido enviar una embajada a aquella ciudad con objeto de persuadirles de lo contrario. Te mantendré informado.

Cuídate y cuida también de tu madre la reina.

Alejandro hizo convocar a Calístenes, que se había reunido con él en palacio hacía algunos días.

—Las cosas andan más o menos según lo previsto —le comunicó—. He recibido hace poco un despacho de mi padre sobre la marcha de su expedición. Ahora dos embajadas, una ateniense y otra mecedonia, tratarán de convencer a los tebanos de que se alineen con unos o con otros. ¿Quién saldrá mejor parado, en tu opinión?

Calístenes se ajustó con gesto ampuloso el manto sobre el brazo izquierdo y dijo:

—Hacer previsiones resulta siempre un ejercicio peligroso, más propio de un adivino que de un historiador. ¿Quién encabezará la embajada ateniense?

—Demóstenes.

—Entonces será él quien se salga con la suya. Actualmente no existe en Grecia orador más grande que Demóstenes. Prepárate para partir.

—¿Por qué lo dices?

—Porque se producirá el choque final y ese día tu padre querrá tenerte a su lado en el campo de batalla.

Alejandro le miró a los ojos.

—Si eso sucede, serás tú quien escriba la historia de mis empresas, cuando sea llegado el momento.

El príncipe se dio muy pronto cuenta de cuánta razón tenía su padre: administrar el poder político era más comprometido que luchar en campo abierto. Todos en la corte se sentían en la obligación de darle consejos, dada su juventud, y todos pensaban poder influir en sus decisiones, empezando por su madre.

Una tarde, ésta le invitó a cenar en sus habitaciones con el pretexto de regalarle un manto que le había bordado ella misma.

—Es estupendo —afirmó Alejandro apenas lo hubo visto y, a pesar de haber reconocido una refinada manufactura de Héfeso, añadió:

—Debe de haberte costado meses de trabajo.

Las mesas y los lechos eran sólo dos, uno al lado del otro.

—Pensaba que estaría también Cleopatra con nosotros esta noche.

—Ha cogido un resfriado y tiene un poco de fiebre. Te ruega que la excuses. Pero ponte cómodo, por favor. La cena está lista.

Alejandro se tumbó en el lecho y tomó unas pocas almendras de un platito mientras una muchacha comenzaba a servir una sopa de carne de oca y hogazas cocidas bajo las cenizas. Las comidas de su madre eran cada vez más sencillas y frugales.

Olimpia se tumbó a su vez y se hizo servir una taza de caldo.

—Y bien, ¿cómo te ves cuando te sientas en el trono de tu padre? —preguntó tras haber sorbido alguna cucharada.

—No muy distinto de cuando me siento en cualquier otro sitio —repuso el hijo sin disimular un ligero fastidio.

—No eludas mi pregunta —le reprochó Olimpia mirándole fijamente—. Sabes perfectamente qué quiero decir.

—Lo sé, mamá. ¿Y qué esperas qué te diga? Trato de actuar lo mejor posible, de evitar errores, de vigilar con atención los asuntos de estado.

—Eso es muy loable —observó la reina.

Una doncella apoyó en su mesa una escudilla de legumbres y de ensalada y se la aliñó con aceite, vinagre y sal.

—Alejandro —prosiguió Olimpia—, ¿has pensado alguna vez que tu padre podría faltar de improviso?

—Mi padre combate en primer línea con sus soldados. Puede ocurrir.

—¿Y si ocurriese?

La doncella le escanció vino, se llevó el plato y volvió con un espetón de carne de grulla y una taza de puchero de guisantes que el príncipe rechazó haciendo un gesto con la mano.

—Perdóname, pero había olvidado que detestabas los guisantes... Entonces, ¿has pensado en ello?

—Me resultaría doloroso. Quiero mucho a mi padre.

—Estoy hablando de otra cosa, Alejandro. Me refiero a tu sucesión.

—Mi sucesión nadie la pone en duda.

—Mientras tu padre siga con vida y mientras yo viva...

—Mamá, tienes treinta y siete años.

—Eso no significa nada. Desgracias le suceden a todo el mundo. Lo que yo quiero decir es que tu primo Amintas tiene cinco años más que tú y él era el heredero antes de que tú nacieses. Alguien podría presentarle como candidato al trono en tu lugar. Y además, tu padre tiene otro hijo con una de sus... esposas.

Alejandro se encogió de hombros.

—Arrideo es un pobre estúpido.

—Estúpido, o lo que tú quieras, pero también lleva sangre real. También él podría hacerte sombra.

—Y, entonces, ¿qué es lo que debería hacer, según tú?

—Tienes el poder en este momento y tu padre se halla lejos. Tienes el tesoro real a tu disposición: puedes actuar como te plazca. Te basta con pagarle a alguien.

Alejandro se puso sombrío.

—Mi padre ha dejado vivir a Amintas, incluso después de nacer yo, y yo no tengo la menor intención de hacer lo que me estás sugiriendo. Eso jamás.

Olimpia sacudió la cabeza.

—Aristóteles te habrá llenado la cabeza con sus ideas acerca de la democracia, mas para un rey es distinto. Un rey debe asegurarse la sucesión. ¿Comprendes eso?

—Ya basta, mamá. Mi padre está vivo, tú te encuentras perfectamente y asunto concluido. Si un día necesitara ayuda, se la pediría a tu hermano, el rey de Epiro. Sé que me aprecia y me socorrerá.

—Escúchame —insistió Olimpia, pero Alejandro, habiendo perdido la paciencia, se levantó y la besó apresuradamente en una mejilla—. Gracias por la cena, mamá. Ahora he de irme, buenas noches.

Bajó al patio interior del palacio e inspeccionó el cuerpo de guardia en la entrada antes de subir a ver a Eumedes, que estaba en vela en su despacho ocupado en protocolizar la correspondencia recibida para el rey.

—¿Hay noticias de mi padre? —preguntó.

—Sí, pero ninguna novedad. Los tebanos no han decidido aún de qué parte quieren estar.

—¿Qué está haciendo Amintas en estos días?

Eumenes le miró con expresión de sorpresa.

—¿Qué pretendes decir?

—Pretendo decir lo que he dicho.

—Bueno, no lo sé. Creo que está de caza en Lincestide.

—Bien. Cuando vuelva, confíale una misión diplomática.

—¿Diplomática? Pero ¿de qué tipo?

—Tú verás. Supongo que debe de haber alguna misión adecuada para él, ¿no es así? En Asia, en Tracia, en las islas. Donde te parezca.

Eumenes comenzó a objetar:

—Verdaderamente, yo no sabría qué...

Pero Alejandro había salido ya.

La embajada de Filipo llegó a Tebas entrado el otoño y fue admitida para hablar en presencia de la asamblea de los ciudadanos reunida al completo en el teatro.

Aquel mismo día fue admitida asimismo la embajada de Atenas encabezada por Demóstenes en persona, porque el consejo quería que el pueblo pudiera valorar ambas propuestas comparándolas una con otra con muy poco tiempo de distancia.

Filipo había discutido largo y tendido con su Estado Mayor las propuestas que convenía hacer a los tebanos y consideraba que eran tan ventajosas que seguramente serían aceptadas. No pedía que se alineasen con él, aun a sabiendas de que estaban detrás de Ánfisa, la ciudad contra la cual había sido proclamada la guerra sagrada: se contentaría con su neutralidad. A cambio ofrecía consistentes ventajas económicas y territoriales o bien, en caso de una negativa, amenazaba con espantosas devastaciones. ¿Quién habría sido tan loco de rechazarlas?

El jefe de la delegación macedonia, Eudemo de Oreo, concluyó su exposición dosificando sabiamente halagos, amenazas y extorsiones y luego salió.

Al poco se encontró con un amigo e informador tebano que le llevó a un lugar desde el cual podía verse y oírse cuanto ocurría en la asamblea. En efecto, sabía que Filipo le pediría que contara cosas oídas personalmente y no referidas por otros.

La asamblea dejó pasar un breve lapso, el estrictamente necesario a fin de que los macedonios no se encontrasen con los atenienses y no llegasen a las manos, e hizo luego entrar a la delegación encabezada por Demóstenes.

El gran orador tenía un aspecto austero, de filósofo, un cuerpo flaco y seco y unos ojos expresivos bajo una frente permanentemente arrugada. Se decía que había tenido de joven problemas de pronunciación y una voz débil y que, queriendo emprender la carrera de orador, se había ejercitado en declamar versos de Eurípides en la escollera batida por el mar tempestuoso. Se sabía que no hablaba nunca sin leer porque le costaba improvisar y nadie se extrañó cuando sacó de entre los pliegues de sus vestiduras un fajo de hojas escritas.

Comenzó leyendo con voz muy estudiada y habló largo rato recordando las diversas fases del avance imparable de Filipo, de sus continuas violaciones de los pactos. En un determinado momento, sin embargo, la vehemencia se apoderó de él y se lanzó a una desolada perorata:

—Pero ¿acaso no os dais cuenta, tebanos, de que la guerra sagrada no es sino un pretexto, como lo fue la precedente y también la primera? Filipo quiere vuestra neutralidad porque desea dividir a las fuerzas de la Grecia libre y hacer caer una tras otra a las ciudadelas de la libertad. Si dejáis que los atenienses se enfrenten solos, luego os llegará el turno a vosotros y tendréis que sucumbir a vuestra vez.

»Y de igual modo, si os enfrentáis solos a Filipo y sois derrotados, Atenas no conseguirá luego salvarse por sí sola. Él nos quiere dividir porque sabe perfectamente que sólo nuestras fuerzas unidas pueden luchar contra su poder excesivo.

»Sé que en el pasado hubo muchos enfrentamientos así como también guerras entre nosotros, pero entonces se trataba de conflictos entre ciudades libres. Hoy, por una parte tenemos a un tirano y, por otra, a los hombres libres. ¡No puede haber duda para vosotros en cuanto a la elección, tebanos!

»En prueba de nuestra buena fe os cedemos el mando de las tropas de tierra mientras que nosotros nos reservaremos tan sólo el de la flota y asumiremos los dos tercios de los gastos totales.

Un rumor corrió por entre las filas de los miembros de la asamblea y el orador se dio cuenta de que sus palabras habían dado en el blanco.

Entonces se preparó para asestar el golpe de gracia, pese a saber que arriesgaba mucho y que acaso se vería desaprobado incluso por su propio gobierno.

—Desde hace más de medio siglo —prosiguió—, la ciudad de Platea y la de Tespias, pese a formar parte de Beocia, son aliadas de Atenas, y ésta siempre ha garantizado su independencia. Ahora nosotros estamos dispuestos a reconducirlas bajo vuestra guía, a convencerlas para que se sometan a vuestra autoridad, si aceptáis nuestra propuesta y os unís a nosotros en la lucha contra el tirano.

El ardor de Demóstenes, su tono inspirado, el timbre de su voz, la fuerza de sus argumentos habían obtenido el efecto apetecido. Cuando calló, jadeante y con la frente chorreante de sudor, fueron muchos los que se pusieron en pie para aplaudirle, a los que se añadieron otros y luego otros hasta que toda la asamblea le tributó una larga ovación.

Les había convencido, aparte de la vehemencia del orador ateniense, la arrogancia que el enviado de Filipo había mostrado en las intimidaciones y en los chantajes. El presidente de la asamblea hizo ratificar las decisiones tomadas y encargó al secretario que advirtiese a los enviados del rey de Macedonia que la ciudad rechazaba en bloque tanto sus peticiones como sus ofrecimientos y les ordenaba abandonar el territorio beocio antes de la puesta del sol del día siguiente, si no querían ser apresados y condenados como espías.

Filipo se enfureció como un toro al conocer la respuesta, porque no se hubiera esperado jamás que los tebanos fuesen tan locos como para desafiarle cuando se encontraba prácticamente a las puertas de su territorio, pero no le quedó más remedio que aceptar el resultado del enfrentamiento entre ambas embajadas.

Cuando se le hubo pasado la ira, se sentó echándose el manto sobre las rodillas y masculló un agradecimiento a Eumeno de Oreo que no había hecho nada más, a fin de cuentas, que cumplir sus órdenes. El embajador, que había permanecido de pie hasta aquel momento escuchando la salida de tono del rey, pasado el vendaval pidió permiso para retirarse y se encaminó hacia la salida.

—Espera —le llamó Filipo—. ¿Cómo está Demóstenes?

Eudemo se detuvo en la puerta y retrocedió.

—Un manojo de nervios que grita «¡libertad!» —repuso.

Y salió.

No se había recuperado Filipo de la sorpresa cuando ya los aliados se habían movido. Tropas ligeras tebanas y atenienses ocuparon todos los puertos de montaña para impedir al enemigo toda iniciativa militar en dirección a Beocia y al Ática. El soberano, en dificultades por el mal tiempo y por una situación que se había vuelto demasiado difícil y arriesgada, decidió regresar a Pella dejando en Tesalia un contingente a las órdenes de Parmenio y de Clito *El Negro*.

Alejandro fue a recibirlo a la frontera con Tesalia a la cabeza de una sección de la guardia real y le escoltó hasta casa.

—¿Has visto? —le dijo Filipo después de haberse saludado—. No hay ninguna prisa. No hemos tomado ninguna iniciativa aún y el juego sigue abierto.

—Pero todo parece estar en nuestra contra. Tebas y Atenas se han aliado y hasta ahora han obtenido éxitos importantes.

El rey hizo un ademán con la mano como si quisiera ahuyentar una preocupación fastidiosa.

—¡Ah! —exclamó—. Deja que se complazcan en sus éxitos. Más amargo será su despertar. Yo no quería el enfrentamiento con los atenienses y pedí a los tebanos que permanecieran al margen de este asunto. Me han arrastrado a la guerra y ahora tendré que enseñarles quién es el más fuerte. Habrá más muertos, más devastaciones: algo que me repugna, pero no me queda otra elección.

—¿Qué piensas hacer? —preguntó Alejandro.

—Esperar a la primavera, por ahora. Con el calor se combate mejor, pero sobre todo quiero que el tiempo deje margen para la reflexión. Recuerda, hijo mío: nunca lucho por simples ganas de llegar a las manos. La guerra, para mí, es nada más que política hecha con otros medios.

Avanzaron un trecho en silencio porque el rey parecía observar el paisaje y a la gente que trabajaba en los campos. Luego, de repente, preguntó:

—A propósito, ¿cómo estaba mi sorpresa?

23

—No comprendo a mi padre —exclamó Alejandro—. Teníamos la posibilidad de imponernos mediante la fuerza de las armas y él ha optado por arrostrar la humillación de un enfrentamiento con una embajada ateniense. Para salir burlado. Habría podido atacar primero y luego negociar.

—Estoy de acuerdo contigo —replicó Hefestión—. Para mí ha sido un error. Primero se golpea fuerte y luego se negocia.

Eumenes y Calístenes seguían montados en sus caballos a paso de andadura, yendo directamente a Farsalia para llevar un mensaje de Filipo a los aliados de la liga tesálica.

—Yo, en cambio, le comprendo muy bien —intervino Eumenes— y le apruebo. Sabes perfectamente que tu padre ha vivido en Tebas por más de un año como huésped cuando era un adolescente, en casa de Pelópidas, el más grande estratega que Grecia haya conocido en los últimos cien años. Quedó profundamente impresionado por el sistema político de la ciudad-estado, por su formidable organización militar, por la riqueza de su cultura. De esa experiencia juvenil nace su deseo de difundir la civilización helénica en Macedonia y de unificar a todos los griegos en una gran confederación.

—Como en tiempos de la guerra de Troya —observó Calístenes—. Tu padre persigue lo siguiente: unificar primero los estados griegos, y conducirlos a continuación contra Asia como hiciera Agamenón contra el imperio del rey Príamo, hace casi mil años.

Ante aquellas palabras Alejandro se sobresaltó.

—¿Hace mil años? ¿Han pasado mil años desde la guerra de Troya?

—Faltan cinco años para que se cumplan los mil —repuso Calístenes.

—Toda una señal —murmuró Alejandro—. Toda una señal, tal vez.

—¿Qué pretendes decir? —preguntó Eumenes.

—Nada. Pero ¿no encontráis extraño el hecho de que yo tenga dentro de cinco años la misma edad que tenía Aquiles al partir de Troya y que en esos días se cumplan mil años desde que se produjera la guerra cantada por Homero?

—No —rebatió Calístenes—. La historia nos propone de nuevo a veces, a distancia de muchos años, el mismo conjunto de situaciones que dieron origen a empresas grandiosas. Pero nunca nada se repite del mismo modo.

—¿Tú crees? —preguntó Alejandro.

Por un momento arrugó la frente como si persiguiese imágenes lejanas, evanescentes. Hefestión apoyó una mano sobre su hombro.

—Yo sé en qué piensas. Y cualquier cosa que decidas hacer, adondequiera que vayas, yo te seguiré. Incluso a los infiernos. Incluso al fin del mundo.

Alejandro se volvió hacia él y le miró a los ojos.

—Lo sé —dijo.

Llegaron a destino hacia la puesta del Sol y Alejandro recibió los honores que correspondían al heredero del trono de los macedonios. Luego tomó parte con sus amigos en la cena que los representantes de la confederación de los tesalios ofrecieron a su huésped. Por aquel tiempo Filipo ostentaba también el cargo de *tagos*, presidente de la confederación tesálica, y era de hecho el jefe de dos estados, en calidad de rey y en calidad de presidente.

También los tesalios eran formidables bebedores, pero durante la cena Eumenes no probó el vino y aprovechó la ocasión para negociar la compra de una partida de caballos con un noble y gran terrateniente completamente borracho, logrando unas condiciones de compra y de pago extremadamente ventajosas tanto para sí como para el reino de Macedonia.

Al día siguiente, una vez concluida la misión, Alejandro partió de regreso junto con sus amigos, pero cuando apenas había recorrido un trecho del camino se cambió de ropas, despidió a la guardia y tomó el camino que llevaba al sur.

—¿Adónde te diriges? —preguntó Eumenes sorprendido por aquel imprevisto comportamiento.

—Yo voy con él —dijo Hefestión.

—Sí, pero ¿adónde?

—A Áulide —repuso Alejandro.
—El puerto del que zarparon los aqueos para la guerra de Troya —comentó Calístenes sin inmutarse.
—¿Áulide? ¡Pero estáis locos! Áulide está en Beocia, en pleno territorio enemigo.
—Pero yo quiero ver ese lugar y lo veré —afirmó el príncipe—. Nadie reparará en nosotros.
—Repito, estáis locos —insistió Eumenes—. Claro que repararán en vosotros: si habláis notarán vuestro acento, y si no habláis os preguntarán por qué no lo hacéis. Además, tus retratos han sido difundidos en docenas de ciudades. Y si te apresan, ¿te das cuenta de las consecuencias? Tu padre tendrá que pactar, renunciar a sus proyectos o, en el mejor de los casos, pagar un rescate que le costará como una guerra persa. No, yo no quiero tener nada que ver con esta locura. Yo ni siquiera he oído hablar de ello, mejor dicho, ni siquiera os he visto. Os habéis ido vosotros en silencio antes del amanecer.
—Está bien —asintió Alejandro—. Y descuida. No son más que unos pocos cientos de estadios en territorio beocio. En dos jornadas vamos y volvemos. Si alguien viene a apresarnos, diremos que somos peregrinos que van a consultar el oráculo de Delfos.
—¿En Beocia? Pero si Delfos está en Fócide...
—Pues entonces contaremos que nos hemos perdido —gritó Hefestión espoleando a su caballo.
Calístenes miraba ya a uno, ya a otro de sus compañeros de viaje sin saber qué decisión tomar.
—¿Qué te propones hacer? —le preguntó Eumenes.
—¿Yo? Bueno, si bien por un lado el afecto que siento por Alejandro me induciría a seguirle, por otro la prudencia que sobre todo conviene a un...
—Entendido —cortó de modo tajante Eumenes—. ¡Deteneos! ¡Que Zeus os fulmine, deteneos! —Los dos se quedaron clavados en el sitio—. Al menos yo no tengo acento macedonio y, si quiero, consigo hacerme pasar también por un beocio.
—¡Ja, ja! ¡No tengo la menor duda sobre eso! —rió sarcásticamente Hefestión.
—Tú ríe, tú ríe —refunfuñó Eumenes poniendo al trote a su caballo—. Si estuviese aquí el rey Filipo, ya te haría reír él, ya, con unos buenos azotes en las costillas. Vamos, adelante, movámonos al menos.
—¿Y Calístenes? —preguntó Alejandro.
—Ya llega, ya llega —repuso Eumenes—. ¿Dónde quieres que vaya solo?

Cruzaron el paso de las Termópilas al día siguiente y Alejandro se detuvo a visitar la tumba de los guerreros espartanos caídos ciento cuarenta años antes combatiendo contra los invasores persas. Leyó la simple inscripción en dialecto lacónico que recordaba el sacrificio sumo y se quedó en silencio escuchando el soplo del viento que llegaba del mar.

—¡Qué efímero es el destino humano! —exclamó—. Sólo quedan estas pocas líneas como testimonio del fragor de un choque que hizo temblar al mundo y de un acto heroico digno del canto de Homero. Y ahora todo está mudo.

Atravesaron Lócride y Fócide sin ningúna problema, en un par de días, y entraron en Beocia por el camino que discurría al lado del mar: tenían enfrente la costa de la isla de Eubea recortada por los rayos del Sol del mediodía y las aguas resplandecientes del canal de Euripo. Una flotilla de una docena de trirremes cruzaba a lo largo y podía verse en las hinchadas velas la imagen de la lechuza de Atenas.

—Si ese navarca se imaginara sólo a quién tiene aquí en la playa observando sus naves... —murmuró Eumenes.

—Vamos —dijo Calístenes—. Acabemos este viaje cuanto antes. Ya estamos cerca.

Pero en su fuero interno temía que Alejandro les pidiera que le acompañaran a alguna empresa más temeraria aún.

La pequeña bahía de Áulide apareció de repente ante ellos cuando alcanzaron lo alto de la colina. Enfrente, en la orilla opuesta de la isla de Eubea, clareaba en lontananza la ciudad de Calcis. El agua era de un azul intenso y el bosque de carrascas y de encinas que cubría las laderas de la colina llegaba casi hasta la orilla del mar, dando paso primero a unas matas bajas de mirto y de madroño y luego a una estrecha franja de cantos rodados y arenas rojizas.

No había nadie en el puerto del que habían partido las mil naves de los aqueos, tan sólo la barca de un pescador que bogaba.

Los cuatro jóvenes se apearon del caballo y contemplaron en silencio aquel lugar semejante a otros mil parajes de la costa helénica y sin embargo tan distinto. Alejandro recordó en aquel momento las palabras de su padre cuando le sostenía, de niño, entre sus brazos en la galería del palacio de Pella y le contaba cosas de la lejana e inmensa Asia.

—Aquí no hay mil naves —observó Hefestión rompiendo la magia de aquel silencio.

—No —hubo de admitir Calístenes—. Pero para el poeta no podían ser menos. Un poeta no canta para narrar los avatares humanos tal como éstos acontecen, Hefestión, sino para hacer revivir, a distancia de siglos, las emociones y las pasiones de los héroes.

Alejandro se volvió hacia él con la mirada brillante debido a la emoción.

—¿Crees que podría existir hoy un hombre capaz de empresas tales como para inspirar a un gran poeta como Homero?

—Son los poetas los que crean a los héroes, Alejandro —repuso Calístenes—, y no al revés. Los poetas nacen sólo cuando el mar, el cielo y la tierra están en paz y armonía entre sí.

Cuando regresaron a Tesalia se toparon con un pelotón de la guardia real que les andaba buscando por todas partes y Eumenes tuvo que contar que se había sentido indispuesto y que los demás no habían querido abandonarle: una excusa que nadie creyó. Pero Alejandro había tenido la prueba de que sus amigos estaban dispuestos a seguirle, incluso aquéllos que sentían miedo, como Eumenes y Calístenes. Se había dado cuenta asimismo de que la lejanía de Kampaspe le pesaba no poco y no veía llegar la hora de volver a verla desnuda en su lecho, a la luz dorada de las lámparas.

No tuvieron, sin embargo, la posibilidad de regresar a Pella porque en el ínterin los hechos se habían precipitado y el soberano, tras movilizar al ejército, se dirigía hacia Fócide para tomar los puertos de montaña: el tiempo no había vuelto más prudente a ninguno de los contendientes y había que hacer hablar a las armas de nuevo.

Alejandro fue convocado en la tienda de campaña de su padre esa misma noche. No le hizo ninguna pregunta acerca de por qué había tardado tanto en regresar de su misión en Tesalia. Le indicó el mapa que había sobre la mesa y dijo:

—El comandante ateniense Cares está emplazado con diez mil mercenarios en el camino entre Kithinion y Ánfisa, pero no sabe que nosotros nos encontramos aquí. Marcharé toda la noche y le despertaré personalmente mañana por la mañana. Tú mantén esta posición y no la abandones por ningún motivo. Tan pronto como haya quitado de en medio a Cares pasaré de nuevo por aquí, desde el valle del Krisos, y cortaré el paso de los puertos a los atenienses y a los tebanos: se verán obligados a la fuerza a abandonarlos y a detenerse en la primera posición fuerte que tengan en Beocia. —Apoyó su dedo índice sobre el mapa en el punto donde pensaba que los enemigos se retirarían—. Es aquí donde me reuniré con tu caballería. En Queronea.

24

El ejército mercenario de Cares, cogido por sorpresa al amanecer, fue exterminado por las tropas de asalto de Filipo y sus supervivientes dispersados por la caballería. El rey, antes de marchar sobre Ánfisa, volvió atrás, tal como había dicho, y aisló los puertos de montaña en manos de los atenienses y tebanos, a los que no les quedó más remedio que emprender la retirada.

Alejandro fue advertido tres días después de que su padre estaba tomando posición en la llanura de Queronea a la cabeza de veinticinco mil infantes y cinco mil jinetes y que debía reunirse con él lo antes posible. Dejó a los siervos la tarea de recoger el campamento y ocuparse de la impedimenta y mandó dar la señal de partida antes del amanecer. Quería salir con la fresca y a paso de andadura para no cansar a los caballos.

Pasó revista a La Punta a la luz de las antorchas, montando a *Bucéfalo*, y sus compañeros que estaban al mando de cada una de las secciones alzaron la lanza en señal de saludo. Iban armados hasta los dientes y estaban listos para partir, pero saltaba a la vista que más de uno no había conseguido pegar ojo. Aquélla era su primera jornada en el campo de batalla.

—¡Recordad, hombres! —les arengó—. ¡La falange es el yunque, la caballería el martillo y La Punta... la cabeza del martillo! —Luego empujó a *Bucéfalo* hacia Tolomeo, que mandaba la primera sección de la derecha, y le anunció el santo y seña: *Phobos kái Deimos*.

—Los caballos del dios de la guerra —repitió Tolomeo—. Imposible encontrar un santo y seña más apropiado.

Y se lo comunicó al primer jinete de su derecha para que lo hiciese correr entre las filas.

Alejandro hizo una seña al corneta que tocó a partida y el escuadrón echó a andar. Él el primero, Hefestión detrás y luego todos los demás. La sección de Tolomeo cerraba la retaguardia.

Vadearon el Krisos antes del amanecer y al rayar el día vieron centellear en la llanura las puntas de las *sarisas* del ejército macedonio, como aristas en un campo de trigo.

Cuando reparó en ellos, Filipo espoleó a su caballo de batalla y fue a reunirse con su hijo.

—¡Salve, hijo mío! —Le dio una palmada en la espalda—. Todo marcha tal como lo había previsto. Y ahí los tienes esperándonos. Coloca a tus hombres en el ala izquierda y luego ven a reunirte conmigo. Estoy poniendo a punto el plan de batalla con Parmenio y El Negro y sólo haces falta tú para completarlo. Has llegado muy oportunamente. ¿Cómo te encuentras?

—Salve, padre. Me encuentro estupendamente y vendré dentro de un momento.

Alcanzó a su escuadrón y lo hizo alinearse a la izquierda. Hefestión extendió la mano hacia la colina y exclamó:

—¡Oh, por los dioses del cielo, mira! Tu padre nos ha hecho tomar posición contra el Batallón Sagrado de los tebanos: ¿lo ves? Son esos de ahí con las túnicas y los mantos de color rojo sangre. Son duros, Alejandro, nadie les ha derrotado jamás.

—Ya les veo, Hefestión. Nosotros les venceremos. Coloca a los hombres en tres filas. Atacaremos a oleadas.

—¡Gran Zeus! —exclamó Seleuco—. ¿Sabéis por qué lo llaman el Batallón Sagrado? Porque cada uno de ellos está unido a su compañero mediante juramento: de no abandonarlo hasta la muerte si fuera preciso.

—Así es —confirmó Pérdicas—. Y dicen también que son todos amantes unos de otros, de modo que están unidos también por un vínculo más fuerte.

—Eso no les va a proteger de nuestros golpes —dijo Alejandro—. No te muevas de aquí hasta que yo vuelva.

Espoleó al caballo para alcanzar a Filipo, Parmenio y El Negro que se habían retirado a una modesta altura desde donde se podía tener una vista general del campo de batalla. Enfrente de ellos, a la izquierda, se veía la acrópolis de Queronea con sus templos.

En el centro y a la izquierda, en una línea de colinas que dominaban la llanura, estaban alineados primero los atenienses y a continuación los tebanos. Sus escudos refulgían reflejando la luz del sol que se alzaba en el cielo primaveral recorrido por grandes nubes blancas. En el extremo derecho se descubría la mancha bermeja del Batallón Sagrado de los tebanos.

Filipo había dispuesto a su derecha dos secciones de escuderos, las tropas de asalto que tres días antes habían destruido al ejército de Cares, directamente bajo su mando. Tomaban el nombre de sus escudos con las estrellas argéadas de cobre y plata.

En el centro, al mando de Parmenio y de El Negro, los doce batallones de la falange, alineados en cinco filas, formaban un muro de lanzas desmesuradas, una selva impenetrable de puntas herradas, escalonadas en línea oblicua. A la izquierda, todas las fuerzas de la caballería de los *hetairoi* que terminaba con La Punta, el escuadrón de Alejandro.

—Atacaré yo primero —dijo Filipo— y obligaré a entrar en combate a los atenienses. Luego comenzaré a retroceder y, si ellos vienen detrás de mí, tú, Parmenio, trata de introducir un batallón de la falange por entre la brecha y rompe en dos las fuerzas enemigas, para lanzar acto seguido sobre ellos a los restantes seis batallones. El Negro te seguirá con el resto del ejército.

»Entonces habrá llegado tu momento, Alejandro: lanzarás la caballería sobre la diestra tebana y arrojarás La Punta contra el Batallón Sagrado. Si consigues abrir brecha, ya sabes qué debes hacer.

—Lo sé perfectamente, padre: la falange es el yunque y la caballería el martillo.

Filipo le estrechó contra su pecho y, por un instante, se volvió a ver de pie en la estancia de la reina inmersa en la penumbra mientras estrechaba contra sí a su hijo recién nacido.

—Ten los ojos bien abiertos, hijo mío —dijo—. En la batalla los golpes llegan por donde menos se espera.

—Los tendré, padre —repuso Alejandro.

Luego saltó sobre la grupa de *Bucéfalo* y pasó al galope por delante de los batallones en orden de combate hasta llegar a su sección. Filipo le siguió largo rato con la mirada y luego se volvió hacia su ayuda de campo.

—Mi escudo —reclamó.

—Pero, señor...

—Mi escudo —repitió en tono perentorio.

El ayuda de campo le ayudó a embrazar el escudo real, el único que ostentaba la estrella argéada en oro puro.

Desde lo alto de las colinas se elevó agudo un sonido de trompas e inmediatamente después el viento trajo a la llanura la música incesante y coral de las flautas, siguiendo el ritmo del redoble de los tambores que acompañaban a los guerreros en marcha. El movimiento del frente que avanzaba refractaba la luz del sol en mil ígneos fulgores y el paso pesado de los infantes cubiertos de hierro producía en el valle un siniestro retumbo.

En el llano la falange estaba inmóvil y silenciosa, los caballos en el extremo izquierdo bufaban y agitaban la cabeza haciendo tintinear los bocados de bronce.

La Punta estaba ya alineada en formación de cuña y Alejandro tomó posición como primer jinete delante de todos los demás, manteniendo los ojos fijos en el ala derecha de las tropas enemigas, el invencible Batallón Sagrado, mientras *Bucéfalo* piafaba, resoplaba por los ollares y se golpeaba los ijares con la cola.

Un jinete alcanzó a Filipo mientras éste se aprestaba a dar la señal de ataque.

—Señor —gritó saltando a tierra—. Demóstenes combate en primera línea con la infantería pesada ateniense.

—No quiero que sea muerto —ordenó el soberano—. Transmite la orden a mis soldados.

Se volvió hacia atrás para observar a sus escuderos: vio rostros chorreantes de sudor bajo las viseras de los yelmos, ojos que miraban fijamente e inmóviles los destellos de las armas enemigas, miembros contraídos en la espasmódica espera del ataque. Era el momento en que cada uno de ellos miraba de cerca a la muerte, el momento en que el deseo de vivir era más fuerte que cualquier otra cosa. Era la hora de liberarles de la opresión de la angustia y de lanzarles al ataque.

Filipo levantó la espada, lanzó el grito de guerra y sus hombres le siguieron gritando como una horda de fieras, expulsando de su pecho todo temor, ansiosos únicamente de arrojarse a la refriega, al furor del combate, olvidados de todo, incluso de sí mismos.

Avanzaban corriendo mientras los oficiales gritaban que mantuvieran el paso, que no descompusieran las filas, que llegaran compactos al choque.

Faltaba ya poco y los atenienses seguían avanzando a paso de andadura, hombro con hombro, escudo con escudo, con las lanzas hacia adelante, empujados por el continuo y agudo sonido de las flautas, del redoble obsesivo de los tambores, gritando a cada paso:

¡Alalalai!

El ruido del impacto estalló como un trueno de bronce en todo el valle, repercutió en las laderas de los montes y perforó el cielo, empujado hacia arriba por el grito de veinte mil guerreros arrollados por la furia de la refriega.

Filipo, reconocible por la estrella de oro, luchaba en primera línea con un ardor que era incontenible, golpeando con la espada y el escudo, flanqueado por dos tracios gigantescos armados con hachas de guerra de doble filo, espantosos por sus hirsutos pelos rojizos, por los cuerpos velludos y por los tatuajes que cubrían su rostro, sus brazos y su pecho.

El frente ateniense se tambaleó bajo la furia del ataque, pero un sonido agudo y penetrante como el grito de un halcón les empujaba adelante, les levantaba los ánimos: era la voz de Demóstenes que les incitaba, más alta que la música desesperada de las flautas y de los tambores, gritando:

—¡Valor, atenienses! ¡A luchar, hombres! ¡Por vuestra libertad, por vuestras esposas y por vuestros hijos! ¡Echad atrás al tirano!

La pelea se recrudeció y eran muchos los soldados de ambas filas que caían, pero Filipo había dado orden de que ninguno se detuviese para despojar a los cadáveres hasta que la batalla no estuviese ganada. Por ambos lados se esperaba la ocasión oportuna para traspasar y herir, para abrir huecos con el hierro entre la masa enemiga.

Los escudos de los infantes en primera línea estaban ya cubiertos de sangre, que chorreaba copiosa de los bordes sobre el terreno ya resbaladizo y atestado de cuerpos agonizantes, y apenas caía uno, inmediatamente avanzaba un compañero de la segunda fila para ocupar su puesto reanudando el enfrentamiento.

De repente, a una indicación de Filipo, el corneta lanzó una señal y los dos batallones de escuderos comenzaron a retirarse dejando sobre el terreno a sus muertos y heridos. Cedían lentamente, presentando en todo momento los escudos, respondiendo golpe con golpe, de lanza y de espada.

Los atenienses, viendo que los enemigos retrocedían, aprovechando también su posición más favorable, redoblaban los esfuerzos, incitándose unos a otros con grandes gritos, mientras los infantes de segunda y de tercera fila empujaban hacia adelante a los compañeros con los escudos.

Filipo, antes de atacar, había dado una orden, y cuando las filas de los escuderos, retrocediendo, estaban llegando a la altura de un promontorio rocoso que se alzaba a unos cien pasos de distancia a la izquierda, se volvieron y se dieron a la fuga.

Entonces los atenienses, presos de la furia del combate, ebrios por los gritos, la sangre y el fragor de las armas, entusiasmados por la victoria que creían tener ya en sus manos, se lanzaron a la carrera detrás de sus enemigos para aniquilarles. Su comandante Estratocles, más que intentar contenerles en sus filas, gritaba a voz en cuello que persiguieran a los adversarios hasta Macedonia.

Resonaron otras trompas a la izquierda así como un enorme tambor, suspendido entre dos carros, hizo oír su voz de trueno en la vasta llanura. Parmenio dio la señal y los doce batallones de la falange comenzaron a avanzar todos juntos a paso acompasado, escalonados a lo largo de una línea oblicua.

También los tebanos, al ver aquello, se arrojaron al ataque corriendo en filas compactas, tendiendo hacia adelante las pesadas lanzas de fresno, pero muy pronto el primer batallón macedonio se introdujo entre el frente ateniense ya descompuesto en la persecución de los escuderos y el extremo del flanco izquierdo de la formación tebana.

Filipo entregó su escudo, mellado y sucio de sangre a su ayudante, saltó a caballo y alcanzó a Parmenio. El general mantenía fija la mirada, con ansiedad, sobre el Batallón Sagrado que avanzaba al paso, aparentemente indiferente a cuanto sucedía, erizado de puntas de hierro, inexorable.

En el centro, el primer batallón macedonio que avanzaba en pendiente estaba ya atacando el primer desnivel y cuando una sección de infantería tebana se precipitó para cerrar la brecha, los *pezetairoi* bajaron sus picas y les arrollaron en el choque frontal, sin necesidad siquiera de entrar en contacto con ellos, y a continuación avanzaron más allá siguiendo con el paso el tonante estruendo del inmenso tambor que les guiaba por la llanura.

Y detrás venían los demás, en línea oblicua, bajando las *sarisas* hasta la tercera fila, mientras que los infantes de retaguardia las mantenían alzadas, haciéndolas oscilar cual espigas al viento. El tintineo amenazante de las armas que entrechocaban en la pesada marcha de los guerreros llegaba a los oídos del enemigo que descendía por el otro lado como un angustioso presagio, como un sonido de muerte.

—Ahora —ordenó el rey a su general.

Parmenio hizo una señal a Alejandro con un escudo bruñido, tres destellos, para lanzar la carga de la caballería y el ímpetu de La Punta.

El príncipe empuñó la lanza y gritó:

—¡Tres oleadas, hombres! —Y luego, más fuerte—: *¡Phobos kái Deimos!*

Y con los talones golpeó los ijares de *Bucéfalo*. El semental se lanzó al galope recorriendo el campo lleno de gritos y de muertos, negro como una furia infernal, llevando a su jinete embutido en su armadura cegadora, con la alta cimera agitada por el viento.

La Punta se mantuvo detrás, compacta, y los caballos, encendidos por el relincho y los bufidos de *Bucéfalo*, corrían incitados por los guerreros y por el sonido desgarrador de las trompas.

El Batallón Sagrado estrechó filas y sus hombres clavaron las astas de las lanzas en el suelo presentando las puntas contra la carga furiosa, pero el escuadrón de Alejandro, cuando llegó a su alcance, descargó una lluvia de jabalinas y realizó una conversión; e inmediatamente siguió la segunda oleada y a continuación la tercera y de nuevo la primera. Muchos de los soldados tebanos se vieron obligados a abandonar sus escudos repletos de jabalinas enemigas y a combatir sin ninguna protección. Alejandro entonces hizo adoptar a La Punta la formación en cuña, se puso a su cabeza, la mandó directamente contra las filas enemigas, espoleó a *Bucéfalo* en medio del Batallón Sagrado golpeando con la lanza a diestro y siniestro y luego, arrojando el escudo, también con la espada.

Hefestión se detuvo a su lado levantando su escudo para protegerle, arrastrando tras él a sus hombres.

Los guerreros del Batallón Sagrado, a cada soldado que dejaban sobre el campo de batalla, volvían a estrechar filas, como un cuerpo que de golpe cicatriza una herida, cerraban la muralla de escudos y respondían, golpe tras golpe, con inagotable energía, con un inmenso, empecinado valor.

Alejandro se detuvo y llamó a Hefestión:

—Manda a los tuyos a aquella parte, abre una brecha y luego ataca por detrás el centro tebano. ¡Déjame a mí el Batallón Sagrado!

Hefestión obedeció y avanzó con Pérdicas, Seleuco, Filotas, Lisímaco, Crátero y Leonato, introduciendo a los jinetes entre el Batallón Sagrado y el resto de las tropas tebanas. Luego realizaron una amplia conversión como el día de la parada militar delante de Alejandro y sorprendieron por la espalda a los enemigos empujándoles contra la selva de puntas de la falange que avanzaba inexorable.

Los guerreros del Batallón Sagrado, empujados por las continuas cargas de La Punta, se batieron con desesperado valor, pero cayeron uno tras otro hasta el último hombre, manteniéndose fieles al juramento que les unía: no retroceder jamás, no volver la espalda por ninguna razón.

Antes de que el Sol alcanzara la mitad del cielo, la batalla estaba ganada. Alejandro se presentó ante Parmenio con la espada empuñada y la armadura cubierta aún de sangre. También el pecho y los ijares de *Bucéfalo* estaban enrojecidos.

—El Batallón Sagrado no existe ya.

—¡Una victoria en toda regla! —exclamó Parmenio.

—¿Dónde está el rey? —preguntó Alejandro.

Parmenio se volvió hacia la llanura velada aún por la densa polvareda del choque y señaló a un hombre solo que, renqueando, bailaba como fuera de sí en medio de una multitud de cadáveres.

—Ahí le tienes —respondió.

25

Dos mil atenienses cayeron en combate y otros muchos fueron hechos prisioneros. Entre ellos el orador Demades que se presentó ante el rey llevando aún la armadura y perdiendo sangre por una herida en el brazo. Demóstenes se había salvado escapando a través de los puertos que conducían al sur en dirección a Levadia y a Platea.

Pero las bajas más cuantiosas las habían sufrido los tebanos y sus aliados aqueos alineados en el centro. La caballería de Alejandro, tras haber eliminado al Batallón Sagrado, les había sorprendido por la espalda y empujado contra la barrera de puntas de hierro de la falange provocando una matanza.

La ira de Filipo estalló sobre todo contra los tebanos, por quienes se sentía traicionado. Vendió como esclavos a los prisioneros y se negó a dar sepultura a sus cadáveres. Fue Alejandro quien trató de disuadirle de actuar así.

—Padre, tú mismo me dijiste que hay que ser clemente cada vez que ello sea posible —le hizo observar una vez que se le hubo pasado el furor de la victoria—. También Aquiles devolvió el cadáver de Héctor al viejo rey Príamo que le imploraba entre lágrimas. Estos hombres se han batido como leones y han dado la vida por su ciudad. Merecen respeto. Y además, ¿qué ibas a sacar mostrándote cruel con los muertos?

Filipo no respondió, pero se veía que las palabras de su hijo habían hecho mella en él.

—Hay aquí fuera un oficial ateniense prisionero que solicita hablar contigo.

—¡Ahora no! —rugió Filipo.

—Dice que si no le recibes se dejará morir desangrado.

—¡Pues muy bien! Uno menos.

—Como quieras. Entonces me ocuparé yo de él.

Salió y llamó a dos escuderos:

—Acompañad a este hombre a mi tienda y haced venir a un cirujano.

Los soldados cumplieron la orden y el ateniense fue acomodado sobre un catre de campaña, desnudo y lavado.

Poco después volvió uno de los escuderos.

—Alejandro, los cirujanos están todos ocupados con nuestros soldados y tratando de salvar a quienes tienen las heridas más graves, pero si lo mandas vendrán igualmente.

—No importa —replicó el príncipe—. Ya me ocuparé yo de ello. Traedme los instrumentos, aguja e hilo, poned agua a hervir y conseguidme unas vendas limpias.

Los hombres se le quedaron mirando estupefactos, y el paciente más aún si cabe que ellos.

—Tienes que resignarte —le dijo Alejandro—. No puedo dejar morir a un soldado macedonio por salvar a un enemigo.

Entró en aquel momento Calístenes y le vio mientras se ataba un mandil y se lavaba las manos.

—Pero qué...

—Que quede también esto entre nosotros, pero puedes echarme una mano. También tú seguiste las lecciones de anatomía de Aristóteles. Lava la herida con vino y vinagre y luego enhébrame la aguja, pues yo tengo los ojos sudorosos.

Calístenes se puso manos a la obra con una cierta pericia y el príncipe comenzó a examinar la herida.

—Pásame las tijeras: está totalmente abierta.

—Aquí tienes.

—¿Cómo te llamas? —preguntó Alejandro al prisionero.

—Demades.

Calístenes puso unos ojos como platos.

—¡Pero si es el famoso orador! —susurró al oído de su amigo, que no pareció impresionado por la revelación.

Demades hizo una mueca de dolor cuando su improvisado cirujano le sajó la carne viva; luego Alejandro pidió aguja e hilo. Pasó la aguja por la llama de un velón y se puso a coser, mientras Calístenes mantenía juntos los labios de la herida con los dedos.

—Háblame de Demóstenes —pidió el príncipe mientras tanto.

—Es... un patriota —repuso Demades entre dientes—, pero tenemos ideas distintas.

—¿En qué sentido? Pon un dedo aquí —añadió vuelto hacia su ayudante.

Calístenes apoyó el dedo para aguantar el hilo que había que anudar.

—En el sentido... —explicó el herido conteniendo el aliento—, en el sentido de que yo era contrario a llegar a la guerra al lado de los tebanos y lo dije públicamente.

Dejó escapar un profundo suspiro tan pronto como Alejandro hubo estrechado el nudo.

—Es cierto —susurró Calístenes—. Tengo copia de algunos de sus viejos discursos.

—He terminado —dijo el príncipe—. Podemos vendar. —Luego, vuelto hacia Calístenes, añadió—: Haz que le vea un médico mañana: si se hincha y supura habrá que drenar y es mejor que eso lo haga un verdadero cirujano.

—¿Cómo puedo expresarte mi agradecimiento? —preguntó Demades incorporándose para sentarse en el catre.

—Agradéceselo a mi maestro, Aristóteles, pues fue quien me lo me enseñó. Pero me parece que vosotros los atenieneses no habéis hecho gran cosa por retenerle...

—Ha sido un problema interno de la Academia, la ciudad no tiene nada que ver.

—Escúchame. ¿Puede la asamblea del ejército deliberar en este mismo lugar y conferirte una misión política?

—En teoría, sí. Probablemente hay, en estos momentos, más ciudadanos en condiciones de votar que en Atenas.

—Entonces ve a hablar con ellos y haz que te confieran la misión de negociar con el rey las condiciones de paz.

—¿Hablas en serio? —preguntó Demades estupefacto mientras se volvía a vestir.

—Puedes coger unas vestiduras limpias de mi arcón. Por lo demás, ya hablaré yo con mi padre. Calístenes encontrará un lugar donde alojarte.

—Gracias, yo... —fue capaz sólo de balbucear Demades.

Alejandro ya había salido.

Entró en la tienda de campaña de su padre mientras Filipo, sentado con Parmenio, El Negro y algunos comandantes de batallón, acababa de cenar.

—¿Tomarás un bocado con nosotros? —le preguntó el soberano—. Tenemos perdiz.

—Las hay a millares —explicó Parmenio—. Se levantan por la mañana del lago Copais y vienen en busca de alimento a lo largo del río durante el día.

Alejandro tomó un escabel y se sentó.

El rey se había calmado y parecía de buen humor.

—Entonces, ¿qué te parece mi muchacho, Parmenio? —dijo dando mientras tanto una palmada en la espalda de su hijo.

—Magnífico, Filipo: un veterano de los *hetairoi* no habría mandado la carga mejor.

—También tu hijo Filotas se ha batido con gran arrojo, general —observó Alejandro.

—¿Qué has hecho de ese prisionero ateniense? —preguntó el soberano.

—¿Sabes quién es? Demades.

Filipo se puso en pie como movido por un resorte.

—¿Estás seguro?

—Pregúntaselo si no a Calístenes.

—Por los dioses, manda inmediatamente a un cirujano para que cuide de él: es un hombre que siempre ha hablado en favor de nuestra política.

—Ya le he cosido yo mismo, de lo contrario a estas horas estaría ya desangrado. Le he dado una cierta libertad de movimiento en el campamento. Creo que mañana te traerá una propuesta para un tratado de paz. Si no he entendido mal, tú no quieres la guerra con Atenas.

—No. Además, para ganar una ciudad de mar es preciso ser dueños y señores del mar y nosotros no lo somos. Lo experimenté a mi costa en Perinto y en Bizancio. Si tiene propuestas que hacer las escucharé y le comunicaré las mías. Cómete esa carne, que se enfría.

En Atenas los supervivientes de Queronea trajeron en primer lugar la desesperación. Cuando contaron la derrota y refirieron el número de caídos y prisioneros, la ciudad hizo oír sus lamentos y muchos se sintieron dominados por la angustia, no sabiendo si sus seres queridos estaban vivos o muertos.

A continuación, cundió el terror por lo que podría suceder si persistía la situación. Fueron llamados a las armas hasta los sexagenarios y se prometió la libertad a los esclavos, si luchaban en el ejército.

Demóstenes, exhausto aún y herido, exhortó a resistir hasta el último aliento y propuso dejar entrar intramuros a la población rural del Ática, pero todo se reveló superfluo.

Llegó un correo con escolta pocos días después de parte de Filipo y solicitó exponer ante la asamblea reunida en sesión plenaria una propuesta para un tratado de paz. Los representantes del pueblo se quedaron estupefactos al ver que la propuesta contaba ya con una primera ratificación de los ciudadanos en armas caídos prisioneros en Queronea y llevaba la firma de Demades.

El correo entró en el gran hemiciclo donde los atenienses estaban sentados al aire libre bajo el sol primaveral y, una vez obtenido permiso para hablar, dijo:

—Vuestro conciudadano Demades, que es huésped aún del rey Filipo, ha discutido por vosotros las cláusulas de un tratado y ha obtenido unas condiciones que creo encontraréis ventajosas.

»El rey no es enemigo vuestro, es más, admira sobremanera vuestra ciudad y sus maravillas. De mala gana ha tenido que entrar en guerra obedeciendo a una petición del dios de Delfos.

La asamblea no reaccionó como el orador hubiera podido esperar: permaneció en silencio porque todos estaban ansiosos de escuchar las verdaderas condiciones. El correo prosiguió:

—Ahora Filipo renuncia a cualquier revancha, os reconoce la posesión de todas vuestras islas en el mar Egeo y os restituye Oropos, Tespias y Platea, que vuestros jefes habían cedido a los tebanos traicionando una secular amistad.

Demóstenes, sentado en las primeras filas, cerca de los representantes del gobierno, susurró al oído de quien tenía más cerca:

—Pero ¿es que no comprendéis que así se queda con todas nuestras ciudades de los estrechos? Ésas ni las ha mencionado.

—Habría podido ser mucho peor —fue la respuesta—. Deja que escuchemos qué más tiene que decir.

—El rey no os pide daños y perjuicios —prosiguió el enviado—. Os restituye los prisioneros así como los restos mortales de los caídos para que podáis darles digna sepultura. Su hijo en persona, Alejandro, se encargará de esta piadosa misión.

La reacción emocionada de la gente ante esta noticia convenció a Demóstenes de que tenía perdida la partida. Filipo les había tocado la fibre sensible y mandaba al mismo príncipe para llevar a cabo aquel acto de religiosa clemencia. Nada resultaba más desgarrador para una familia que saber que el cuerpo de su propio hijo caído en combate yacía insepulto, presa de los buitres y de los perros, privado de las honras fúnebres.

—Ahora oigamos qué es lo que quiere a cambio de tanta generosidad —cuchicheó aún Demóstenes.

—Lo único que Filipo pide a cambio es que los atenienses pasen a ser sus amigos y aliados. Verá a todos los representantes de los griegos en Corinto, en otoño, para poner fin a toda enemistad, para establecer una paz duradera y para anunciar una empresa grandiosa y nunca antes intentada, en la que deberán tomar parte todos. Esto significa que Atenas deberá disolver su propia liga marítima y entrar en la gran liga panhelénica, la única posible, que Filipo está construyendo ahora: pondrá fin a los seculares conflictos intestinos de la península y liberará a las ciudades griegas de Asia del yugo persa.

»Ahora decidid con cordura, atenienses, y luego dadme una respuesta a fin de que pueda referirla a quien me ha mandado.

La propuesta fue aprobada por mayoría absoluta, a pesar del encendido discurso de Demóstenes que pidió la palabra para llamar a la ciudad a una resistencia a ultranza. De todos modos, la asamblea quiso ratificarle su estima confiándole la tarea de pronunciar la oración fúnebre por los caídos en combate. El documento, que llevaba ya la firma de Demades, fue refrendado por todos los representantes del gobierno y remitido a Filipo.

Apenas el rey tuvo conocimiento de la noticia, mandó de inmediato a Alejandro con los carros de las cenizas y los huesos de los caídos, ya quemados en el campo de batalla. Los prisioneros habían efectuado el reconocimiento de buena parte de ellos, y a partir de aquella información Eumenes había hecho escribir en cada una de las pequeñas urnas de madera el nombre del difunto y el de su familia.

Los soldados desconocidos estaban reagrupados en los carros de cola, pero los médicos habían anotado las características de los cadáveres, las señales, si las tenían, el color del pelo y de los ojos.

En prueba de buena voluntad, Filipo había añadido también parte de las armas para facilitar la identificación de aquellos guerreros aún sin nombre.

—Te envidio, hijo mío —le confió a Alejandro, que se disponía a partir—. Estás a punto de ver la ciudad más bella del mundo.

Los compañeros vinieron a despedirse.

—Te confío a *Bucéfalo* —dijo el príncipe a Hefestión—. No quiero cansarlo y poner en peligro su vida en un largo viaje.

—Lo trataré como si fuera una hermosa mujer —repuso el amigo—. Puedes partir tranquilo. Sólo siento que...

—¿El qué?

—Que no me hayas confiado también custodiar... a Kampaspe.

—¡Déjate de cuentos, majadero! —rió Alejandro.

Luego montó sobre un robusto caballo negro que un palafrenero le traía en aquel momento y dio la señal de partida.

El largo convoy partió con gran chirriar de ruedas y detrás caminaron los prisioneros atenienses, llevando cada uno un hatillo con los pocos efectos personales y con los alimentos que habían conseguido adquirir. A Demades le fue dado un caballo en consideración al papel que había desempeñado al favorecer la firma del tratado de paz.

Entretanto, los caídos tebanos yacían insepultos aún y eran desgarrados de día por los cuervos y buitres y de noche por los perros vagabundos y por las aves rapaces, ante los ojos de las mismas madres que habían llegado de la ciudad y se habían concentrado en las márgenes del campo elevando desgarradores lamentos. Otras, dentro de los muros de Queronea, realizaban oscuros ritos de maldición para implorar que la muerte más atroz cayera sobre Filipo.

Pero de nada habían servido hasta aquel momento las invocaciones y maldiciones: el rey había negado tercamente a los enemigos derrotados la posibilidad de volver a ver a los muertos y de darles sepultura porque les consideraba unos traidores.

Por último, doblegado por las insistencias de sus propios amigos que temían las consecuencias de un comportamiento semejante, el soberano cedió.

Los tebanos salieron entonces de la ciudad vestidos de luto, precedidos por los lamentos de las plañideras, y excavaron una gran fosa en la que depositaron los míseros restos de sus jóvenes caídos en combate. Levantaron sobre la tumba un túmulo, a cuyo lado erigieron la estatua gigantesca de un león de piedra para simbolizar el valor de aquellos guerreros.

También con ellos fue, finalmente, firmada la paz, pero tuvieron que aceptar una guarnición de soldados macedonios en la acrópolis y disolver la liga beocia, entrando a formar parte de la alianza panhelénica de Filipo.

Alejandro fue recibido en Atenas como un huésped merecedor de gran respeto y tratado con todos los honores. En señal de gratitud por la piadosa misión que había llevado a cabo y por cómo había tratado a los prisioneros, el consejo de la ciudad decretó la erección de una estatua suya en el ágora y el príncipe hubo de posar para el gran escultor ateniense Protógenes, por más que hubiese dicho en cierta ocasión que sólo Lisipo podría reproducirle.

Demóstenes, muy querido aún por sus conciudadanos a pesar de la derrota, había sido mandado a Calauria, una islita frente a la ciudad de Trezena, al objeto de evitar encuentros que habrían sido embarazosos para ambas partes.

Alejandro comprendió y evitó prudentemente pedir noticias de él.

Tan pronto como hubieron terminado sus compromisos oficiales, quiso visitar la acrópolis, de la que Aristóteles le había contado maravillas, y le había mostrado dibujos de sus monumentos.

Subió a ella una mañana tras un temporal nocturno y se quedó deslumbrado por el esplendor de los colores y la increíble belleza de las estatuas y de las pinturas. En medio de la vasta explanada destacaba el Partenón, coronado por el inmenso tímpano con el grupo escultórico de Fidias que representaba el nacimiento de Atenea de la frente de Zeus. Las estatuas eran gigantescas y su ademán seguía el sentido de las vertientes del tejado: las que estaban en el centro, en pie, eran los personajes principales; luego, a medida que uno se alejaba hacia el exterior, las estatuas parecían en cambio arrodilladas o tendidas.

Todas estaban pintadas de vivos colores y decoradas con partes metálicas en bronce y oro.

Al lado del santuario, a la izquierda de la escalinata de entrada, se alzaba un bronce de Fidias que representaba a la diosa armada con una lanza de punta de oro en la mano, lo primero que los marineros atenienses veían resplandecer cuando regresaban a puerto.

Pero la mayor promesa era la gigantesca estatua de culto del interior del templo, creada también por el genio de Fidias.

Alejandro entró con paso ligero, respetuoso hacia aquel lugar sagrado, habitáculo de la divinidad, y se encontró frente al coloso de oro y marfil del que había oído contar maravillas desde que era niño.

La atmósfera, en el interior de la cella, estaba saturada de perfumes que los sacerdotes quemaban de forma continua en honor de la diosa y el ambiente estaba sumido en la penumbra, de manera que el oro y el marfil de que estaba hecha la estatua resaltaban más aún de mágicos reflejos en el fondo de la doble fila de columnas que sostenían el techo.

Las armas y el peplo, que le llegaba hasta los pies, así como el yelmo, la lanza y el escudo de la diosa, eran de oro puro, mientras que el rostro, los brazos y los pies eran de marfil, a semejanza del color de la piel. Los ojos eran de madreperla y turquesa, para reproducir la mirada glauca de la divinidad.

El yelmo tenía tres cimeras de crines de caballo teñidas de rojo, sujeta con una esfinge la central, con dos pegasos las laterales. En la mano derecha la diosa sostenía una imagen de la Victoria alada, grande, le dijeron, como una persona, por lo que la estatua de Atenea debía de alcanzar, en total, por lo menos los treinta y cinco pies de altura.

Alejandro contempló arrobado todo aquel esplendor y pensó en la gloria y en el poderío de la ciudad que lo había creado. Pensó en la grandeza de aquellos hombres que habían construido teatros y santuarios, fundido bronces y esculpido mármoles, pintado frescos de maravillosa belleza. Pensó en la audacia de los marineros que habían tenido durante muchos años el dominio indiscutido del mar, en los filósofos que habían predicado su verdad en aquellos pórticos resplandecientes, en los poetas que habían representado sus tragedias delante de miles de personas emocionadas.

Se sintió lleno de admiración y emoción y se ruborizó de vergüenza al pensar en la figura cojitranca de Filipo bailando torpemente sobre los muertos de Queronea.

Alejandro visitó el teatro de Dionisos en las pendientes de la acrópolis y los edificios y monumentos de la gran ágora, en la que se hallaban reunidos todos los recuerdos de la ciudad. Pero se quedó sobre todo extasiado ante el pórtico ornamentado al ver el enorme ciclo de frescos sobre las guerras persas, pintado por Polignoto.

Estaba representada en él la batalla de Maratón con sus episodios de heroísmo y el corredor Filípides que llegaba a Atenas para anunciar la victoria y se desplomaba acto seguido muerto de cansancio.

Veíanse, más allá, las batallas de la segunda guerra persa: los atenienses que abandonaban su ciudad y asistían llorando desde la isla de Salamina a la pira de la acrópolis y a la destrucción de sus templos. Y también el colosal choque naval de Salamina en el que la flota ateniense había derrotado a la persa: podía verse al Gran Rey huyendo aterrorizado, perseguido por negras nubes y vientos tempestuosos.

Alejandro hubiera querido no alejarse nunca de aquel lugar de maravillas, aquel guardajoyas de tesoros artísticos donde el genio humano había dado las más altas pruebas de su valía, pero el deber y los mensajes de su padre le reclamaban en Pella.

También su madre Olimpia le había escrito muchas veces, congratulándose con él por la batalla de Queronea y diciéndole cuánto le echaba de menos. En aquella insistencia no del todo explicada, Alejandro intuía una profunda inquietud, un malestar inconfesado que seguramente debía de estar motivado por algún nuevo acontecimiento, por un aguijón doloroso, si es que podía preciarse de conocer bien a su madre.

Partió, pues, un día a principios del verano junto con su escolta, en dirección al sur. Entró en Beocia desde Tanagra, pasó cerca de Tebas en una tarde sofocante, atravesando la llanura bajo los rayos ardientes del sol, y luego cabalgó a orillas del lago Copais, que estaban veladas por una densa calina.

De vez en cuando una garza real, con lento batir de alas, hendía las nieblas que cubrían las riberas pantanosas, semejante a un fantasma; gritos de pájaros invisibles traspasaban el húmedo calor estival como reclamos ahogados. Negros crespones pendían de las puertas de las casas y de los pueblos, porque la muerte había golpeado a muchas familias en la persona de sus seres más queridos.

Llegó a Queronea al día siguiente, al caer la tarde. Le pareció una ciudad de espectros bajo el cielo sin luna nueva y no consiguió evocar ninguna imagen de la reciente victoria que le complaciese. El lamento del chacal y el sollozo de las lechuzas le traían a la memoria tan sólo pensamientos angustiosos durante la noche que pasó, llena de pesadillas, bajo la tienda levantada a la sombra de una enorme y solitaria encina.

Su padre no vino a recibirle porque se hallaba en Lincestide para verse con los jefes de tribu ilirios y el joven entró en palacio casi de forma privada, después de la puesta del Sol, recibido por *Peritas* que, loco de alegría, corría en todas direcciones, se revolcaba por el suelo aullando y meneando la cola y luego le saltaba encima para lamerle la cara y las manos.

Alejandro se liberó de él con alguna que otra caricia y alcanzó enseguida sus habitaciones donde le estaba esperando Kampaspe.

La muchacha corrió a su encuentro y le abrazó estrechamente, luego le despojó de las ropas llenas de polvo y le dio un baño demorándose largamente con sus suaves manos sobre sus miembros cansados por el largo viaje. Al salir Alejandro del baño, ella comenzó a desnudarse, pero precisamente en aquel momento entró Leptina. Estaba roja como la grana y mantenía la mirada baja.

—Olimpia quiere que vayas a verla lo antes posible —le comunicó—. Espera que te quedes en su compañía para la cena.

—Así lo haré —repuso Alejandro. Y mientras Leptina se alejaba susurró al oído de Kampaspe—: Espérame.

Apenas le vio, la reina le estrechó en un abrazo frenético.

—¿Qué pasa, mamá? —le preguntó el joven separándola de sí y mirándola fijamente.

Olimpia tenía unos ojos enormes y oscuros como los lagos de las montañas de su país natal y su mirada reflejaba en aquellos momentos el contraste violento de las pasiones que agitaban su espíritu.

Agachó la cabeza mordiéndose el labio inferior.

—¿Qué pasa, mamá? —repitió Alejandro.

Olimpia se volvió hacia la ventana para esconder su contrariedad y vergüenza.

—Tu padre tiene una amante.

—Mi padre tiene siete mujeres. Es un hombre fogoso y una sola mujer nunca le ha bastado. Además, es nuestro rey.

—Esta vez es distinto. Tu padre se ha enamorado de una muchacha que tiene la edad de tu hermana.

—Tenía que ocurrir. Se le pasará.

—Te digo que esta vez es distinto: está enamorado, ha perdido la cabeza. Es como... —dejó escapar un breve suspiro— como cuando le conocí.

—¿Qué diferencia hay?

—Mucha —afirmó Olimpia—. La muchacha está encinta y él quiere casarse con ella.

—¿Quién es? —preguntó Alejandro sombrío.

—Eurídice, la hija del general Átalo. ¿Comprendes ahora por qué estoy preocupada? Eurídice es macedonia, hija de la mejor nobleza, no es una extranjera como yo.

—Eso no significa nada. Tú eres de estirpe de reyes, descendiente de Pirro, hijo de Aquiles, y de Andrómaca, esposa de Héctor.

—Cuentos, hijo mío. Supongamos que la muchacha dé a luz un varón...

Alejandro enmudeció, agitado por una turbación imprevista.

—Explícate de forma más clara. Di lo que piensas: nadie nos escucha.

—Supongamos, pues, que Filipo me repudie y que declare a Eurídice reina, cosa que puede hacer: el niño de Eurídice se convertiría en el heredero legítimo y tú en el bastardo, el hijo de la extranjera repudiada.

—Pero ¿por qué iba a hacerlo? Mi padre siempre me ha querido, ha buscado siempre lo mejor para mí. Me ha educado para ser rey.

—No lo entiendes. Una muchacha hermosa y ardiente puede trastornar completamente la cabeza de un hombre maduro, y un niño recién nacido atraerá toda su atención porque le hará sentirse joven, haciendo retroceder el tiempo que corre inexorable.

Alejandro no supo qué responder, pero se veía que aquellas palabras le habían producido una profunda turbación.

Se sentó en una silla y apoyó la frente en su mano izquierda, como si quisiera recoger sus pensamientos.

—¿Qué debería hacer, según tú?

—No lo sé ni yo misma —hubo de admitir la reina—. Estoy indignada, trastornada, furibunda por la humillación que se me inflige. Si yo fuera un hombre...

—Yo lo soy —observó Alejandro.

—Pero eres su hijo.

—¿Qué tratas de decir?

—Nada. La humillación que tengo que soportar me hace perder el juicio.

—Entonces, ¿qué debería hacer, según tú?

—Nada. Ahora no se puede hacer nada. Pero he querido hablarte de ello para ponerte en guardia, porque de ahora en adelante podría suceder algo.

—¿Es tan bella de verdad? —preguntó Alejandro.

Olimpia bajó la cabeza y se veía lo mucho que le costaba responder a aquella pregunta.

—Más de lo que puedas imaginarte. Y su padre Átalo se la ha metido en la cama. Es evidente que tiene un plan preciso y sabe que tiene detrás de sí a muchos de los nobles macedonios. Me odian, lo sé.

Alejandro se alzó para saludarla.

—¿No te quedas a cenar? He hecho que prepararan cena también para ti. Las cosas que te gustan.

—No tengo hambre, mamá. Y estoy cansado. Ruego me disculpes. Te volveré a ver pronto. Trata de mantener la serenidad. No creo que haya mucho que hacer por ahora.

Salió trastornado por la conversación mantenida con su madre. La idea de que su padre le relegase de golpe y porrazo de sus pensamientos y proyectos no se le había pasado jamás por la cabeza, y no lo hubiera esperado nunca en un momento en que se había hecho merecedor de su agradecimiento contribuyendo de forma determinante a la gran victoria de Queronea y llevando a cabo la delicada misión diplomática en Atenas.

Para ahuyentar aquellos pensamientos bajó a las caballerizas a fin de ver a *Bucéfalo* y el caballo reconoció inmediatamente su voz, piafando y relinchando. El lugar era mantenido en el más perfecto orden y aromatizado con heno fresco. La gualdrapa del animal era brillante, la crin y la cola estaban peinadas como la melena de una muchacha. Alejandro se le acercó y le abrazó, acariciándole largo rato el cuello y el morro.

—¡Por fin has vuelto! —dijo una voz a sus espaldas—. Sabía que te encontraría aquí. ¿Y qué? ¿Cómo encuentras a tu *Bucéfalo*? ¿Ves cómo te lo he cuidado? Igual que a una hermosa mujer, te lo prometí.

—¡Ah, eres tú, Hefestión!

El joven se adelantó y le dio una palmada en el hombro.

—Ah, bandido, te he echado de menos.

Alejandro se la devolvió.

—También yo a ti, ladrón de caballos.

Se arrojaron en brazos el uno del otro y se estrecharon en un enérgico y fuerte apretón, más fuerte que la amistad, el tiempo, la muerte.

Alejandro regresó tarde a su aposento y encontró a Leptina dormida, sentada en el suelo delante de su puerta con el velón al lado ya apagado.

Se inclinó para mirarla en silencio antes de levantarla delicadamente en brazos, la depositó en el lecho y le acarició la boca con un beso. Aquella noche Kampaspe le esperó inútilmente.

Filipo volvió pocos días después, le convocó inmediatamente en sus habitaciones y le abrazó impetuosamente apenas le vio.

—Por los dioses, tienes un aspecto magnífico; ¿cómo te lo has pasado en Atenas? —Pero sintió que el hijo le devolvía el abrazo con incomodidad—. ¿Qué pasa, muchacho? ¿No te habrán ablandado esos atenienses? ¿O acaso te has enamorado? ¡Oh, por Heracles!, no me digas que te has enamorado. ¡Ah! Le regalo la más experta de las hetairas y va él y se enamora de... ¿de quién? ¿De una hermosa ateniense? No me lo digas, que ya lo sé: la fascinación de las atenienses no tiene igual. Ah, ésta si que es buena: tengo que contárselo a Parmenio.

—No estoy enamorado, padre. Pero me dicen que tú si que lo estás.

Filipo se quedó helado de golpe y comenzó a medir la habitación a grandes pasos.

—Tu madre. ¡Tu madre! —exclamó—. Es rencorosa, está devorada por los celos y por la mala intención. Y quiere ponerte en mi contra. Es así, ¿no es cierto?

—Tienes otra mujer —afirmó Alejandro gélido.

—¿Y qué tiene eso que ver? No será la primera ni la última. Es una verdadera flor, hermosa como el sol, como Afrodita. ¡Más hermosa aún! Me la encontré desnuda entre los brazos, con dos pechos que parecían dos peras maduras, suave, depilada, perfumada, y se me entregó: ¿qué podía hacer yo? ¡Tu madre me odia, me detesta, me escupiría a la cara cuantas veces me ve! Y esa niña es dulce como la miel.

Se dejó caer en un asiento y con rápido gesto se echó el manto sobre las rodillas, señal de que estaba furioso.

—No es a mí a quien debes dar cuenta de a quién te llevas a la cama, padre.

—Deja ya de llamarme «padre»: ¡estamos solos!

—Pero mi madre se siente humillada, rechazada, y está preocupada.

—¡Ya te he entendido! —gritó Filipo—. ¡He entendido! Ella está tratando de indisponerme contigo. Y sin ningún motivo. ¡Ven, ven conmigo! Mira qué sorpresa te había preparado, antes de que tú me arruinases el día con estas estupideces. ¡Ven!

Le llevó por debajo de una escalera y luego al fondo de un corredor, a la zona de los talleres. Abrió de par en par una puerta empujándole hacia dentro poco menos que a la fuerza.

—¡Mira!

Alejandro se encontró en medio de una habitación a la que daba luz una gran ventana lateral. Sobre una mesa había un plato de arcilla que le representaba a él de perfil y con los cabellos ceñidos por una corona de laurel, como el dios Apolo.

—¿Te gusta? —preguntó una voz desde un ángulo oscuro.

—¡Lisipo! —exclamó Alejandro volviéndose de repente y abrazando al maestro.

—¿Te gusta? —repitió Filipo detrás de él.

—Pero ¿qué es?

—Es el modelo de una estatera de oro del reino de Macedonia que será acuñada a partir de mañana en recuerdo de tu victoria en Queronea y tu dignidad de heredero al trono. Circulará por todo el mundo en diez mil piezas —respondió el soberano.

Alejandro agachó la cabeza, confuso.

El gesto de Filipo y la presencia de Lisipo en la corte sirvieron para despejar por un tiempo las nubes que habían oscurecido la relación entre padre e hijo, pero Alejandro pronto se dio cuenta personalmente de lo importante que eran los lazos que unían a su padre con la joven Eurídice.

No obstante, los apremiantes compromisos de la política distrajeron tanto al rey como al príncipe de los asuntos privados de la corte. Había llegado la respuesta del rey de los persas Arsés y era más despreciativa aún si cabe que la carta de Filipo. Se la leyó Eumenes, no bien la hubo recibido del correo.

> Arsés, rey de los persas, Rey de Reyes, luz de los arios y señor de los cuatro confines de la Tierra, a Filipo el macedonio.
>
> Lo que hiciera mi padre Artajerjes, tercero de este nombre, bien hecho está y tú lo que deberías hacer es más bien pagarnos un tributo siguiendo el ejemplo de tus antecesores, siendo como eres un vasallo nuestro.

El soberano convocó inmediatamente a Alejandro y le hizo echar un vistazo a la misiva.

—Todo marcha como había previsto: mi plan toma cuerpo en cada detalle. El persa se niega a pagar por los daños que su padre nos causó y eso es más que suficiente para declararle la guerra. Es mi sueño, que se hace realidad. Yo unificaré a todos los griegos de la madre patria y de las colonias de Oriente, salvaré la cultura helénica y la difundiré por doquier. Demóstenes no ha comprendido mi proyecto y ha combatido contra mí como si yo fuera un tirano, pero ¡mira a tu alrededor! Los griegos son libres y yo he puesto una guarnición de soldados macedonios únicamente en la acrópolis de los traidores tebanos. He protegido a los arcadios y a los mesenios, he sido varias veces el campeón del santuario de Delfos.

—¿De veras quieres ir a Asia? —preguntó Alejandro, impresionado únicamente por aquella afirmación entre todas las vanaglorias de su padre.

Filipo le miró a los ojos.

—Sí. Y lo anunciaré en Corinto a los aliados. A todos les pediré que aporten contingentes de hombres y naves de guerra para la empresa que ningún griego ha conseguido nunca llevar a cabo.

—¿Y crees que te seguirán?

—No te quepa la menor duda —repuso Filipo—. Les explicaré que la finalidad de la expedición es liberar a las ciudades griegas de Asia de la dominación de los bárbaros. No podrán echarse atrás.

—Pero ¿es ése el verdadero fin de la expedición?

—Tenemos el ejército más fuerte del mundo, Asia es inmensa y no existe límite para la gloria que un hombre puede conquistar, hijo mío —afirmó el rey.

Pocos días después llegó a Pella otro huésped, el pintor Apeles, a quien muchos consideraban en aquellos momentos el más grande del mundo entero. Le había mandado llamar Filipo para hacerse retratar junto con la reina, naturalmente con las debidas correcciones y el debido embellecimiento, en una imagen oficial que debía ser colgada en el santuario de Delfos, pero Olimpia se negó a posar al lado del marido y Apeles tuvo que espiarla de lejos para los bocetos preparatorios.

El resultado final, en cualquier caso, entusiasmó a Filipo, que le pidió al pintor que retratase también a Alejandro, pero el joven se negó.

—Quiero más bien que pintes a una amiga mía —le dijo—. Desnuda.

—¿Desnuda? —preguntó Apeles.

—Sí. Echo de menos su belleza cuando estoy lejos. Tienes que hacerme un cuadro no demasiado grande, que pueda llevar conmigo, pero muy fiel.

—Te parecerá verla en carne y hueso, mi señor —le aseguró Apeles.

Y así Kampaspe, que se decía era la más bella mujer de Grecia, posó desnuda y en todo su esplendor delante del más grande de los pintores.

Alejandro estaba impaciente por admirar el resultado de un encuentro tan extraordinario y pasaba todos los días a ver los progresos de la obra, pero pronto se dio cuenta de que no había progreso alguno, o casi. Apeles seguía haciendo bocetos y borrándolos para trazar otros nuevos.

—Pero este cuadro es como la tela de Penélope —observó el joven—. ¿Qué es lo que no funciona?

Apeles estaba evidentemente incómodo. Miraba a la bellísima modelo y a continuación a Alejandro, para volver de nuevo los ojos hacia la muchacha.

—¿Qué es? —repitió el príncipe.

—El hecho es... El hecho es que no puedo soportar la idea de separarme de tan espléndida belleza.

Alejandro miró a su vez a Kampaspe y al maestro e intuyó que en aquellas largas sesiones no se habían ocupado tan sólo del arte pictórico.

—Comprendo —dijo.

Pensó en aquel momento en Leptina, que tenía siempre los ojos rojos de llanto, y pensó que mujeres igual de hermosas no le faltarían en el futuro. Consideró asimismo el hecho de que Kampaspe se volvía cada día más petulante y pretenciosa. Entonces se acercó al pintor y le susurró al oído:

—Tengo una propuesta para ti. Si me regalas el cuadro, yo te dejo a la muchacha para ti. Siempre y cuando, claro está, ella no tenga ningún inconveniente.

—Oh, mi señor... —balbuceó el gran artista conmovido—. No sé cómo expresarte mi agradecimiento. Yo... yo...

El joven príncipe le dio una palmada en un hombro:

—Lo importante es que seáis felices y que el cuadro salga bien.

Luego abrió la puerta y se fue.

Filipo y Alejandro se dirigieron a Corinto hacia finales del verano y fueron hospedados a cargo de la ciudad. La elección del lugar no tenía nada de casual: fue en Corinto donde ciento cincuenta años antes los griegos habían jurado resistir al invasor persa y de allí tenía que partir un nuevo juramento que uniera a todos los griegos del continente y de las islas en una gran expedición a Asia. Una empresa que haría palidecer la gloria de la guerra de Troya cantada por Homero.

En un apasionado discurso ante los delegados, Filipo volvió a evocar todas las fases de la contienda entre Europa y Asia, sin olvidar tampoco los episodios de la mitología; recordó a los muertos de Maratón y de las Termópilas, el incendio de la acrópolis de Atenas y de sus templos. Aunque se tratase de acontecimientos acaecidos varias generaciones antes, permanecían no obstante vivos en la cultura popular, en parte porque Persia no había dejado jamás de entrometerse en los asuntos internos de los estados griegos.

Pero más que estos desvaídos recuerdos de las invasiones persas fue la decisión de Filipo la que les convenció, la conciencia de que no había opción contra su voluntad y que su modo de hacer política contemplaba también la guerra. La triste suerte de Tebas y de sus aliados estaba aún ante los ojos de todo el mundo.

Finalmente la asamblea confirió al rey de los macedonios la misión de caudillo panhelénico para una gran expedición contra Persia, aunque muchos de los delegados pensaban que se trataba de una bonita idea propagandística. Se equivocaban.

Alejandro tuvo ocasión en aquellos días de visitar Corinto, que no había visto nunca antes. Subió en compañía de Calístenes a la acrópolis, prácticamente inexpugnable, y admiró los magníficos templos de Apolo y de Poseidón, el dios del mar protector de la ciudad.

Se quedó impresionado sobre todo por el «trineo naval», un espectacular artilugio que permitía a las naves pasar del golfo de Egina al golfo de Corinto atravesando el istmo de tierra que los separaba, evitando así la circunnavegación del Peloponeso con sus penínsulas de cortantes escollos.

Se trataba de una rampa de madera, untada continuamente de grasa de buey, que ascendía del golfo de Egina, alcanzaba la cima del istmo y descendía por el otro lado del golfo de Corinto. La nave que debía pasar era arrastrada por la rampa por unos bueyes hasta el punto más alto y se detenía allí en espera de que llegase otra nave que le enganchaban detrás.

En aquel punto la nave ya en lo alto era empujada hacia abajo de modo que, al descender, arrastraba hacia arriba a la segunda, la cual, al propio tiempo, con su peso aminoraba el descenso de la primera. A la segunda nave, una vez en lo alto, se enganchaba una tercera, mientras que la primera podía tomar rumbo mar adentro, y así sucesivamente.

—¿Nunca ha pensado nadie en excavar un canal para unir ambos golfos? —preguntó Alejandro a sus huéspedes corintios.

—De haber querido los dioses que el mar estuviese donde se halla la tierra, habrían hecho del Peloponeso una isla, ¿no crees? —repuso su guía—. Recuerda lo que le sucedió al Gran Rey de los persas en tiempos de la invasión de Grecia: construyó un puente sobre el mar para hacer pasar a su ejército por los estrechos y cortó con un canal la península del monte Athos para que su flota navegara, pero luego fue duramente derrotado, por tierra y por mar, en castigo por su presunción.

—Es cierto —hubo de admitir Alejandro—. En cierta ocasión mi padre me llevó a ver aquella enorme zanja y me habló de la empresa del Gran Rey. Por eso he pensado en un canal.

Le dijeron también que en las cercanías vivía Diógenes, el célebre filósofo cínico del que se contaban historias increíbles.

—Lo sé —replicó Alejandro—. Aristóteles me enseñó las teorías de los cínicos. Diógenes considera que únicamente privándose de todo lo que es superfluo puede liberarse uno de todo tipo de deseo y, por tanto, de todo tipo de infelicidad.

—Una extraña teoría —intervino Calístenes—. Privarse de todo para alcanzar, no la felicidad, sino únicamente la imperturbabilidad, me parece un ejercicio más bien necio, aparte de una completa pérdida de tiempo. Sería como quemar madera para vender las cenizas, ¿no te parece?

—Puede ser —dijo Alejandro—. Y sin embargo me gustaría conocerle. ¿Es cierto que vive dentro de una tinaja de aceite?

—Es muy cierto. Durante el último conflicto, cuando las tropas de tu padre estrechaban su cerco sobre nosotros, todos los ciudadanos se hallaban ocupados en reforzar las murallas y corrían de aquí para allá atareados. De pronto Diógenes se puso a empujar su tinaja pendiente arriba, para luego hacerla rodar hacia abajo y volverla a empujar nuevamente hacia arriba. «Pero ¿por qué haces eso?», le preguntaron. Y él respondió: «Por ningún motivo especial. Pero veo a los demás tan atareados que me parece mal estar de brazos cruzados». Eso os dice todo del hombre. Sólo tenéis que pensar que no tenía más utensilio que una escudilla para sacar agua de la fuente, pero un día vio a un niño que bebía juntando las manos y se desprendió también de la escudilla. Pero ¿de veras querrías conocerle?

—Sí, por favor —repuso Alejandro.

—Si tanto interés tienes... —resopló Calístenes con aire de suficiencia—. El espectáculo no será de lo más agradable que digamos. ¿Sabes por qué Diógenes y sus discípulos son conocidos como «cínicos», no? Porque según sus teorías nada de lo que es natural es obsceno y, por tanto, lo hacen todo a la vista del público, como los perros.

—En efecto —confirmó su guía—. Venid, pues puede decirse que no vive muy lejos de aquí. Está a la vera del camino, donde puede recibir más fácilmente las limosnas de los caminantes.

Caminaron un poco por la calle que llevaba del «trineo naval» hasta el santuario de Poseidón y Alejandro fue el primero en verle, desde lejos.

Era un viejo de unos setenta años, completamente desnudo, y estaba apoyado de espaldas a una gran orza de terracota dentro de la cual podían entreverse una yacija de paja y un pedazo de manta. El cubil de *Peritas*, pensó Alejandro, era seguramente mucho más confortable. Sentado en el suelo había un perrito, un bastardillo que probablemente comía con él en la misma escudilla y compartía su yacija.

Diógenes tenía los brazos apoyados en las rodillas y la cabeza reclinada hacia atrás contra su miserable habitáculo, dejando calentar sus arrugados miembros por el último sol del estío. Estaba casi completamente calvo, pero le había crecido el pelo en la nuca hasta llegarle a media espalda. Tenía el rostro demacrado, surcado por muchas y profundas arrugas y enmarcado por una barbilla rala y poco crecida, los pómulos salientes y unas profundas ojeras bajo una frente despejada y en cierto modo luminosa.

Mantenía los ojos completamente cerrados y estaba absolutamente inmóvil.

Alejandro se detuvo ante él y se quedó mirándole largo rato en silencio, sin que él diese la menor señal de haber advertido su presencia y sin abrir siquiera un momento los ojos.

El joven príncipe se preguntaba qué podía estar pasando detrás de aquella despejada frente, de aquel poderoso cráneo apoyado sobre aquel frágil cuello, sobre aquel cuerpo endeble y macilento. ¿Qué le había llevado, tras una vida dedicada a indagar acerca del espíritu humano, a yacer desnudo y pobre por los caminos, a convertirse en objeto de irrisión y de compasión de los caminantes?

Se sintió conmovido por aquella orgullosa pobreza, por aquella sencillez absoluta, por aquel cuerpo que cuando se presentara la muerte quería que le encontrase despojado de todo, como en el momento de nacer.

Le habría gustado que hubiese estado Aristóteles con él, habría querido ver a aquellas dos mentes batirse en duelo al sol como campeones con la lanza y la espada y le habría gustado decirle cuánto le admiraba. Se le escapó, en cambio, una frase desafortunada:

—Salve, Diógenes. Quien tienes ante ti es Alejandro de Macedonia. Pídeme lo que quieras y estaré encantado de dártelo.

El viejo abrió su desdentada boca.

—¿Cualquier cosa? —preguntó con una vocecita estridente, sin siquiera abrir los ojos.

—Cualquier cosa —repitió Alejandro.

—Entonces, apártate, que no me dejas ver el sol.

Alejandro se apartó inmediatamente y se sentó a su lado, como un postulante.

Se volvió hacia Calístenes.

—Déjanos solos. No sé si va a decirme nada más, pero si lo hace serán palabras que no pueden ser escritas, amigo mío.

Calístenes vio que tenía los ojos relucientes.

—Tal vez tienes razón, tal vez todo no es más que una pérdida de tiempo, como quemar leña para vender la ceniza, pero yo daría cualquier cosa por saber qué es lo que pasa detrás de esos párpados cerrados. Y créeme, si no fuera quien soy, si no fuese Alejandro, quisiera ser Diógenes.

28

Nadie supo qué se dijeron, pero Alejandro no olvidó jamás aquel encuentro, y acaso tampoco Diógenes.

Dos días después Filipo y su séquito retomaron el camino del norte en dirección a Macedonia y el príncipe partió con ellos.

Llegado a Pella, el soberano se dedicó a los preparativos de la gran expedición a Oriente. Casi a diario se celebraba un consejo de guerra en el que participaban los generales, Átalo, Clito *El Negro*, Antípatro y Parmenio, para organizar la leva de los guerreros, el equipamiento, el aprovisionamiento. Las buenas relaciones con Atenas garantizarían la seguridad del mar y el transporte del ejército a Asia por medio de la flota macedonia y las naves de las flotas aliadas.

Alejandro estuvo totalmente absorbido por esta febril actividad y parecía no pensar mucho en la preñez de Eurídice ni en las angustias de su madre, que le mandaba continuos mensajes cuando se hallaba fuera, o bien le pedía conversar en privado cuando se encontraba en palacio.

Olimpia mantenía también una asidua correspondencia con su hermano, Alejandro de Epiro, a fin de asegurarse su apoyo: se sentía más sola que nunca, de capa caída, relegada a sus habitaciones.

No pensaba en nada más y no hablaba de otra cosa con las personas que le seguían guardando fidelidad que de su triste condición. Sabía, en efecto, que, en el momento en que la nueva reina fuera condecorada con sus nuevas prerrogativas, ni siquiera le serían permitidas las apariciones en público; que no le quedarían ni siquiera los compromisos oficiales para recibir a los huéspedes y a las delegaciones extranjeras, para entretener en sus habitaciones a las mujeres y las amigas de los visitantes.

Y sobre todo temía que iba a perder cuanto quedaba de su poder personal como madre del heredero al trono.

Alejandro estaba más tranquilo, rodeado de sus amigos que le demostraban a diario su devoción y fidelidad.

Contaba además con la estima profunda y sincera de los generales Parmenio y Antípatro, brazo derecho e izquierdo respectivamente de su padre el rey, que le habían visto desempeñarse como hombre de gobierno y como combatiente en el campo de batalla. Sabían que el reino estaría seguro, si era un día confiado a sus manos. Pero en realidad la situación dinástica no estaba del todo tranquila: los primos de Alejandro, Amintas y su hermano Arquelao, siempre podrían encontrar apoyo en un determinado sector de la nobleza, mientras que su hermanastro, Arrideo, medio retrasado mental, no parecía por el momento crear ninguna molestia.

La fecha del matrimonio de Filipo fue anunciada oficialmente al comienzo del invierno y, no por esperada, dejó de tener el efecto de un rayo.

Impresionó a todos la extraordinaria solemnidad que el rey quería imprimir a la ceremonia y el fasto con que era preparada.

Eumenes, responsable ya de toda la gestión de la secretaría general, informaba a Alejandro de cada detalle: el rango de los invitados, los gastos de vestuario, los ornamentos, las comidas, los vinos, los preparativos, las joyas para la esposa y para sus damas de honor.

Alejandro trataba de ahorrarle a su madre la mayor parte de estas noticias para no herirla en exceso, pero Olimpia tenía ojos y oídos por todas partes y acababa por enterarse de todo cuanto estaba sucediendo antes que su propio hijo.

Cuando ya faltaba poco para el gran día, la reina recibió oficialmente la invitación del soberano a tomar parte en las nupcias e idéntica invitación fue entregada a Alejandro. Ambos sabían que una invitación de Filipo era en realidad una orden, y tanto la madre como el hijo se aprestaron, mal de su grado, a tomar parte en la ceremonia y en el suntuoso banquete que iba a celebrarse inmediatamente después.

Eumenes había tenido que hacer verdaderos juegos malabares para disponer los lechos y las mesas de los invitados a fin de impedir contactos que condujesen de forma inevitable a enfrentamientos o peleas. Los jefes de las tribus y los príncipes macedonios estaban más o menos alineados de un lado o del otro, y cuando el vino comenzara a correr a mares, también la sangre podía correr del mismo modo como consecuencia de una frase o de un gesto mal interpretado.

La esposa era encantadora e iba vestida con todos los atributos de una reina, pero eran claramente visibles los signos de su embarazo. Llevaba una diadema de oro y el cabello recogido detrás de la nuca en un rodete que sostenían unas grandes fíbulas de oro de cabeza de coral; vestía un peplo tejido en plata y adornado con encajes de extraordinaria belleza, que imitaban el estilo de los pintores ceramistas reproduciendo una escena de danza de unas muchachas delante de la estatua de Afrodita, e iba tocada con el velo nupcial que le cubría parcialmente la frente.

Alejandro, por su papel de heredero al trono, hubo de asistir de cerca a la ceremonia y también después, durante el banquete, tuvo que recostarse a no mucha distancia de su padre.

Olimpia, con sus damas de compañía, se encontraba, en cambio, en el lado opuesto a Filipo, en el otro extremo de la gran sala del convite, y con ella había preferido estar también la princesa Cleopatra que, por lo que se decía, no hacía muy buenas migas con Eurídice, muchacha de su misma edad.

Los lechos estaban colocados en los cuatro lados de un rectángulo y sólo al fondo, en el lado derecho, había una abertura para permitir el acceso de los cocineros con los platos de manjares y el movimiento de los siervos que escanciaban el vino y limpiaban acto seguido el suelo de desperdicios.

Un grupo de tañedoras de flauta había comenzado a hacer sonar sus instrumentos y algunas danzarinas se movían entre las mesas y en el espacio central que se abría en medio del gran rectángulo del convite. La atmósfera comenzaba a calentarse y Alejandro, que no había bebido un solo sorbo de vino, no quitaba ojo a su madre disimuladamente. Estaba hermosísima y altiva, el rostro pálido, la mirada glacial; parecía dominar aquella suerte de bacanal, el alboroto de los ebrios, la música estridente de las tañedoras de flauta, como la estatua de una implacable divinidad de la venganza.

No probó ni bebió nada en todo el rato, mientras Filipo se abandonaba a todo tipo de desafueros tanto con la joven esposa que se defendía con unas risitas complacientes como con las danzarinas que pasaban por su lado. Y otro tanto hacían los restantes comensales, sobre todo los macedonios.

Llegó el momento de los brindis y, con arreglo al ceremonial, le tocó al suegro alzar la copa para las felicitaciones. Átalo no estaba menos beodo que los demás: se puso en pie tambaleándose y levantó la copa colmada haciendo salpicar el vino sobre el recamado cojín y también sobre los que tenía más cerca. Luego dijo con voz insegura:

—Brindo por la pareja real, por la virilidad del esposo y la belleza de la esposa. ¡Quieran los dioses conceder un legítimo heredero al reino de Macedonia!

La frase era la más desafortunada que hubiera podido pronunciar en aquel momento, porque traía a la memoria los rumores que circulaban entre la nobleza macedonia acerca de la infidelidad de la reina y era una ofensa sangrante para el heredero designado.

Olimpia se puso pálida como la muerte. Todos quienes habían oído claramente el brindis de Átalo enmudecieron y volvieron la cabeza hacia Alejandro que se había puesto en pie rojo como la grana y como movido por un resorte, presa de uno de sus terribles ataques de cólera.

—¡Pedazo de idiota! —gritó—. ¡Hijo de perra! Porque ¿qué soy yo? ¿Un bastardo acaso? ¡Trágate tus palabras o te machacaré como a un cerdo!

Y desenvainó la espada para cumplir sus amenazas.

Ante aquellas palabras Filipo, enfurecido por cómo había ofendido Alejandro a su suegro y por cómo le arruinaba la fiesta de bodas, harto de vino y fuera de sí, sacó a su vez la espada y se arrojó sobre su hijo. La sala se llenó de gritos, las danzarinas salieron huyendo y los cocineros se escondieron bajo las mesas para ponerse a cubierto del huracán que estaba a punto de desencadenarse.

Pero mientras trataba de saltar de un lecho a otro para alcanzar a su hijo que le esperaba impasible, Filipo resbaló y acabó por los suelos con gran estrépito llevándose tras de sí manteles, vajillas, restos de comida y acabando en medio de un charco de rojo vino. Trató de levantarse, pero resbaló de nuevo y se cayó de bruces.

Alejandro se le acercó empuñando la espada y en la sala se hizo un silencio sepulcral. Las bailarinas temblaban hacinadas en un rincón. Átalo estaba pálido como el papel y un hilo de saliva le caía por una comisura de la boca semiabierta. La joven esposa lloriqueaba:

—¡Paradles, en nombre de los dioses, que alguien haga algo!

—¡Ahí le tenéis, miradle! —exclamó Alejandro con una risa burlona—. El hombre que quiere pasar de Europa a Asia no es capaz siquiera de pasar de un lecho a otro sin acabar patas arriba.

Filipo se arrastraba entre el vino y los restos de la comida gruñendo:

—¡Te mato! ¡Te mato!

Pero Alejandro ni parpadeó.

—Mucho será que consigas levantarte —dijo. Luego, volviéndose hacia los siervos, añadió—: Levantadle y limpiadle.

Se dirigió a continuación a donde estaba Olimpia.

—Vamos, madre, tenías razón: aquí ya no hay sitio para nosotros.

29

Alejandro salió de palacio a todo correr llevando a su madre de la mano, perseguido por los gritos furibundos de Filipo. Tan pronto como llegaron al patio le preguntó:

—¿Tienes ganas de cabalgar o quieres que te haga preparar un carruaje?

—No. Iré a caballo.

—Cámbiate de vestido y espérame lista en la puerta de tu habitación: pasaré a recogerte dentro de unos pocos instantes. No olvides el manto y las ropas de abrigo. Nos vamos a la montaña.

—¡Por fin! —exclamó la reina.

Alejandro corrió a las caballerizas, cogió a *Bucéfalo* y un caballo bayo sármata con arreos, gualdrapa y alforjas de viaje y salió de las caballerizas llegándose a la esquina sur de palacio.

—¡Alejandro! ¡Espera! —gritó una voz a sus espaldas.

—¡Hefestión! Vuelve atrás, mi padre la tomará contigo.

—No me importa, no pienso dejarte. ¿Adónde te diriges?

—A Epiro, a casa de mi tío.

—¿Por qué camino?

—Por Beroea.

—Parte. Yo me reuniré con vosotros más tarde.

—Está bien. Saluda a los demás y dile a Eumenes que cuide de *Peritas*.

—Descuida.

Hefestión se fue corriendo.

—¡Un hueso al día por lo menos! —le gritó a sus espaldas Alejandro—. ¡Para los dientes!

El amigo le hizo con la mano una señal de que había comprendido y desapareció de nuevo en el interior de las caballerizas.

Olimpia estaba lista. Se había recogido el pelo en un moño y puesto un corpiño de piel y unos pantalones ilirios, y llevaba sobre los hombros dos alforjas con mantas, provisiones y una bolsa de dinero. Una de sus doncellas la seguía entre lloriqueos:

—Pero... Reina...

—Vuelve adentro y enciérrate en la habitación —le ordenó Olimpia.

Alejandro le tendió las bridas del caballo.

—Mamá, ¿dónde está Cleopatra? No puedo irme sin despedirme de ella.

—Ha mandado una doncella para avisarme de que te espera en el atrio de las dependencias de las mujeres, pero cada momento que perdemos puede resultar fatal, como bien sabes.

—Me daré prisa, mamá.

Se cubrió la cabeza con la capucha del manto y corrió a donde le esperaba su hermana, pálida y temblorosa, vestida aún con las ropas de gala.

Apenas Cleopatra le vio, le arrojó los brazos al cuello llorando.

—No te vayas, no te vayas. Ya le pediré yo a papá que te perdone, me arrojaré a sus pies: no podrá decirme que no.

—¿Dónde está ahora?

—Le han llevado a su aposento.

—¿Borracho?

Cleopatra asintió.

—Tengo que huir antes de que recobre el conocimiento. Ahora ya no hay sitio aquí para mí, y tampoco para nuestra madre. Te escribiré, si me es posible. Te quiero, hermana.

Cleopatra estalló en un llanto más desesperado aún si cabe y Alejandro tuvo que librarse casi a la fuerza de su abrazo.

—¿Cuando te volveré a ver? —gritó detrás de él la muchacha.

—Cuando los dioses quieran —repuso Alejandro—. ¡Pero estarás siempre en mi corazón!

Volvió a la carrera al lugar de la cita con su madre. La encontró lista.

—¡Partimos! —exclamó. Luego le echó una ojeada y sonrió—. Mamá, estás guapísima. Pareces una amazona.

Olimpia sacudió la cabeza.

—Una madre es siempre hermosa a los ojos de un hijo. Pero gracias, de todas formas, hijo mío.

Montó ágilmente en la silla y espoleó al caballo. También Alejandro dio un golpe a *Bucéfalo* con los talones y se lanzó al galope.

Se mantuvieron lejos de los caminos frecuentados, tomaron un sendero de campo que Alejandro había recorrido varias veces cuando se encontraba en Mieza y recorrieron un buen trecho antes de que cayera la oscuridad, sin que sucediera nada preocupante.

Se detuvieron un par de veces para que los caballos recobrasen el aliento y para abrevarlos, pero finalmente alcanzaron el gran bosque que recubría el monte Eordea y el valle del Haliakmon. Buscaron cobijo en una cueva donde manaba una fuente y Alejandro dejó a los caballos pacer libremente. A continuación se puso a encender un fuego con dos ramitas y una barrena.

—Esto me lo enseñó Aristóteles —explicó—. El rozamiento genera calor.

—¿Estuviste bien en Mieza?

—Fueron años muy hermosos, pero una vida de ese tipo no está hecha para mí.

Acercó unas hojas secas a las ramitas y comenzó a soplar sobre ellas cuando vio salir un poco de humo.

Una débil llamita se alzó y cobró pronto vigor a medida que Alejandro añadía hojas secas y ramiza.

Cuando la llama comenzó a crepitar, el joven puso unos leños más grandes, luego extendió su manto sobre el suelo.

—Ponte cómoda, mamá. Esta noche te prepararé yo la cena.

Olimpia se sentó y se quedó mirando fijamente, como encantada, la danza de las llamas en la soledad del bosque, mientras su hijo abría las alforjas, cogía un pan y lo ponía a tostar al fuego. Luego cortó con el cuchillo un trozo de queso y se lo ofreció.

Comenzaron a comer en silencio.

—La mejor cena en muchos años —observó Olimpia— y un lugar más hermoso que cualquier palacio. Tengo la impresión de haber vuelto hecha una niña a mis montañas.

Alejandro cogió agua de la fuente para ella con un vaso de boj y se la ofreció.

—Y sin embargo tampoco esto va contigo. Sentirías nostalgia de la política, de tus relaciones, de tus intrigas. ¿No crees?

—Tal vez. Pero ahora déjame soñar. La última vez que dormí contigo apenas si habías aprendido a andar. Y tu padre me amaba.

Se quedaron hablando en voz baja escuchando el susurro del viento nocturno entre las ramas de las encinas y el crepitar de las llamas de su solitario vivaque. Al final se durmieron, exhaustos por la larga jornada densa de emociones.

Se había apoderado de ambos una melancolía profunda: estaban desterrados y eran fugitivos, sin techo ni amigos. Y los dos sentían amargamente el distanciamiento de un hombre duro, violento, despótico, pero capaz como ningún otro de hacerse querer.

En el curso de la noche Alejandro abrió los ojos, desvelado por un ruido imperceptible, y se dio cuenta de que su madre no estaba a su lado. Miró alrededor y vio a cierta distancia una sombra por el sendero que discurría, iluminado por la luna, entre seculares troncos. Era Olimpia. Estaba de pie delante de una planta enorme de tronco hueco y parecía que hablase con alguien. Se acercó cautamente arrastrando los pies sobre el musgo hasta escasa distancia de ella y sintió que murmuraba algo en una lengua desconocida, luego callaba como si hubiera recibido una respuesta y acto seguido proseguía de nuevo, en voz baja.

Alejandro permaneció escondido observándola detrás de una encina y vio que se encaminaba por un sendero estriado por largas sombras de ramas que se extendían en medio de la luminosidad diáfana de la luna. La siguió, procurando en todo momento no ser visto y sin hacer el menor ruido. La madre se detuvo delante de las ruinas de un antiguo santuario en el que la estatua de culto de madera tallada resultaba a duras penas reconocible, corroída por el tiempo y la intemperie. La imagen arcaica de Dionisos, el dios del furor orgiástico y de la ebriedad, era iluminada por la luz trémula de algunas lámparas, señal de que el lugar seguía siendo visitado.

Olimpia se acercó a la estatua con ligereza, como si estuviese esbozando un paso de danza, alargó la mano sobre su basamento y entre los dedos le apareció como por ensalmo una flauta de caña que se puso a tocar inmediatamente, difundiendo al viento una nota intensa y sinuosa, una melodía mágica y arcana que en breve tiempo se elevó sobre todas las voces nocturnas del bosque, volando lejana entre las ramas apenas movidas por soplos de brisa.

Pasó el tiempo, y una música pareció responder desde el bosque, una tonada indefinible que se confundía ora con el susurro de las hojas, ora con el canto lejano del ruiseñor, y luego poco a poco se hacía más clara y distinta: primero una cascada de notas sombrías como el gorgotear de una fuente en la cavidad de una cueva, y luego más altas y nítidas.

Eran también aquéllas las notas de una flauta, o de muchas flautas primitivas de caña, que emitían un sonido prolongado y suspendido que hubiérase dicho modulado por el viento.

Olimpia depositó su intrumento sobre el basamento, se despojó del manto y comenzó a bailar al ritmo de aquella melodía hasta que del bosque salieron hombres y mujeres con los rostros cubiertos con máscaras de fieras, con aspecto de sátiros y ménades. Algunos soplaban unos caramillos, otros se pusieron a danzar en torno al ídolo y a la reina, como si reconocieran en ella a una segunda divinidad.

A medida que la danza se volvía más intensa y vertiginosa, iban llegando otros con tímpanos y tambores marcando el ritmo cada vez más frenéticamente. Ninguno de ellos resultaba reconocible, por la oscuridad y las máscaras, pero los cuerpos poco a poco se desnudaban, se apretujaban estrechamente en la danza y acto seguido en el suelo, alrededor de la estatua, entre los espasmos y las contorsiones de unas cópulas salvajes.

En medio de este caos de sonidos y de formas, Olimpia se había quedado repentinamente inmóvil como la estatua de madera de Dionisos, semejante a una divinidad de la noche. Unos hombres enmascarados, desnudos a la luz de la luna, se le acercaron casi arrastrándose, como animales.

Alejandro, excitado y turbado al mismo tiempo por aquella escena, estaba a punto de echar mano a la espada cuando descubrió algo que le bloqueó, lleno de estupor, contra el tronco del árbol que le ocultaba de la vista. Una enorme serpiente salía en aquel preciso instante de debajo de la tierra, alcanzaba la estatua del dios y luego se enroscaba lentamente por las piernas de su madre.

Olimpia no se movía, sus miembros estaban rígidos y tenía los ojos clavados en el vacío: parecía que no oyese ni viese nada de lo que sucedía. Otra serpiente salió de debajo de la tierra, y luego otra y otra más, y todas se retorcían deslizándose unas sobre otras por las piernas de la reina.

La más grande de todas ellas, la primera en orden de aparición, se alzó sobre las demás y rodeó con sus anillos el cuerpo de Olimpia hasta erguir la cabeza sobre la suya.

La música frenética había cesado de pronto, las figuras enmascaradas se habían retirado a los márgenes del claro del bosque, dominadas y casi espantadas por aquel acontecimiento sobrenatural. Luego la serpiente abrió de par en par las fauces, agitó la fina lengua bífida e hizo oír el mismo sonido que Olimpia había extraído de su flauta: una nota intensa y fluida, sombría y trémula como la voz del viento entre las encinas.

Los velones se apagaron uno tras otro y a la luz de la luna Alejandro vio escamas de reptiles resplandecer en la penumbra y luego desvanecerse en la nada. Dejó escapar un profundo suspiro y se secó la frente chorreante de sudor. Cuando miró de nuevo hacia el pequeño santuario derruido, el claro del bosque estaba completamente vacío y silencioso, como si nada hubiera pasado.

Sintió que le tocaban en aquel momento en un hombro y se volvió de golpe espada en mano.

—Soy yo, hijo —dijo Olimpia mirándole con una expresión de sorpresa—. Me he despertado y he visto que no estabas. ¿Qué haces en este lugar?

Alejandro alargó una mano hacia ella como si no creyera lo que sus ojos estaban viendo.

—Pero ¿qué te pasa? —preguntó de nuevo la reina.

Alejandro sacudió la cabeza como si tratara de despertarse de un sueño o de una pesadilla y se topó con los ojos de su madre, más negros y profundos que la noche.

—Nada —repuso él—. Volvamos.

Al día siguiente se levantaron cuando el sol hizo centellear el agua de la fuente y se pusieron en camino avanzando en silencio hacia el oeste. Parecía que ninguno de los dos se atreviese a hablar.

De repente Alejandro se volvió hacia ella.

—Se cuentan cosas extrañas de ti —dijo.

—¿Qué cosas? —preguntó Olimpia sin volverse.

—Dicen... Dicen que participas en los cultos secretos y en las orgías nocturnas de Dionisos y que tienes poderes mágicos.

—¿Y tú te lo crees?

—No lo sé.

Olimpia no replicó y cabalgaron largo rato, al paso, en silencio.

—Te he visto esta noche —prosiguió Alejandro.

—¿Qué es lo que has visto?

—Te he visto llamar a una orgía con el sonido de tu flauta y hacer salir serpientes del subsuelo.

Olimpia se volvió y le fulminó con una fría mirada, semejante a la luz en los ojos de la serpiente que había aparecido aquella noche.

—Tú has dado cuerpo a mis sueños y has seguido a mi espíritu entre los bosques: un simulacro inútil, como las sombras de los muertos. Porque eres parte de mí y partícipe de una fuerza divina.

—No era un sueño —afirmó Alejandro—. Estoy seguro de lo que he visto.

—Hay lugares y momentos en que sueño y realidad se confunden, hay personas que pueden traspasar los confines de la realidad y caminar por las regiones habitadas por el misterio. Un día me abandonarás y tendré que salir de mi cuerpo y volar por la noche hasta ti con el fin de verte, para escuchar tu voz y tu respiración, para estar a tu lado cuando me necesites, en cualquier momento.

Ninguno de los dos dijo una palabra más hasta que el Sol estuvo en lo alto del cielo y hubieron llegado hasta el camino de Beroea. Una vez allí llegó Hefestión y Alejandro se apeó del caballo y corrió a su encuentro.

—¿Cómo te las has arreglado para encontrarnos? —le preguntó.

—Tu *Bucéfalo* deja huellas como un toro salvaje. No ha sido tan difícil.

—¿Hay novedades?

—No puedo contarte gran cosa. Salí poco después que vosotros. Pero creo que el rey estaba tan borracho que no se sostenía en pie. Creo que le han lavado y metido en la cama.

—¿Crees que dará orden de perseguirme?

—¿Por qué?

—Quería matarme.

—Sólo había bebido. Me parece aún estar oyéndole. Tan pronto como despierte dirá: «¿Dónde está Alejandro?».

—No sé. Se han dicho palabras ofensivas. Es difícil enterrarlas en el olvido, para ambos. Y aun en el caso de que mi padre quisiera olvidarlas, siempre habrá alguien dispuesto a recordárselas.

—Es posible.

—¿Le dijiste a Eumenes que cuidara de mi perro?

—Fue lo primero que hice.

—Pobre *Peritas*. Se sentirá mal sin mí: creerá que lo he abandonado.

—También otros se sentirán mal sin ti, Alejandro. Y tampoco yo hubiese soportado tu lejanía: por eso he querido seguirte.

Espolearon a los caballos para alcanzar a Olimpia que cabalgaba sola.

—Salud a mi reina —dijo Hefestión.

—Salve, muchacho —repuso Olimpia.

Prosiguieron viaje juntos.

—¿Dónde está Alejandro?

Filipo acababa de salir del baño y las mujeres le dieron masaje en los hombros y la espalda con una sábana de lino.

El ayuda de campo se acercó.

—No está, señor.

—Ya veo que no está. Mándalo llamar.

—Quiero decir que se ha ido.

—¿Ido? ¿Ido adónde?

—No se sabe, señor.

—¡Ah! —gritó Filipo arrojando al suelo la sábana y caminando desnudo, a grandes pasos, hacia la habitación—. ¡Quiero que venga inmediatamente a pedirme excusas por lo que dijo! Me ha puesto en ridículo delante de mis huéspedes y de mi esposa. ¡Encontradle y traedle enseguida a mi presencia! Le pondré la cara como un mapa, la emprenderé a patadas con él, le...

El ayuda de campo estaba tieso como un palo y silencioso.

—Pero ¿me escuchas, por Zeus?

—Te estoy escuchando, señor, pero Alejandro se fue inmediatamente después de haber salido de la sala del banquete y tú estabas demasiado... demasiado indispuesto para tomar ninguna decisión al respecto y...

—¿Estás diciendo que estaba demasiado borracho para poder dar órdenes? —le gritó a la cara Filipo que acababa de volverse hacia él.

—El hecho es, señor, que no las diste y...

—¡Haced llamar a la reina! ¡Enseguida!

—¿A cuál, señor? —preguntó el ayuda de campo cada vez más incómodo.

—¿Que a cuál, demonios? ¿Qué quieres que haga con esa chiquilla? ¡Llama a la reina, enseguida!

—La reina Olimpia se ha marchado con Alejandro, señor.

El rugido del soberano se oyó en el cuerpo de guardia del fondo del patio. Poco después se vio al ayuda de campo descender a todo correr las escaleras y dar órdenes a todos aquéllos con quienes se encontraba. Y éstos saltaban a caballo y partían a la carrera en todas direcciones.

Aquel día también las delegaciones extranjeras se despidieron una tras otra y Filipo tuvo que recibirlas para saludar y dar las gracias por los suntuosos presentes que habían traído. Esta obligación le llevó la mañana entera y parte de la tarde.

Llegó a la noche cansado y disgustado, tanto por la semana ininterrumpida de festejos y banquetes como porque se sentía por primera vez en su vida solo como un perro.

Mandó a la cama a Eurídice, subió a la azotea y caminó largo rato de un lado al otro de la gran terraza iluminada por la luna. De golpe oyó resonar un ladrido insistente en el ala occidental de palacio, y luego un aullido interminable que se apagó en un ladrido quejumbroso.

También *Peritas* se había dado cuenta de que Alejandro ya no estaba allí y le vociferaba a la Luna toda su desesperación.

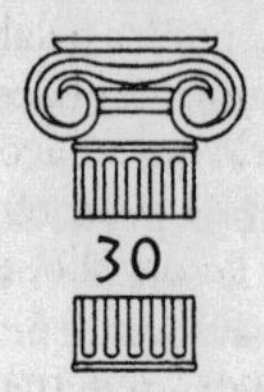

30

En una semana los tres fugitivos alcanzaron los confines de Epiro y se hicieron anunciar al rey Alejandro.

El joven soberano estaba ya al corriente de lo sucedido porque sus informadores empleaban un sistema más rápido para comunicarse con él y no tenían que tomar largos desvíos para no ser vistos.

Fue personalmente a recibirles, abrazó larga y afectuosamente a su hermana mayor y a su sobrino y, por último, también a Hefestión, al que había tenido ya ocasión de conocer muy bien cuando estaba en la corte de Filipo en Pella.

Durmieron aquella noche en una residencia de caza y volvieron a partir al día siguiente con una escolta de honor para llegar, en un par de jornadas más, a la residencia real de Butroto. La ciudad, asomada al mar, era el corazón mítico del pequeño reino de Epiro. Según la leyenda, había recalado allí Pirro, hijo de Aquiles, llevando consigo como esclavos a Andrómaca, la viuda de Héctor, y a Heleno, el adivino troyano. Pirro había hecho de Andrómaca su concubina y luego se la había ofrecido a Heleno. Y tanto de la primera como de la segunda unión habían nacido hijos que más tarde, al casarse entre ellos, habían dado origen a la dinastía real que dominaba aún aquellas tierras.

Así pues, por parte de madre, Alejandro de Macedonia descendía tanto del más grande de los héroes griegos como de la estirpe de Príamo que reinaba sobre Asia. Así cantaban los poetas que alegraban, por la noche, los banquetes del soberano y de sus huéspedes, los cuales vivieron tranquilos durante algunos días. Pero el rey de Epiro no se hacía ilusiones: sabía perfectamente que no tardaría en recibir visitas.

La primera le fue anunciada una mañana al amanecer, cuando no se había levantado aún del lecho. Era un jinete de la guardia personal de

Filipo, cubierto de fango de la cabeza a los pies: últimamente había llovido en la montaña.

—El rey está furioso —dijo sin aceptar siquiera un baño caliente—. Se esperaba que Alejandro se presentaría al día después para pedirle excusas por su comportamiento, por las palabras despreciativas con que se mofó de él delante de todos sus huéspedes y de su propia esposa.

—Mi sobrino afirma que el rey le atacó espada en mano y que Átalo le tachó de bastardo. Filipo ha de comprender que su hijo, siendo de su misma sangre, tiene también su orgullo, el mismo sentido de la dignidad y un carácter muy parecido.

—El rey no atiende a razones y quiere que Alejandro se presente enseguida en Pella para implorar su perdón.

—Le conozco, y sé que no lo hará.

—Entonces que se atenga a las consecuencias.

Alejandro tenía el sueño ligero y había oído el ruido de cascos en el empedrado del cuerpo de guardia. Se había levantado, echado un manto sobre los hombros y ahora escuchaba, sin ser visto, lo que el mensajero de su padre iba diciendo.

—¿Qué consecuencias? —preguntó el joven soberano.

—Sus amigos serán mandados todos al destierro como traidores y conspiradores, a excepción de Eumenes, que es el secretario de Filipo, y de Filotas, el hijo del general Parmenio.

—Se lo contaré a mi sobrino y te haré saber la respuesta.

—Esperaré a que vuelvas y luego partiré de regreso de inmediato.

—Pero ¿no quieres comer y lavarte? Los huéspedes han sido siempre recibidos en esta casa con la máxima consideración.

—No puedo. El mal tiempo ha retardado ya mi marcha —explicó el enviado macedonio.

El rey salió de la sala de audiencias y se encontró frente a su sobrino, en el corredor.

—¿Has oído?

Alejandro asintió.

—¿Qué piensas hacer?

—No me arrastraré jamás a los pies de mi padre. Átalo me ofendió públicamente y tendría que haber sido él quien hiciera algo por restablecer mi dignidad. En cambio, vino contra mí espada en mano.

—Pero tus amigos pagarán un precio muy alto.

—Lo sé, y eso me causa un gran pesar. Pero no tengo elección.

—¿Es tu última respuesta?

—Sí.

El rey le abrazó.

—Es lo que habría hecho también yo en tu lugar. Voy a referírselo.

—No, espera. Lo haré yo personalmente.

Se arrebujó el manto alrededor del cuello y entró, descalzo como iba, en la sala de audiencias. El mensajero hizo primero un gesto de sorpresa, luego inclinó enseguida la cabeza en señal de deferencia.

—Que los dioses te guarden, Alejandro.

—Y también a ti, mi buen amigo. Ésta es la respuesta para el rey, mi padre. Le dirás que Alejandro no puede pedir perdón, si antes no ha recibido disculpas de Átalo y la seguridad de que la reina Olimpia no va a sufrir vejaciones de ningún tipo y que su rango de soberana de los macedonios se verá adecuadamente confirmado.

—¿Es todo?

—Es todo.

El enviado hizo una reverencia y encaminó sus pasos hacia la salida.

—Dile también... Dile también que...

—¿El qué?

—Que se cuide.

—Así lo haré.

Poco después se oyó un relincho y un galope que se desvanecía a lo lejos.

—No ha comido ni descansado. —La voz del rey resonó a las espaldas de Alejandro—. Filipo debe de estar muy ansioso por conocer tu respuesta. Ven, he mandado traer el almuerzo.

Pasaron a una salita del aposento real donde estaban preparadas dos mesas junto a dos asientos de brazos. Había pan fresco y rodajas de caballa y de pez espada asado.

—Te pongo en un brete —admitió Alejandro—. Es mi padre quien te hizo subir al trono.

—Es cierto. Pero al mismo tiempo he crecido: ya no soy un muchacho. Soy yo quien le cubre la espalda en esta zona, y te aseguro que no es tarea fácil. Los ilirios son con frecuencia turbulentos, los piratas infestan las costas y en el interior se advierten movimientos de otros pueblos que bajan del sur a lo largo del Istro. También tu padre tiene necesidad de mí. Además, he de tutelar la dignidad de mi hermana Olimpia.

Alejandro comió un poco de pescado y bebió un sorbo de vino, un vino ligero y espumoso procedente de las islas jónicas. Se fue hacia la ventana que daba al mar sin dejar de mordisquear un pedazo de pan.

—¿Dónde está Ítaca? —preguntó.

El rey indicó hacia el sur.

—La isla de Odiseo está allí, a un día aproximadamente de navegación hacia el Mediodía. Y aquella que tenemos enfrente es Corcira, la isla de los feacios, donde el héroe fue hospedado en la residencia real de Alcínoo.

—¿La conoces?

—¿Ítaca? No, Pero no hay nada que ver allí. Sólo cabras y puercos.

—Tal vez, pero quisiera ir a pesar de todo. Quisiera llegar allí al caer la tarde, cuando el mar cambia de color y todas las vías acuáticas y terrestres se oscurecen, y sentir lo que sintió Odiseo al volver a verla al cabo de tanto tiempo. Yo, podría... Estoy convencido de que podría revivir sus mismos sentimientos.

—Si quieres, haré que te lleven. No se halla lejos, como te he dicho.

Alejandro pareció no haber oído aquella respuesta y volvió la mirada hacia el oeste, donde el sol que asomaba tras los montes de Epiro comenzaba a teñir de rosa las puntas de las cúspides de Corcira.

—Italia está allende aquellas montañas y allende aquel mar, ¿no es cierto?

Al rey pareció de golpe iluminársele el rostro.

—Sí, Alejandro, están Italia y la Magna Grecia. Ciudades fundadas por los griegos, increíblemente ricas y poderosas, como Tarento, Locria, Crotona, Thurium, Rhegion y otras, otras muchas. Hay bosques inmensos y rebaños de miles y miles de cabezas. Campos de trigo hasta donde no puede abarcar la mirada. Y montes cubiertos de nieve en todas las estaciones del año que vomitan de pronto fuego y llamas y hacen temblar la tierra.

»Y allende Italia está Sicilia, la tierra más floreciente y hermosa que se conozca. Allí están la poderosa Siracusa y Agrigento, Gela y Selinunte. Y más allá también Cerdeña y luego Hispania, el país más rico del mundo, que tiene minas de plata inagotables, estaño y hierro.

—Esta noche he tenido un sueño —dijo Alejandro.

—¿Qué sueño? —preguntó el rey.

—Estábamos juntos, tú y yo, a caballo, en la cima del monte Imaro, el más alto de tu reino. Yo montaba a *Bucéfalo* y tú a tu caballo de batalla *Keraunos*, y estábamos los dos inundados de luz porque en ese preciso momento había un sol que se ponía en el mar por el oeste y otro sol que salía por el este. Dos soles, ¿te imaginas? Un espectáculo realmente emocionante.

»En un determinado momento nos saludábamos porque tú querías llegar al lugar por donde el Sol se pone y yo al lugar por donde sale. ¿No es maravilloso? ¡Alejandro hacia el sol naciente y Alejandro hacia el sol poniente! Y antes de saludarnos, antes de espolear cada uno a su propio caballo hacia la luz del globo flamígero, nos hacíamos una solemne promesa: que no nos encontraríamos hasta después de haber puesto punto final a nuestro viaje, y el lugar de encuentro sería...

—¿Cuál? —preguntó el rey mirándole fijamente.

Alejandro no respondió, pero su mirada se veló de una sombra inquieta, huidiza.

—¿Qué lugar? —insistió el rey—. ¿Cuál es el lugar en el que hubiéramos tenido que encontrarnos?

—Eso no lo recuerdo.

31

Alejandro se dio muy pronto cuenta de que su permanencia en Butroto se volvería insostenible, tanto para él como para su tío Alejandro de Epiro, que continuaba recibiendo apremiantes peticiones de Filipo a fin de que obligase a su hijo a regresar a Pella para enmendarse de su culpa y pedir perdón delante de la corte reunida.

El joven príncipe tomó entonces la decisión de marcharse.

—Pero ¿adónde? —preguntó el rey.

—Al norte, donde no pueda encontrarme.

—No puedes. Ése es el reino de unas tribus salvajes y seminómadas, permanentemente en conflicto entre sí. Y por si fuera poco, está a punto de comenzar la mala estación. En aquellas montañas nieva: ¿te las has tenido que ver alguna vez con el hielo? Es un enemigo muy temible.

—No tengo miedo.

—Eso lo sé.

—Y por tanto partiré. No te preocupes por mí.

—No te dejaré partir si no me dices cuál va a ser tu itinerario. De necesitarte, debo saber dónde poder buscarte.

—He consultado tus mapas. Llegaré a Lychnidos, al oeste del lago, y de allí me adentraré en el interior por el valle del Drilón.

—¿Cuándo quieres partir?

—Mañana. Hefestión viene conmigo.

—No. No dejaré que te vayas antes de dos días. Tengo que hacer que preparen todo lo que vas a necesitar para el viaje. Y os daré un caballo que lleve las provisiones. Una vez que las hayáis terminado, siempre podéis vender el caballo y seguir aún viaje.

—Te lo agradezco —dijo Alejandro.

—Te daré también unas cartas para los jefes ilirios de Celidonia y de Dardania. Podrán serte de utilidad. Tengo amigos en aquellas regiones.

—Espero que algún día pueda recompensarte todo cuanto haces por mí.

—No digas eso. Y no pierdas los ánimos.

Aquel mismo día el rey escribió a vuelapluma una carta que entregó cuanto antes a uno de sus correos para que se la hiciese llegar a Calístenes, en Pella.

El día de la partida, Alejandro fue a saludar a su madre y ella le abrazó llorando cálidas lágrimas y maldiciendo a Filipo desde lo más profundo de su corazón.

—No le maldigas, mamá —le rogó Alejandro con voz velada de tristeza.

—¿Por qué? —gritó Olimpia presa del dolor y del odio—. ¿Por qué? Él me ha humillado, herido, nos ha obligado a tomar el camino del destierro. Y ahora te obliga a huir, a dejarme para que te aventures por unas tierras desconocidas en pleno invierno. ¡Me gustaría que muriese del modo más atroz, que sufriese las penas que él me ha infligido a mí!

Alejandro la miró y sintió que le recorría un estremecimiento por las venas. Tuvo miedo de aquel odio tan acerbo que la hacía asemejarse a una de las heroínas de las tragedias que tantas veces había visto en escena: Clitemnestra empuñando el hacha para destrozar a su marido Agamenón, o Medea dando muerte a sus propios hijos para herir a su esposo Jasón en la persona de sus seres más queridos.

En aquel momento le vino a la mente otra de las terribles historias que alguien contaba en Pella sobre la reina: que en el curso de una ceremonia iniciática del culto de Orfeo, se había alimentado de carne humana. Veía en sus ojos enormes, llenos de tinieblas, tanta desesperada violencia que la hubiera creído muy capaz de cometer alguna atrocidad.

—No le maldigas, mamá —repitió—. Tal vez sea justo que yo sufra la soledad y el destierro, el frío y el hambre. Es una enseñanza que me falta aún entre todas aquellas que mi padre ha querido impartirme. Acaso quiere que aprenda también esto. Acaso es la última lección, una lección que ningún otro habría podido infligirme fuera de él.

A duras penas logró desprenderse de su abrazo, saltó sobre la grupa de *Bucéfalo* y le golpeó duramente con los talones.

El caballo de batalla se encabritó lanzando un relincho, agitó en el aire las patas delanteras, para lanzarse acto seguido al galope resoplando por los ollares un vapor ardiente. Hefestión levantó un brazo en señal de saludo y también él dio un espolazo sosteniendo por la brida al segundo caballo.

Olimpia se quedó mirándole con ojos llenos de lágrimas hasta que le vio desaparecer en el fondo del sendero que llevaba al norte.

La misiva del rey de Epiro le llegó a Calístenes en Pella pocos días después, y el sobrino de Aristóteles la abrió con impaciencia leyéndola por encima a todo correr.

> Alejandro, rey de los molosos, a Calístenes, ¡salve!
>
> Espero que te encuentres bien. La existencia de mi sobrino Alejandro transcurre apaciblemente en Epiro, alejada de los afanes de la vida militar y de las preocupaciones cotidianas del gobierno. Pasa sus días leyendo a los poetas trágicos, sobre todo a Eurípides, y naturalmente a Homero en la edición de la caja, regalo de su maestro y tío tuyo Aristóteles. O bien se deleita alguna que otra vez acompañándose con la cítara.
>
> En ocasiones toma parte en alguna partida de caza...

A medida que leía la misiva, Calístenes estaba cada vez más sorprendido de su trivialidad y absoluta irrelevancia. El soberano no le decía nada importante o personal. Se trataba de una carta completamente inútil. Pero ¿por qué?

Desilusionado, dejó el papiro sobre su mesa de escritorio y se puso a pasear de un lado a otro de su habitación tratando de comprender qué sentido podía tener aquel mensaje, cuando, de golpe, echando un vistazo a la hoja, vio que tenía unas manchas en los bordes, así como pequeños rotos, pero observando con más detenimiento se dio cuenta de que estaban hechos deliberadamente, con las tijeras.

Se dio un cachete en la frente.

—¿Cómo no he caído antes? Pero si es el código de los polígonos intersecantes...

Se trataba de un código de comunicación que Aristóteles le había enseñado en cierta ocasión y que él le había enseñado a su vez al rey de Epiro pensando que le sería de utilidad si un día se veía al mando de una campaña militar.

Tomó regla y escuadra y se puso a unir todas las manchas de acuerdo con un determinado orden y acto seguido todos los puntos de intersección. Luego trazó unas líneas perpendiculares a cada uno de los lados del polígono interno obteniendo otras intersecciones.

En cada intersección se leía una palabra y Calístenes las volvió a escribir una detrás de otra de acuerdo con una secuencia de números que Aristóteles le había enseñado. Un sencillo y genial modo de mandar mensajes secretos.

Cuando hubo terminado, quemó la carta y corrió inmediatamente a ver a Eumenes. Encontró a éste en medio de una montaña de papeles, ocupado en hacer el recuento de las tasas y previsiones de gastos para el equipamiento de otros cuatro batallones de la falange.

—Necesito una información —dijo, y le bisbiseó algo al oído.

—Hace ya días que se fueron —repuso Eumenes levantando la cabeza de sus papeles.

—Sí, pero ¿adónde han ido?

—No lo sé.

—Lo sabes muy bien.

—¿Quién quiere ser informado de ello?

—Yo.

—Entonces no lo sé.

Calístenes se acercó a él y le susurró algo más al oído, para luego añadir:

—¿Te ves capaz de escribirle un mensaje?

—¿Cuánto tiempo me das?

—Dos días como máximo.

—Imposible.

—Entonces lo haré yo.

Eumenes sacudió la cabeza.

—Trae aquí. ¿Qué quieres hacer tú?

Alejandro y Hefestión subieron a lo alto de la cadena de los montes Argirinos con las cimas salpicadas ya de nieve y a continuación descendieron hacia el valle del Aoos, que brillaba como una cinta de oro en el fondo verde intenso del gran valle. Las laderas de las montañas, cubiertas de un manto de bosques, comenzaban a cambiar de color con la proximidad del otoño y el cielo era atravesado por las largas bandadas y por los lamentos de las grullas que dejaban sus nidos para emigrar lejos, hacia las tierras de los pigmeos.

Descendieron durante dos días el valle del Aoos, que discurría hacia el norte, y luego se cruzaron con el del Apsos y se apresuraron a remontarlo. Dejaban de ese modo tras de sí las tierras sometidas a Alejandro de Epiro y se adentraban en Iliria.

Los habitantes de aquel país vivían repartidos en pequeños pueblos fortificados con muros de piedra seca y vivían de la cría de animales y, a veces, del bandidaje. Pero Alejandro y Hefestión se habían precavido poniéndose unos pantalones a la manera de los bárbaros y capas de tosca lana: aunque tenían un aspecto horrible, les protegían del agua, lograban que les confundieran con los lugareños y les permitían pasar inadvertidos.

Cuando comenzaron a subir hacia las cadenas del interior, se puso a nevar y empezó a hacer un tiempo muy crudo. Los caballos resoplaban por los ollares grandes nubes de vapor y subían con esfuerzo por unos senderos helados, a tal punto que a menudo Alejandro y Hefestión tenían que desmontar y avanzar a pie ayudándose como podían para recorrer aquellas escarpadas cañadas.

A veces, llegados a lo alto de un puerto, se paraban a mirar atrás, y aquella extensión blanca y pareja donde únicamente resultaban visibles sus últimas huellas les desconcertaba.

Por la noche tenían que buscarse algún refugio donde encender un fuego para secar sus empapadas ropas, extender las capas y descansar un poco. Y a menudo, antes de dormirse, permanecían largo rato contemplando a través del reverberar de las llamas los grandes copos blancos que caían danzando, o bien escuchaban absortos la llamada de los lobos que resonaba en los solitarios valles.

Eran tan sólo unos muchachos, con el recuerdo muy vivo de su reciente adolescencia, y en aquellos momentos se sentían dominados por una profunda sensación de zozobra y melancolía. A veces se echaban sobre los hombros la misma capa o se estrechaban abrazándose en la oscuridad; recordaban, en medio de aquella infinita extensión desierta, sus cuerpos de muchachos y las noches en que, de niños, iban el uno a la cama del otro, espantados por una pesadilla o por los gritos de un condenado que gritaba su angustia.

La oscuridad gélida, el miedo al futuro, era lo que les impulsaba a buscar el calor, el uno del otro, a aturdirse en su desnudez, frágil y potente a la vez, en su soledad orgullosa y desolada.

La luz muy fría y pálida del alba les devolvía a la realidad y la sensación de hambre les empujaba a moverse para conseguir alimento.

Si veían el rastro de algún animal en la nieve, se detenían a tenderle trampas para capturar una magra presa: algún conejo o una perdiz de montaña que devoraban aún caliente tras haberse bebido su sangre. Otras veces tenían que regresar con las manos vacías, famélicos y ateridos por el frío cortante de aquellas inhóspitas tierras. Y también sus caballos sufrían las penalidades, alimentándose de hierbas resecas que ponían al descubierto rascando la nieve con sus pezuñas.

Finalmente, tras días y días de durísima marcha, extenuados por el hielo y el hambre, vieron brillar como un espejo, en la reverberación de un pálido cielo invernal, la superficie helada del lago Lychnitis. Siguieron a paso de andadura la orilla septentrional esperando llegar, antes de que cayeran las tinieblas, al pueblo que llevaba el mismo nombre: tal vez allí pudieran pasar una noche calientes, al amor de la lumbre.

—¿Ves ese humo en el horizonte? —preguntó Alejandro al amigo—. No creo equivocarme al afirmar que allí abajo debe encontrarse el pueblo. Tendremos heno para los caballos y también comida y una yacija de paja donde tumbarnos.

—Es algo demasiado hermoso, me parece estar soñando —replicó Hefestión—. ¿De veras crees que vamos a tener todas esas cosas maravillosas que dices?

—Oh, sí, y tal vez tengamos también mujeres. En cierta ocasión oí decir en casa de mi padre que los bárbaros del interior las ofrecen a los extranjeros como muestra de hospitalidad.

Se había puesto de nuevo a nevar, reciamente, y los caballos avanzaban con gran esfuerzo por la alta nieve; el aire helado calaba hasta los huesos a través de las estropeadas ropas. De repente Hefestión tiró de las riendas de su caballo.

—¡Oh, por los dioses, mira!

Alejandro se echó atrás la capucha y escrutó en medio del espeso remolinear de la nieve: un grupo de hombres cerraba el paso, inmóviles sobre sus cabalgaduras, con los hombros y las capuchas cubiertas de nieve, armados con jabalinas.

—¿Crees que nos esperan a nosotros? —preguntó el príncipe echando mano a la espada.

—Creo que sí. En cualquier caso, pronto lo sabremos —repuso Hefestión desenvainando a su vez y espoleando al caballo.

—Mucho me temo que tendremos que abrirnos paso con la espada —añadió aún Alejandro.

—También yo me lo temo —replicó en voz baja Hefestión.

—No quiero renunciar a un plato de sopa caliente, a una cama y a un buen fuego. Y ojalá tampoco a una bonita muchacha. ¿Y tú?

—Yo tampoco.

—¿A una señal mía?

—Está bien.

Pero precisamente mientras se preparaban para lanzarse a la carga, resonó un grito en medio del gran silencio del valle.

—¡La cuadrilla de Alejandro saluda a su comandante!

—¡Tolomeo!

—¡Presente!

—¡Pérdicas!
—¡Presente!
—¡Leonato!
—¡Presente!
—¡Crátero!
—¡Presente!
—¡Lisímaco!
—¡Presente!
—¡Seleuco!
—¡Presente!
El último eco se apagó en el lago helado y Alejandro miró fijamente con ojos relucientes de lágrimas a los seis jinetes inmóviles bajo la nieve; luego se volvió hacia Hefestión sacudiendo la cabeza, incrédulo.
—¡Oh gran Zeus! —dijo—. ¡Pero si son mis muchachos!

A los tres meses del casamiento, Eurídice dio a luz una niña a la que se puso por nombre Europa y quedó de nuevo en estado poco tiempo después. Filipo no pudo entregarse por mucho tiempo a las alegrías de la paternidad reencontrada, tanto por los acontecimientos políticos que estaban madurando como por sus asuntos privados. También la salud le creaba problemas: había perdido su ojo izquierdo, herido en combate y nunca curado adecuadamente.

Aquel invierno recibió la visita de su informador, Eumolpo de Solos. Había abordado el viaje por mar con mal tiempo porque las noticias de las que tenía conocimiento no podían aguardar. Habituado al clima de su ciudad, suave durante todo el año, estaba pálido de frío, y el soberano le mandó sentarse al amor del fuego y le hizo servir una copa de vino fuerte y dulce para que se recuperara y soltase la lengua.

—Entonces, ¿qué informaciones me traes, amigo mío?

—La diosa Fortuna está de tu parte, rey. Escucha lo que ha sucedido en la corte persa: como era de imaginar, el nuevo soberano Arsés se dio cuenta enseguida de quién era el verdadero dueño y señor en palacio y no pudiendo tolerarlo intentó hacer envenenar a Bagoas.

—¿El castrado?

—Él precisamente. Pero como Bagoas se lo esperaba ya, tras descubrir la conjura ha tomado sus medidas y ha hecho envenenar a su vez al rey. Tras lo cual ha ordenado dar muerte a todos sus hijos.

—¡Por los dioses, ese capón es más peligroso que un escorpión!

—En efecto. En ese punto, sin embargo, la línea de descendencia dinástica directa estaba agotada. Entre los que mató Artajerjes III y los que ha matado él ya no ha quedado nadie.

—¿Entonces? —preguntó Filipo.

—Entonces Bagoas ha repescado a uno de la rama colateral y le ha puesto en el trono con el nombre de Darío III.

—¿Y quién es ese Darío III?

—Su abuelo era Ostanes, el hermano de Artajerjes II. Tiene cuarenta años y le gustan tanto las mujeres como los efebos.

—Eso tiene una importancia relativa —comentó Filipo—. ¿No hay noticias más interesantes?

—Cuando fue nombrado rey era sátrapa de Armenia.

—Una provincia difícil. Debe de ser un tipo duro.

—Digamos que robusto. Parece que dio muerte por su propia mano a un rebelde de la tribu de los cadusios en un combate cuerpo a cuerpo.

Filipo se pasó una mano por la barba.

—Es evidente que el capón ha encontrado la horma de su zapato.

—En efecto —asintió Eumolpo, que comenzaba a entrar en calor—. Parece que Darío tiene intención de recuperar el pleno control de los estrechos y de reafirmar su derecho de dominio sobre todas las ciudades griegas de Asia. Corre incluso el rumor de que quiere un acto de sumisión formal también por parte de la corona de Macedonia, pero yo no me preocuparía demasiado por ello. Darío no es ciertamente un adversario digno de ti: apenas oiga tu rugido, correrá a esconderse debajo de la cama.

—Esto ya se verá —observó Filipo.

—¿Necesitas alguna cosa más, señor?

—Has hecho un excelente trabajo, pero es ahora cuando viene lo difícil. Pasa a ver a Eumenes y que te recompense. Toma más dinero, por si necesitas pagar a tus informadores. No debes pasar por alto nada de cuanto suceda en la corte de Darío.

Eumolpo le expresó su agradecimiento y partió, no viendo la hora de volver al calor de su hermosa ciudad junto al mar.

Algunos días después, el soberano reunió al consejo de guerra en la sala de la armería real: Parmenio, Antípatro, Clito *El Negro* y su suegro Átalo.

—Ni una palabra de lo que voy a decir debe salir de aquí —empezó diciendo—. El rey de los persas Arsés ha sido asesinado y su lugar ha sido ocupado por un príncipe de la rama colateral, un hombre no carente de dignidad, pero que, durante un considerable período, estará ocupado en consolidar su propio poder.

»Ha llegado, así pues, el momento de actuar: Átalo y Parmenio partirán lo más pronto posible a la cabeza de un ejército de quince mil hombres y pasarán a Asia, ocupando la orilla oriental de nuestro mar y anunciando mi proclama de liberación por las ciudades griegas bajo dominio persa. Entretanto yo completaré el alistamiento de los soldados, en espera de reunirme con vosotros y dar comienzo a la invasión.

El resto de la reunión estuvo dedicado al estudio de los detalles y a la resolución de los problemas logísticos, políticos y militares de aquella primera empresa. Pero lo que impresionó a los presentes fue el tono modesto con que el rey hablaba, la falta de aquel entusiasmo y de aquella vehemencia a la que estaban acostumbrados. Tanto es así que Parmenio, antes de irse, se acercó a él.

—¿Hay algo que no anda, señor? ¿No te sientes bien acaso?

Filipo apoyó una mano en su hombro mientras le acompañaba hacia la salida.

—No, viejo amigo, no; todo anda bien.

Mentía: la ausencia de Alejandro, a la que no había dado en un principio excesiva importancia, se volvía un tormento cada vez mayor a medida que pasaban los días. Mientras el muchacho había estado en Epiro, con la madre y el tío, Filipo no se había preocupado de nada más que de inducirle a volver y a hacer acto de pública sumisión, pero primero su negativa y luego su fuga hacia el norte le habían provocado ira, inquietud y desconsuelo.

Si alguien trataba de interceder por él, se enfurecía volviendo a pensar enseguida en el ultraje; si nadie le hablaba de él, se atormentaba por la falta de noticias. Había repartido a sus espías por doquier, había mandado mensajeros a los reyes y jefes de tribu del norte, que estaban bajo su protección, para que le tuviesen permanentemente informado de los movimientos de Alejandro y de Hefestión. Fue así como llegó a enterarse de que el grupo se había engrosado con otros seis jóvenes guerreros llegados de Tesalia, de Acarnania y de Atamania, y no le fue difícil adivinar de quiénes se trataba.

La cuadrilla de Alejandro se había reconstruido casi al completo, y no pasaba día sin que Filipo le rogase a Parmenio que no perdiera de vista a su hijo para que no fuese también él a sumarse a aquella banda de desgraciados que vagaban sin meta por las nieves de Iliria. Y también miraba con suspicacia a Eumenes, como si esperase que de un momento a otro fuera a dejar plantado su oficio y sus papeles para marchar a la aventura.

En ocasiones se trasladaba, completamente solo, al antiguo palacio de Egas. Permanecía allí durante horas contemplando cómo caían los blancos copos sobre su paisaje silencioso, sobre los bosques de abetos azules, sobre el pequeño valle que era la cuna de su dinastía, y pensaba en Alejandro y en sus amigos que recorrían las gélidas regiones del Septentrión.

Le parecía verles moverse en medio de la ventisca, con los caballos que se hundían en la nieve hasta el vientre, con el viento que hacía chasquear sus rasgadas ropas, cubiertas de una capa de hielo. Volvía la mirada al gran hogar de piedra, a los hermosos troncos de encina que ardían esparciendo tibieza entre las antiguas paredes del salón del trono e imaginaba a sus muchachos amontonando leña húmeda de agua de lluvia en los abrigos contra la tempestad y esforzándose lo indecible, exhaustos, para encender un miserable fuego de vivaque, o bien de pie en medio de la noche vigilando apoyados en la lanza cuando el aullido de los lobos se oía demasiado próximo.

Luego las noticias comenzaron a volverse más preocupantes, pero no en el sentido que cabía esperar. No sólo Alejandro y sus compañeros habían conseguido pasar al abrigo el invierno, a costa de durísimas privaciones, sino que incluso se habían ofrecido como aliados a algunos jefes de tribu que vivían al otro lado de las fronteras macedonias y habían tomado parte en sus luchas internas, ganando en el campo de batalla pactos de amistad o incluso de sumisión. Lo cual, antes o después, podría representar también una amenaza.

Era indudable que había algo en aquel muchacho que fascinaba de manera irresistible a todos cuantos entraban en contacto con él: hombres, mujeres, y hasta animales. ¿Cómo explicar si no el hecho de que hubiera logrado al primer intento mantenerse sobre la grupa de aquel demonio negro al que luego había llamado *Bucéfalo* y amansarlo como a un corderillo?

¿Y cómo explicar que *Peritas*, una mala bestia capaz de quebrar un fémur de cerdo de una sola dentellada, languideciera comiendo poco o nada, echado durante horas en medio del camino por donde había desaparecido su amo?

Leptina, además, la muchacha que había arrancado del infierno del monte Pangeo, preparaba cada día el lecho y el baño para Alejandro, como si éste tuviera que llegar de un momento a otro. Y no hablaba con nadie.

Filipo comenzó a preocuparse asimismo por su sólida relación con el reino de Epiro, amenazada seriamente por la presencia de Olimpia al lado del joven soberano, su hermano. El odio que la devoraba la empujaría a cualquier cosa con tal de causarle daño, de trastocar sus planes tanto políticos como familiares. El rey Alejandro era amigo suyo, pero sin duda su corazón latía en aquel momento por el sobrino desterrado y errante por tierras bárbaras. Había que atarlo al trono de Pella con un vínculo más fuerte y dejar al margen a la reina, con su maléfica influencia. Sólo había una solución y no había tiempo que perder.

Un día Filipo mandó llamar a su hija Cleopatra, el último miembro de su primera familia que permanecía a su lado.

La princesa estaba en el esplendor de sus dieciocho años. Tenía unos grandes ojos verdes, largos cabellos de reflejos cobrizos y un cuerpo de diosa del Olimpo. No había noble en Macedonia que no soñase con tenerla por esposa.

—Es ya hora de que tomes marido, hija mía —le dijo.

Cleopatra agachó la cabeza.

—Imagino que has elegido ya a mi esposo.

—En efecto —confirmó Filipo—. Será el rey Alejandro de Epiro, el hermano de tu madre.

La muchacha permaneció en silencio, pero era evidente que no estaba demasiado disgustada por la decisión de su padre. Su tío era un joven de gran apostura y valeroso, muy estimado por sus súbditos, y se asemejaba en cuanto a carácter a Alejandro.

—¿No dices nada? —preguntó el soberano—. ¿Acaso te esperabas algún otro?

—No, padre. Sé perfectamente que esta elección te corresponde a ti y por tanto no pensé nunca en nadie para no tener que contrariarte. Sólo quisiera pedirte una cosa.

—Di, hija mía.

—¿Será invitado mi hermano Alejandro al enlace?

Filipo le dio la espalda de golpe, como si hubiese sido golpeado por un latigazo.

—Tu hermano, para mí, ya no existe —dijo con gélida voz.

Cleopatra rompió en llanto.

—Pero ¿por qué, papá? ¿Por qué?

—El porqué ya lo sabes. Estabas presente. Viste cómo me humilló delante de los representantes de todas las ciudades de Grecia, delante de mis generales y de mis magnates.

—Papá, él...

—¡No oses defenderle! —gritó el rey—. Llamé a Aristóteles para que le instruyera, invité a Lisipo para que esculpiera su imagen, acuñé monedas con su retrato. ¿Comprendes lo que eso significa? No, hija mía, el insulto y la ingratitud han sido demasiado grandes, demasiado grandes...

Cleopatra lloraba cubriéndose el rostro con las manos, sollozando, y Filipo habría deseado acercarse, pero no quería emocionarse, no podía.

—Papá... —insistió aún la muchacha.

—¡Te he dicho que no le defiendas!

—Y sin embargo le defenderé. Yo estaba también presente aquel día y vi a mi madre pálida como una muerta mirarte mientras tú, ebrio, introducías tus manos entre los pechos de tu joven esposa y le acariciabas el vientre. Y también Alejandro lo vio, y quiere a su madre. ¿No debería acaso? ¿Debería borrarla de su vida como lo has hecho tú?

Filipo montó en cólera.

—¡Ha sido Olimpia! ¡Ha sido Olimpia la que te ha indispuesto contra mí! ¿No es así? —vociferó rojo de ira—. ¡Os habéis puesto todos en mi contra, todos!

Cleopatra se arrojó a sus pies y le abrazó las rodillas.

—No es cierto, no es cierto, papá, lo que nosotros queremos es que recobres el juicio. Alejandro cometió un error, es cierto... —Ante aquellas palabras Filipo pareció serenarse por un momento—. Pero ¿no puedes comprenderlo? ¿No puedes tratar de comprenderlo? ¿Qué hubieras hecho tú en su lugar? Si alguien te hubiera tratado en público como a un bastardo, ¿acaso no habrías defendido tu honor y el de tu madre? ¿No es eso lo que siempre le has enseñado a tu hijo? Y ahora que se te asemeja, ahora que se comporta como siempre has querido, le rechazas. ¡Querías un Aquiles! —continuó diciendo Cleopatra levantando el rostro bañado en lágrimas—. Querías un Aquiles y ahí lo tienes. ¡La ira de Alejandro es la ira de Aquiles, papá!

—¡Pues bien, si la suya es la ira de Aquiles, la mía es la ira de Zeus!

—Pero él te quiere, te quiere y sufre, me consta —sollozó Cleopatra dejándose caer al suelo.

Filipo la miró un momento en silencio, apretando los labios. Luego se volvió para irse.

—Prepárate —dijo delante de la puerta—. El casamiento se celebrará dentro de seis meses.

Y salió.

Eumenes le vio entrar en su despacho con rostro sombrío, pero fingió que no pasaba nada y siguió corredor adelante con los brazos repletos de rollos.

Luego, cuando se cerró la puerta, volvió sobre sus pasos y aplicó el oído. El rey estaba llorando.

33

Eumenes se alejó en silencio y llegó a su estancia en el interior del archivo real. Se sentó apoyando los brazos y la cabeza en el escritorio y permaneció largo rato meditando. Luego tomó su decisión.

Retiró una bolsa del archivo, se acomodó el manto en los hombros, se pasó una mano por el pelo y salió nuevamente al corredor hasta encontrarse enfrente del despacho del rey.

Dejó escapar un profundo suspiro y llamó a la puerta.

—¿Quién es?

—Eumenes.

—Adelante.

Eumenes entró y cerró la puerta tras de sí. Filipo tenía la cabeza reclinada y parecía estar hojeando un documento que tenía delante.

—Señor, hay una petición de mano.

El rey levantó de golpe la cabeza. Tenía el rostro lleno de costurones y el único ojo que le quedaba lo tenía rojo de cansancio, de cólera, de llanto.

—¿De quién se trata? —preguntó.

—El sátrapa persa que es también rey de Caria, Pixódaro, te ofrece la mano de su hija para un príncipe de la casa real.

—Mándale a hacer gárgaras. Yo no trato con los persas.

—Señor, creo que deberías hacerlo. Pixódaro no es exactamente un persa, gobierna por cuenta del Gran Rey una provincia costera del Asia Menor y controla la fortaleza de Halicarnaso. Si te preparas para pasar los estrechos, podría resultar una elección estratégica importante. Sobre todo en estos momentos en que el trono persa no está aún en manos seguras.

—Tal vez no andes equivocado. Mi ejército partirá dentro de unos pocos días.

—Una razón más para hacerlo.

—¿Tú a quién elegirías?

—Bien, yo pensaba en...

—Arrideo. Le daremos a éste. Mi hijo Arrideo es un bobalicón, no podrá ocasionarnos grandes problemas. Y si en la cama no sale muy airoso, ya pensaré yo en la joven esposa. ¿Cómo es?

Eumenes sacó de la bolsa un pequeño retrato en tablilla, sin duda obra de un pintor griego, y se lo mostró.

—Parece muy bonita, pero no hay que fiarse: cuando uno las ve al natural se lleva verdaderas sorpresas...

—Entonces, ¿qué hago?

—Escribe que me siento honrado y emocionado por su petición y que he elegido para la muchacha al valiente príncipe Arrideo, joven, arrojado en combate, de elevados sentimientos y todas esas bobadas en las que tan bueno eres. Luego tráeme la carta para la firma.

—Es una buena decisión, señor. Me pondré a ello inmediatamente. —Se encaminó hacia la puerta, pero se detuvo como si de repente se hubiera acordado de algo importante—. ¿Puedo hacerte una pregunta, mi señor?

Filipo le miró con sospecha.

—¿De qué se trata?

—¿Quién mandará el ejército que envíes a Asia?

—Átalo y Parmenio.

—Magnífico. Parmenio es un gran soldado y Átalo...

Filipo le miró fija y desconfiadamente.

—Quería decir que el alejamiento de Átalo podría favorecer...

—Una palabra más y mando cortarte la lengua.

Eumenes continuó impertérrito:

—Ya es hora de que reclames a tu hijo, señor. Por muchos y válidos motivos.

—¡Calla esa boca! —gritó Filipo.

—El primero es de orden político: ¿cómo te las arreglarás para convencer a los griegos de que tienen que vivir en paz dentro de una alianza común, si no eres capaz de mantener la paz siquiera dentro de tu familia?

—¡Cállate! —rugió el rey descargando un gran puñetazo sobre la mesa.

Eumenes sintió que su corazón estallaba en su pecho y estaba convencido de que ya había llegado su última hora, pero pensó que, en aquella situación ahora ya desesperada, era preferible morir como un hombre y prosiguió así:

—La segunda es de orden puramente personal: todos nosotros sentimos una maldita nostalgia de ese muchacho, y tú el primero, señor.

—Una palabra más y mando a la guardia que te encierre.

—Y Alejandro sufre terriblemente por todo esto.

—¡Guardia! —gritó Filipo—. ¡Guardia!

—Puedo asegurártelo. Y también la princesa Cleopatra no hace más que llorar.

Entró la guardia con gran estruendo de armas.

—Aquí tengo una carta de Alejandro que dice...

La guardia estaba a punto de ponerle las manos encima.

Alejandro a Eumenes, ¡salve!

Filipo, con una seña, le detuvo.

Estoy contento por lo que me cuentas de mi padre, que goza de buena salud y se prepara para la gran expedición contra los bárbaros en Asia.

El rey hizo una señal a la guardia de que saliera.

Pero, al mismo tiempo, la noticia que me das me entristece profundamente.

Eumenes se detuvo y miró de hito en hito a su interlocutor. Estaba alteradísimo, preso de una violenta emoción, y su único ojo de cíclope fatigado relucía bajo la frente rugosa como un carbón.

—Prosigue —dijo.

Mi sueño ha sido desde siempre seguirle en esa grandiosa empresa y cabalgar a su lado para demostrarle cuánto he tratado, durante toda mi vida, de igualar su valor y su grandeza de soberano.

Por desgracia, las circunstancias me han obligado a un gesto irreparable y la cólera me ha empujado más allá de los límites que un hijo debe rebasar.

Pero ciertamente un dios hace que cosas de este tipo sucedan, porque cuando los hombres pierden el dominio de sus actos, entonces se cumple lo que está escrito que ha de cumplirse.

Los amigos están bien, pero tristes, como yo, por la lejanía de la patria y de las personas queridas. Entre ellos, mi buen Eumenes, también te incluyo a ti. Ayuda al rey lo mejor que puedas. Eso, a mí, por desgracia me está negado. No pierdas los ánimos.

Eumenes volvió a guardar la carta y miró a Filipo, que se había cubierto el rostro con las manos.

—Yo me permití... —prosiguió al cabo de un poco.

El rey levantó la cabeza de repente.

—¿Qué te permitiste?

—Preparar una carta...

—¡Gran Zeus, yo a este griego le mato, le estrangulo con mis propias manos!

Eumenes se sentía en aquel momento como el capitán de una nave que, tras haber luchado largamente con el oleaje en medio del tempestuoso mar, con las velas desarboladas y el casco maltrecho, ha llegado ya a las proximidades de puerto, pero ha de pedir no obstante un último esfuerzo a su tripulación extenuada. Lanzó por ello un largo suspiro, tomó de la bolsa otra hoja y comenzó a leer bajo la mirada incrédula del soberano.

> Filipo, rey de los macedonios, a Alejandro, ¡salve!
>
> Lo que sucedió el día de mi casamiento fue para mí motivo de infinita amargura y decidí, a pesar del afecto que me une a ti, que te alejaría para siempre de mi presencia. Pero el tiempo es buen médico y sabe aliviar los más agudos dolores.
>
> He meditado largamente acerca de lo sucedido y, considerando que quienes tienen una edad más avanzada y una mayor experiencia deben de dar ejemplo a los jóvenes a menudo cegados por las pasiones, he decidido poner fin al destierro al que te condené.
>
> El mismo destierro es revocado también para tus amigos que, causándome grave ofensa, decidieron seguirte.
>
> Es la clemencia del padre la que se impone aquí al rigor del juez y del soberano. A cambio, sólo te pido que des muestras de tu pesar por el ultraje que padecí y me demuestres que tu afecto filial no permitirá que semejantes situaciones vuelvan a producirse.
>
> Cuídate.

Eumenes se quedó inmóvil en medio de la estancia, boquiabierto, sin saber en aquel momento qué esperarse. Filipo no decía nada, pero era evidente que quería disimular las emociones que agitaban su ánimo y mantenía la cabeza ladeada de modo que le mostraba el ojo ciego que no podía ya llorar.

—¿Qué te parece, señor? —dijo Eumenes, encontrando por fin el suficiente valor para preguntar.

—Yo no habría sabido escribirlo mejor.

—Entonces, si quisieras dignarte firmarla...

Filipo alargó la mano, tomó un cálamo, lo mojó en el tintero, pero luego se detuvo, ante la mirada ansiosa de su secretario.

—¿Qué es lo que no está bien, señor?

—No, no —dijo el soberano firmando la carta.

Inmediatamente después, sin embargo, volvió la hoja del revés, y la pluma empezó de nuevo a chirriar en una esquina inferior de la misma. Eumenes volvió a coger la misiva, echó cenizas encima, sopló y, tras hacer una reverencia, se encaminó hacia la puerta, rápido y ligero, antes de que el rey cambiase de parecer.

—Un momento —le llamó Filipo.

Se lo había pensado mejor.

Eumenes se detuvo.

—¿Qué deseas, señor?

—¿Adónde expedirás esta carta?

—Bueno, me he permitido mantener contactos, recabar con discreción alguna información...

Filipo sacudió la cabeza.

—Así que pago a un espía para que se ocupe de mi administración... Yo a este griego le estrangulo, más pronto o más tarde. ¡Por Zeus, juro que le destrozaré con estas manos!

Eumenes esbozo de nuevo una inclinación y abandonó la estancia. Mientras se apresuraba hacia su despacho, su mirada recayó en las palabras que el rey había añadido debajo de su firma.

> Si lo vuelves a intentar, te mato.
> Te he echado de menos.
> Papá.

Átalo y Parmenio pasaron a Asia sin encontrar resistencia y las ciudades de la costa oriental les recibieron como libertadores, dedicando estatuas al rey de Macedonia y preparando grandes festejos.

Esta vez Filipo recibió con entusiasmo las noticias de sus correos: el momento para su expedición en Asia no podía ser más propicio. El Imperio persa estaba aún en dificultades por la crisis dinástica reciente, mientras que él tenía a su disposición un poderoso ejército autóctono, único en el mundo por su valor, lealtad, cohesión y determinación, un grupo de generales de altísimo nivel táctico y estratégico formados en su escuela, y un heredero al trono educado en los ideales de los héroes de Homero y en la racionalidad del pensamiento filosófico, un príncipe orgulloso e indomable.

Había llegado la hora de partir para la última y más grande aventura de su vida. La decisión ya estaba tomada y todo preparado: recibiría a Alejandro, reforzarían los lazos con el reino de Epiro celebrando con fasto inolvidable la unión de su hija Cleopatra con su cuñado y luego alcanzaría a su ejército allende los estrechos por el terreno escalonado.

Y sin embargo, ahora que todo parecía decidido, que se hubiera dicho que marchaba a pedir de boca, ahora que Alejandro había hecho saber que se reuniría con él en Pella y asistiría con gran pompa al casamiento de su hermana, sentía una extraña inquietud que le mantenía despierto de noche.

Un día, a comienzos de primavera, mandó a decir a Eumenes que se reuniera con él en las caballerizas para dar un paseo a caballo: tenía que hablarle. Era un procedimiento insólito, pero el secretario se atavió engalanándose con unos pantalones tracios, casaca escita, botas y un sombrero de alas anchas; se hizo preparar una yegua bastante vieja y tranquila y se presentó así a la cita. Filipo le miró de soslayo.

—¿Adónde crees que vas, a la conquista de Escitia?

—Me he hecho aconsejar por mi guardarropa, señor.

—Bien lo veo. Vamos, salgamos.

El rey espoleó a su caballo al galope y se alejó por un sendero que salía de la ciudad.

Los campesinos estaban ya en los campos escardando los sembrados de trigo y de mijo y escamondando los sarmientos de la vid.

—¡Mira a tu alrededor! —exclamó Filipo poniendo a paso de andadura a su caballo—. ¡Mira a tu alrededor! En una sola generación he transformado un pueblo de montañeses y pastores semibárbaros en una nación de agricultores sedentarios que viven en ciudades y pueblos con administraciones eficientes y ordenadas. Les he dado el orgullo de la pertenencia a su país. Les he forjado como metal en la fragua, he hecho de ellos unos guerreros invencibles. Y Alejandro se burló de mí porque armé un poco de alboroto, dijo que no soy capaz siquiera de pasar de un lecho a otro...

—No pienses más en ello, señor. Ambos lo habéis pasado mal: Alejandro dijo lo que no debía, es cierto, pero ha recibido un duro castigo. Tú eres un gran soberano, el más grande, y él lo sabe y está orgulloso de ello, te lo juro.

Filipo calló y avanzó también al paso y en silencio durante un largo trecho. Cuando llegó a las cercanías de un arroyo que discurría cristalino y frío gracias a las nieves que se derretían en las cumbres, se apeó del caballo y se sentó encima de una piedra a esperar la llegada de Eumenes.

—Parto —anunció luego al secretario.

—¿Partes? ¿Para dónde?

—Alejandro no volverá antes de unos veinte días y yo quiero ir a Delfos.

—Manténte alejado de allí, señor: te arrastrarán a otra guerra sagrada.

—No habrá otras guerras en Grecia mientras yo viva, ni sagradas ni profanas. No voy al consejo del santuario. Voy al santuario.

—¿Al santuario? —repitió Eumenes, asombrado—. Pero, señor, si el santuario es tuyo... El oráculo dice lo que tú quieres.

—¿Eso crees?

Empezaba a apretar el calor. Eumenes se despojó de la casaca, empapó un pañuelo en el agua y se mojó la frente.

—No te entiendo. Y eres precisamente tú quien me haces esa pregunta, tú que has visto al consejo manipular al oráculo a su antojo y hacer decir al dios lo que resultaba cómodo a una determinada línea política o a determinadas alianzas militares.

—Es cierto. Sin embargo el dios, en ocasiones, logra decir la verdad, a pesar de la falsedad y desvergüenza de los hombres que deberían servirle. Estoy convencido de ello.

Apoyó los brazos en las rodillas e inclinó la cabeza para escuchar el murmullo del arroyo.

Eumenes se había quedado sin saber qué decir. ¿Qué se proponía el rey? Un hombre que había vivido todo tipo de excesos, que había sido testigo de todas las corruptelas y dobleces posibles, que había visto la maldad humana manifestarse en toda suerte de crueldades... ¿Qué buscaba aquel hombre lleno de cicatrices visibles e invisibles en el valle de Delfos?

—¿Sabes qué hay escrito en la fachada del santuario? —preguntó el soberano.

—Lo sé, señor. Hay escrito: «Conócete a ti mismo».

—¿Y sabes quién escribió esas palabras?

—El dios.

Filipe asintió.

—Comprendo —dijo Eumenes sin comprender.

—Partiré mañana. He dejado las consignas y el sello real a Antípatro. Haz que acondicionen los aposentos de Alejandro, que limpien a su perro y la cuadra de *Bucéfalo*, haz bruñir su armadura y asegúrate de que Leptina prepare, como de costumbre, el lecho y el baño de mi hijo. Debe estar todo como cuando partió. Pero nada de fiestas, nada de banquetes. No hay nada que festejar: ambos estamos embargados de dolor.

Eumenes hizo un gesto de asentimiento con la cabeza.

—Puedes irte tranquilo, rey: todo se hará tal como pides y del mejor modo.

—Lo sé —murmuró Filipo.

Le dio una palmada en un hombro, luego saltó al caballo y desapareció al galope.

Se fue al día siguiente al alba, con una pequeña escolta, y se dirigió hacia el sur atravesando primero la llanura macedonia y luego entrando en Tesalia. Llegó a Delfos desde Fócide al cabo de tres días de viaje y encontró la ciudad rebosante, como de costumbre, de peregrinos.

Venían de todas partes del mundo, hasta de la misma Sicilia y del golfo Adriático donde se alzaba, en una isla en medio del mar, la ciudad de Spina. A lo largo de la vía sacra que conducía al santuario estaban alineados todos los templetes dedicados a Apolo por las diferentes ciudades griegas, adornados de esculturas y a menudo precedidos o flanqueados por espectaculares grupos escultóricos en bronce o en mármol policromado.

Había también decenas de mostradores repletos de mercancías: animales que ofrecer en sacrificio, estatuas de todo tamaño que consagrar en el santuario y reproducciones en bronce o terracota de la estatua de culto guardada en el interior del templo o de otras obras maestras que ornaban los alrededores.

Al lado del santuario se encontraba el gigantesco trípode del dios con la enorme caldera de bronce sostenida por tres serpientes enroscadas, asimismo de bronce, fundidas con las armas arrebatadas por los atenienses a los persas en la batalla de Platea.

Filipo se puso en la fila de los postulantes cubriéndose la cabeza con la capucha del manto, pero nada escapaba a los sacerdotes de Apolo. Muy pronto corrió un rumor de boca en boca, desde los sirvientes hasta los ministros del culto escondidos en la sombra de la parte más interior y secreta del templo.

—El rey de los macedonios y jefe supremo del consejo del santuario está aquí —anunció un joven adepto, jadeante.

—¿Estás seguro de lo que dices? —preguntó el sacerdote que aquel día estaba al cargo de las funciones del culto y del oráculo.

—Es difícil confundir a Filipo de Macedonia con un hombre cualquiera.

—¿Qué es lo que desea?

—Está en la fila con los postulantes que desean consultar al dios.

El sacerdote suspiró.

—Increíble. ¿Cómo es que nadie nos ha avisado? No podemos ser cogidos por sorpresa por la petición de un hombre tan poderoso... ¡Rápido! —ordenó—. Exponed las enseñas del consejo del santuario y acompañadle inmediatamente a mi presencia. El vencedor de la guerra sagrada, jefe supremo del consejo, tiene precedencia absoluta.

El joven desapareció detrás de una puertecilla lateral. El sacerdote se puso sus paramentos religiosos, se ciñó la cabeza con las sagradas diademas dejándolas caer sobre los hombros y entró en el templo.

El dios Apolo estaba delante de él, sentado en el trono, con el rostro y las manos de marfil, la cabeza ceñida con una corona de plata de hojas de laurel, los ojos de madreperla. El enorme simulacro tenía una expresión atónita y ausente en la fijeza de la mirada y sus labios se abrían en una sonrisa enigmática, burlona por momentos. A sus pies un pebetero quemaba incienso y el humo ascendía en una nube azulada hasta una abertura entre las cimbras del techo que dejaba entrever un retazo de cielo.

Un haz de luces entraba por la puerta desgarrando la oscuridad del interior, lamía los perfiles dorados de las columnas dóricas y hacía brillar una miríada de corpúsculos suspendidos en el aire denso y pesado.

De repente una figura maciza se recortó en el vano de la puerta, proyectando su sombra hasta casi los pies del sacerdote. Avanzó hacia la estatua del dios y el andar renqueante de su calzado con refuerzos de hierro resonó dilatado en el hondo silencio del santuario.

El sacerdote fue a su encuentro y reconoció al rey de los macedonios.

—¿Qué deseas? —le preguntó con deferencia.

Filipo alzó los ojos para toparse con la mirada impasible de la estatua que dominaba sobre él.

—Deseo consultar al dios.

—¿Y cuál es tu pregunta?

Filipo le clavó la mirada de su único ojo dentro del alma, admitiendo que tuviese.

—Dirigiré mi pregunta directamente a la pitia. Llévame ante ella.

El sacerdote bajó la cabeza confuso, cogido por sorpresa por aquella petición a la que no era posible oponer una negativa.

—¿Estás seguro de querer exponerte de forma directa a la voz de Apolo? Muchos no han podido soportarlo. Puede ser más aguda que el toque de una trompa de guerra, más desgarradora que el trueno...

—Yo lo soportaré —afirmó Filipo perentorio—. Acompáñame ante la pitia.

—Como quieras —respondió el sacerdote.

Se acercó a un tímpano de bronce suspendido de una columna y lo golpeó con su cetro. El sonido argentino repercutió en las paredes en un complejo juego de ecos hasta alcanzar la cella del más íntimo y secreto penetral del templo: el *adyton*.

—Sígueme —dijo cuando el sonido se hubo extinguido, y echó a andar.

Pasaron detrás del pedestal de la estatua y se detuvieron ante una chapa de bronce que recubría el muro posterior de la cella. El sacerdote la golpeó con su cetro y provocó un sordo retumbo que fue tragado inmediatamente por un invisible espacio subterráneo. Luego la gran chapa giró sobre sí misma sin el menor ruido, dejando al descubierto una escalinata estrechísima que se hundía en el subterráneo.

—Nadie, en el curso de esta generación, ha entrado jamás aquí —comentó el sacerdote sin darse la vuelta.

Filipo bajó con esfuerzo los empinados y desiguales escalones hasta que se encontró en el centro de un hipogeo escasamente iluminado por algunos velones.

En aquel momento, por la pared del fondo completamente sumida en la oscuridad, entró una figura desgreñada cubierta hasta los pies con un traje rojo. Su rostro era de una palidez cérea y los ojos pintados con bistre tenían una sospechosa movilidad de animal cercado. La sostenían dos ayudantes del culto, que la condujeron casi en volandas hacia una especie de asiento en forma de trípode y la colocaron en el interior de la caldera.

Acto seguido abrieron con gran esfuerzo una trampilla de piedra en el suelo, dejando al descubierto la boca del abismo que comenzó a exhalar vapores de pestilente olor.

—Es el *chasma ghes* —dijo el sacerdote con voz que temblaba, esta vez sin fingimiento de ninguna clase, de pánico—. Es la fuente de la noche, la única boca del caos primigenio. Nadie sabe dónde termina y nadie que haya descendido por él ha regresado jamás.

Recogió un guijarro del fondo rocoso de la cueva y lo arrojó por la abertura. No se oyó ningún ruido.

—Ahora el dios está a punto de penetrar en el cuerpo de la pitia, está a punto de llenarlo con su presencia. Mira.

La profetisa inhalaba los vapores que salían de aquella vorágine jadeando fatigosamente, se retorcía como presa de agudos espasmos y a veces se abandonaba en el interior de la caldera dejando bambolear sus piernas y con los brazos inertes, mostrando el blanco de los ojos. Luego, de repente, comenzó a sobresaltarse dolorosamente y a emitir una especie de estertor que se fue volviendo cada vez más agudo hasta asemejarse al silbido de una serpiente. Uno de los ministros apoyó una mano sobre su pecho y miró al sacerdote con un guiño de inteligencia.

—Ahora puedes interrogar al dios, rey Filipo. Ahora el dios está presente —dijo el sacerdote con voz queda.

Filipo se adelantó hasta casi tocar la mano de la pitia.

—¡Oh, dios!, se prepara un solemne rito en mi casa y me dispongo a vengar el ultraje que los bárbaros causaron en su día a los templos divinos de nuestro suelo. Pero siento el corazón oprimido y mis noches se ven afligidas por las pesadillas. ¿Cuál es la respuesta a mi inquietud?

La pitia emitió un largo gemido; luego, lentamente, se alzó apoyándose con ambas manos en el borde de la caldera y se puso a hablar, con una extraña voz metálica y temblorosa:

El toro está coronado,
el fin está próximo,
*el sacrificador está listo.**

Acto seguido se dejó caer hacia atrás, inerte como un cuerpo sin vida.

Filipo la observó en silencio durante un momento; luego alcanzó la escalera y desapareció en medio del pálido rayo que caía desde lo alto.

* Extraído de Díodoro Sículo XVI, 91.2. *(N. del a.)*

35

El hombre llegó al galope entrada la noche, saltó a tierra delante del cuerpo de guardia y confió su cabalgadura chorreante de sudor a uno de los escuderos.

Eumenes, que dormía con un ojo abierto, se levantó inmediatamente de la cama, se puso el manto, tomó un velón y bajó deprisa las escaleras para ir a su encuentro.

—Ven —le ordenó apenas le vio entrar bajo el pórtico, y le indicó el camino hasta la armería—. ¿Dónde está el rey a estas horas? —preguntó mientras el otro le seguía jadeando aún.

—Está a un día de marcha, no más. He perdido tiempo por el motivo que ya sabes.

—Está bien, está bien —cortó Eumenes abriendo con la llave una puertecilla enrejada—. Entra, aquí estaremos tranquilos.

Se trataba de una estancia grande y desnuda, un depósito para las armas en reparación. A un lado había dos o tres taburetes en torno a un tajo de madera que hacía las veces de yunque. Eumenes alargó uno a su compañero y se sentó a su vez.

—¿Qué has conseguido saber?

—No ha sido fácil y ha costado también bastante. He tenido que corromper a uno de los ayudantes del culto que encendieron el *adyton*.

—¿Entonces?

—El rey Filipo se presentó por sorpresa, casi de incógnito, y se puso en la fila con los demás postulantes hasta que fue reconocido y se le hizo entrar en el santuario. Al darse cuenta los sacerdotes de que lo que deseaba era consultar al oráculo, trataron de saber la pregunta para preparar de forma adecuada la respuesta.

—Es una práctica normal.

—En efecto. Pero el rey se negó a ello: pidió consultar directamente a la pitia y exigió ser conducido al *adyton*.

Eumenes se cubrió la cara con las manos.

—¡Oh, gran Zeus!

—El sacerdote que oficiaba ese día no tuvo tiempo siquiera de informar al consejo. No le quedó más remedio que resignarse a la petición. Así pues, Filipo fue acompañado al *adyton* y dirigió su pregunta a la pitia después de que ésta hubiera entrado en éxtasis.

—¿Estás seguro?

—Absolutamente seguro.

—¿Y cuál fue la respuesta?

—El toro está coronado, el fin está próximo, el sacrificador está listo.

—¿Nada más? —preguntó Eumenes con cara sombría.

El hombre sacudió la cabeza.

Eumenes sacó del bolsillo del manto una bolsa de dinero y se la ofreció a su interlocutor.

—Es lo que te había prometido, pero estoy seguro de que te quedaste con el resto una vez que le pagaste a ese ayudante del culto.

—Pero si yo...

—Déjalo, ya sé cómo funcionan estas cosas. Sólo quiero que recuerdes que si dices media palabra de este asunto, si tienes la menor tentación de hablar de ello con alguien, te encontraré allí donde estés y te arrepentirás de haber nacido.

El hombre tomó el dinero jurando y perjurando que no diría ni una palabra a nadie y se marchó.

Eumenes se quedó solo en el gran ambiente vacío y frío, a la luz del velón, y pensó largamente en una interpretación que pudiera ser sólo un buen augurio para su rey. Luego salió y volvió a su dormitorio, pero no consiguió ya conciliar el sueño.

Filipo llegó a palacio el día después, avanzada la tarde, y Eumenes se las compuso para ser recibido lo más pronto posible con la excusa de ciertos documentos que había que firmar.

—¿Puedo preguntarte por el resultado de tu misión, señor? —preguntó mientras le pasaba una hoja tras otra.

Filipo levantó la cabeza y se volvió hacia él.

—Me jugaría diez talentos de plata contra una mierda de perro a que ya lo sabes.

—¿Yo, señor? Oh, no, no soy tan bueno. No. Éstas son cosas delicadas, no conviene bromear con ello.

Filipo alargó la mano izquierda para que le pasara otro documento y estampó el sello.

—El toro está coronado, el fin está próximo, el sacrificador está listo.

—¿Ésa fue la respuesta, señor? ¡Pero si es extraordinario, si es magnífico! ¡Y justo ahora que estás a punto de pasar a Asia! El nuevo emperador de los persas acaba de ser coronado, y ¿cuál es el símbolo de Persépolis, su capital? El toro, el toro alado. No cabe duda, el toro es él. Así pues, su fin está próximo porque el sacrificador está ya listo. Y el sacrificador que le abatirá eres precisamente tú. El oráculo ha previsto tu inminente victoria en el imperio de los persas.

»Es más, señor, ¿quieres que te diga qué es lo que yo pienso? Es demasiado hermoso para ser cierto: temo que esos rufianes de los sacerdotes te hayan preparado una respuesta a su medida. Pero siempre es un buen augurio, ¿no?

—No prepararon nada. Me presenté inesperadamente, cogí a un ministro del culto por el cogote, le hice abrir el *adyton* y vi a la pitia, fuera de sí, con los ojos en blanco y cayéndole la baba, que inhalaba los humos de la *chasma*.

Eumenes asintió repetidamente.

—Ni que decir tiene que fue una acción fulminante, digna de ti. Y mejor aún por tanto si la respuesta es genuina.

—Ya.

—Alejandro llegará dentro de un par de días.

—Bien.

—¿Irás a recibirle a la vieja frontera?

—No. Le esperaré aquí.

—¿Podemos ir Calístenes y yo?

—Sí, por supuesto.

—Me llevaría también a Filotas junto con una docena de hombres de la guardia. Únicamente una pequeña escolta de honor...

Filipo dio su consentimiento.

—Bien, señor. Entonces, si no hay nada más, me voy —dijo Eumenes recogiendo sus papeles y marchándose.

—¿Sabes cómo me llamaban mis soldados cuando yo era joven, cuando les hacía los honores a dos mujeres en una noche?

Eumenes se volvió para toparse con su mirada herida.

—Me llamaban «El Toro».

Eumenes no supo qué replicar. Ganó la puerta y salió, con una reverencia apresurada.

La pequeña comisión de recibimiento tomó el camino de Beroea, por donde pasaba la antigua frontera del reino de Amintas I, y Eumenes hizo una señal a los demás de que se detuvieran cerca del vado del río Haliakmon porque seguramente pasarían por allí.

Desmontaron todos y dejaron que los caballos pacieran libremente por el prado; alguno sacó su cantimplora para saciar su sed, otros, dada la hora, cogieron de las alforjas pan, queso, aceitunas e higos secos y se sentaron en el suelo a comer. Uno de los hombres de la guardia fue mandado a lo alto de una loma para que les indicara el momento de la llegada de Alejandro.

Pasaron varias horas y el Sol comenzó a ponerse en el horizonte, hacia las cimas del monte Pindo, sin que nada pasase.

—Ése es un mal camino, créeme —seguía repitiendo Calístenes—. Está infestado de bandidos. No me extrañaría nada que...

—¡Bah, los bandidos! —exclamó Filotas—. A los bandidos ésos se los meriendan. Han pasado el invierno en las montañas de Iliria. ¿Sabes qué significa eso?

Pero Eumenes miraba a la colina y al hombre que estaba agitando un paño rojo.

—Ya llegan —anunció casi en voz baja.

Poco después, el hombre que se hallaba de centinela lanzó en dirección a ellos una flecha que se clavó en el suelo, allí cerca.

—Están todos —dijo el secretario—. No falta nadie.

Y lo decía como si no creyera en sus palabras. El hombre, entre tanto, había bajado.

—¡Guardia, a montar! —ordenó Filotas, y los doce jinetes saltaron sobre sus caballos de batalla y se situaron en medio del camino con las lanzas en ristre.

Eumenes y Calístenes, sin los caballos, echaron a andar por el camino, justo en el momento en que la cuadrilla de Alejandro aparecía por una quebrada de la colina. Avanzaban los ocho uno al lado de otro y los rayos del Sol que tenían a sus espaldas les rodeaban de un halo de luz purpúrea, de una nube dorada. La distancia y el pisoteo de su galope en medio del polvillo luminoso creaban un extraño efecto, como si cabalgasen suspendidos del suelo, como si llegaran de otro tiempo, de un lugar mágico y remoto, desde los confines del mundo.

Llegaron a la orilla del río lanzándose a toda velocidad dentro del vado, como si cada instante que les separaba aún de la patria resultase ya insoportable. Las patas de los caballos, en medio del pataleo vertiginoso, levantaron una espuma irisada contra las últimas llamas del gran globo de poniente.

Eumenes se pasó la manga de la túnica por los ojos y se sonó ruidosamente la nariz. Le temblaba la voz.

—Oh dioses del cielo, son ellos... Son ellos.

Entonces una figura de larga melena dorada, resplandeciente con una armadura de cobre color leonado, saltó del agua en medio del rebullir de espuma, se separó del grupo y se lanzó en una carrera desenfrenada montando un semental que hacía temblar la tierra con sus cascos.

Filotas gritó:

—¡Guardia, a formar!

Y los doce guerreros se apretaron uno contra otro con la cabeza erguida y la espalda recta, levantando las puntas de las lanzas.

Eumenes no pudo ya contener la emoción.

—Alejandro... —balbuceó entre lágrimas—. Alejandro ha vuelto.

Eumenes y Calístenes acompañaron a Alejandro hasta la puerta del despacho del rey. Eumenes llamó, y cuando oyó la voz de Filipo invitándole a entrar, apoyó una mano sobre el hombro de su amigo y con cierta incomodidad le dijo:

—Si tu padre hiciese alguna referencia a la carta que me escribiste, no muestres la menor extrañeza. Me permití dar el primer paso en tu nombre, de lo contrario estarías aún en la montaña en medio de la nieve.

Alejandro le miró estupefacto dándose finalmente cuenta de lo que había sucedido, pero en ese momento no podía hacer otra cosa que entrar y así lo hizo.

Se encontró frente a su padre y le vio envejecido; aunque había estado ausente poco menos de un año, le pareció que las arrugas que le surcaban la frente eran más profundas y que sus sienes habían encanecido prematuramente.

Fue el primero en hablar:

—Me alegra encontrarte con buena salud, padre.

—Lo mismo digo —replicó Filipo—. Pareces más robusto, y estoy contento de que hayas vuelto. ¿Están bien tus amigos?

—Sí, están todos bien.

—Siéntate.

Alejandro obedeció. El soberano tomó una jarra y dos copas.

—¿Un poco de vino?

—Sí, gracias.

Filipo se le acercó y él se le plantó delante instintivamente, mirándole de cerca a la cara. Vio su ojo mortecino y también el cansancio de vivir que había dejado profundas huellas en su frente.

—Brindo a tu salud, padre, y por la empresa que estás a punto de emprender en Asia. He sabido lo de la gran profecía del dios de Delfos.

Filipo asintió y se echó al coleto un sorbo de vino.

—¿Cómo está tu madre?

—Estaba bien la última vez que la vi.

—¿Vendrá a la boda de Cleopatra?

—Espero que sí.

—También yo.

Estaban de pie en silencio, mirándose de hito en hito, y ambos sentían un agudo deseo de abandonarse a la oleada de sentimientos que los embargaba, pero eran también dos hombres endurecidos por un gran dolor y por mucho resentimiento, a causa de un momento de furor, pasado pero aún terriblemente vivo, conscientes de que en aquella situación habrían podido levantar la mano el uno contra el otro hasta el derramamiento de sangre.

—Ve a saludar a Cleopatra —dijo de golpe Filipo rompiendo el silencio—. Ha sufrido mucho por tu ausencia.

Alejandro asintió también con la cabeza y salió.

Eumenes y Calístenes se habían escondido al fondo del corredor esperando un estallido de violencia o de alegría: aquel silencio irreal les tenía perplejos.

—¿Qué piensas tú? —inquirió Calístenes.

—El rey me dijo: «Nada de fiestas, nada de banquetes. No hay nada que festejar: estamos ambos embargados de dolor». Eso fue lo que me dijo.

Alejandro atravesó el palacio como en sueños. A su paso todos sonreían y gesticulaban con la cabeza, pero nadie se atrevía a ir a su encuentro o a dirigirle la palabra.

De repente resonó un ladrido fortísimo en el gran patio y *Peritas* irrumpió como una furia en el pórtico interior. Le saltó encima casi arrojándole al suelo y no paraba de ladrar y de hacerle fiestas.

El joven se emocionó por el afecto que le demostraba aquella criatura, de modo tan franco y entusiasta, en presencia de todos. Lo acarició largamente, rascándole las orejas y tratando de calmarlo. Le vino a la mente *Argos*, el perro de Odiseo, el único que le había reconocido a su regreso después de muchos años, y sintió que los ojos se le humedecían.

Su hermana le echó los brazos al cuello llorando a lágrima viva tan pronto como le vio en la puerta de su habitación.

—Niña... —murmuró Alejandro estrechándola contra sí.

—He llorado tanto... He llorado tanto... —sollozó la muchacha.

—Pero ahora basta. He vuelto y tengo hambre. Esperaba que me invitases a cenar.

—¡Por supuesto! —exclamó Cleopatra secándose las lágrimas y sorbiéndose los mocos—. Ven, entra.

Le hizo sentarse y ordenó que preparasen inmediatamente los manjares y trajesen una jofaina para que su hermano pudiera lavarse las manos, los brazos y los pies.

—¿Vendrá mamá a mi enlace? —preguntó cuando se hubieron recostado para la cena.

—Espero que sí. Se casan su hija y su hermano: no debería faltar. Y tal vez ello gustase también a nuestro padre.

Cleopatra pareció calmarse y se pusieron a hablar de lo que les había pasado a cada uno durante aquel año en que habían estado alejados el uno del otro. La princesa se sobresaltaba cada vez que su hermano le contaba alguna aventura especialmente emocionante o bien una arriesgada persecución por las gargantas salvajes de los montes ilirios.

De vez en cuando Alejandro se interrumpía. Quería saber cosas de ella y de cómo iría vestida para la boda o de cómo viviría en el palacio de Butroto, o bien callaba y permanecía en silencio mirándola, con aquella sonrisa suya ligera y aquel curioso modo de ladear la cabeza sobre el hombro derecho.

—Pobre Pérdicas —dijo en un determinado momento, como asaltado por un pensamiento repentino—. Está perdidamente enamorado de ti y cuando se enteró de tu boda cayó en el desconsuelo.

—Lo lamento. Es un buen muchacho.

—Más que bueno diría yo. Un día será uno de los mejores generales macedonios, si puedo preciarme de conocer a los hombres. Pero no hay nada que hacer; todos tenemos nuestro propio destino.

—Por supuesto —asintió Cleopatra.

Se hizo de repente el silencio entre los dos jóvenes que se volvían a ver tras aquella larga separación: cada uno de ellos escuchaba absorto la voz de sus propios sentimientos.

—Yo creo que serás feliz con tu esposo —prosiguió Alejandro—. Es un joven inteligente y valeroso, capaz de soñar. Serás para él como una flor húmeda de rocío, como la sonrisa de la primavera, como una perla engastada en oro.

Cleopatra le miró con ojos relucientes.

—¿Así es como me ves, hermano mío?

—Así es. Y así te verá también él, estoy seguro.

Le acarició la mejilla con un beso y se fue.

Era ya tarde cuando volvió a entrar en sus habitaciones, por primera vez tras un año de ausencia: sintió la fragancia de las flores que las adornaban y el perfume de su baño.

Los velones encendidos difundían una claridad cálida y recogida, su raedera, su peine y su navaja de afeitar estaban colocadas en orden junto a la pila, y Leptina se hallaba sentada sobre un escabel vestida únicamente con un corto quitón.

Ella corrió a su encuentro apenas le vio y se arrojó a sus pies abrazándole las rodillas, cubriéndole de besos y de lágrimas.

—¿No quieres ayudarme a tomar un baño? —le preguntó Alejandro.

—Sí, sí, por supuesto, mi señor. Enseguida.

Le despojó de sus ropas y dejó que entrara en la gran pila, luego comenzó a acariciarle suavemente con la esponja. Le lavó el pelo suave y liso, le secó y le derramó sobre la cabeza un preciado aceite traído de la lejana Arabia.

Cuando salió del agua, le cubrió con un amplio paño y le hizo tumbarse en el lecho. Luego se desnudó a su vez y le dio masaje largo rato para distenderle sus miembros, pero no le perfumó porque nada era más hermoso y agradable que el olor natural de su piel. Cuando vio que se dejaba ir y que entornaba los ojos, se tumbó a su lado, desnuda y tibia, y comenzó a besarle por todo el cuerpo.

37

Eurídice dio a luz un varón hacia finales de primavera, no mucho antes de la fecha fijada para las nupcias de Cleopatra y Alejandro de Epiro, y el acontecimiento enfrió la ya no fácil relación entre el príncipe y su padre.

Aumentaron las incomprensiones y las desavenencias, que se vieron agravadas por la decisión de Filipo de mantener alejados de la corte a los amigos más íntimos de su hijo, en especial a Hefestión, Pérdicas, Tolomeo y Seleuco.

Filotas, que se encontraba en aquel momento en Asia, se había mostrado en cambio bastante tibio con Alejandro tras su regreso. Empezó incluso a frecuentar ostensiblemente a su primo Amintas, que había sido el heredero al trono antes de que él naciera.

Todos estos hechos, unidos a la perdida familiaridad con la corte y a una aguda sensación de aislamiento, no hicieron sino acrecentar en Alejandro una peligrosa inseguridad que le empujó a torpes iniciativas y a comportamientos injustificados.

Cuando supo que Filipo había propuesto como marido para la hija del sátrapa de Caria a su hermanastro Arrideo, deficiente mental, no supo ya qué pensar. Al final, tras muchas reflexiones, temiéndose que aquella elección tenía que ver de algún modo con la expedición a Asia, mandó a un mensajero suyo a Pixódaro, ofreciéndose él a casarse con la muchacha, pero el rey se enteró de ello por sus informadores. Montó en cólera y se vio obligado a mandar al traste el proyecto de alianza matrimonial, ya comprometido.

Fue Eumenes quien comunicó a Alejandro la desagradable noticia.

—Pero ¿cómo se te ha podido ocurrir hacer semejante cosa? —le preguntó—. ¿Por qué no me dijiste nada? ¿Por qué no me lo consultaste? Yo te habría dicho que...

—¿Qué es lo que me habrías dicho? —desembuchó Alejandro, inquieto y resentido—. ¡Tú no haces más que lo que te ordena mi padre! ¡No me hables, que nunca me cuentas nada!

—Estás fuera de ti —rebatió Eumenes—. Pero ¿cómo puedes pensar siquiera que Filipo desperdicie a su heredero al trono haciéndole tomar por esposa a la hija de un siervo de su enemigo, el rey de los persas?

—Yo no sé ya si soy el heredero de Filipo. Él no me lo dice, no me dice nada. Dedica todo su tiempo a su nueva mujer y al hijo que ha tenido con ella. Y también vosotros me habéis abandonado. ¡Tenéis todos miedo de estar conmigo porque pensáis que no seré ya el heredero del soberano! Mirad alrededor: ¿cuántos hijos tiene mi padre? Además, alguien podría decidirse a apoyar a Amintas: en el fondo era el heredero antes de que yo naciese, y Filotas se pasa más horas últimamente con él que conmigo. ¿Y acaso no afirmó Átalo que su hija daría a luz al heredero legítimo? Bien, ahora ha nacido un varón.

Eumenes se quedó en silencio. Le miraba mientras medía la estancia a grandes pasos, esperando que se calmara. Cuando le vio detenerse delante de la ventana dándole la espalda, prosiguió:

—Debes plantarle cara a tu padre, por más que lo que él desearía en este momento es hacerte migas. Y no le faltan del todo motivos.

—¿Lo ves? ¡Estás de su parte!

—¡Déjate de cuentos! ¡Deja de tratarme de este modo! Yo he sido siempre leal a tu familia. He tratado siempre de poner paz entre vosotros porque considero a tu padre un gran hombre, el más grande que haya conocido Europa de un siglo a esta parte, y porque te quiero, ¡maldito bastardo! Pero, antes, ¡dime una cosa, una sola cosa que yo haya hecho en contra de ti, dime un solo disgusto que te haya ocasionado durante todos estos años! Habla, vamos, estoy esperando.

Alejandro no respondió. Se retorcía las manos y permanecía de espaldas para no mostrar las lágrimas que le asomaban a los ojos. Y se sentía lleno de rabia, dándose cuenta de que la ira de su padre le seguía espantando igual que cuando era niño.

—Tienes que plantarle cara. Ahora. Ahora que está furioso por lo que has hecho. Demuéstrale que no tienes miedo, que eres todo un hombre, que eres digno de sentarte un día en su trono. Admite tu error y pide excusas. Ése es el verdadero coraje.

—Está bien —hubo de aceptar Alejandro—. Pero recuerda que ya una vez Filipo se arrojó sobre mí empuñando la espada.

—Estaba ebrio.

—¿Y ahora cómo está?

—Eres injusto con él. Ha hecho lo imposible por ti. ¿Sabes cuánto ha invertido en ti? Dime, ¿lo sabes? Yo lo sé porque llevo sus cuentas y porque superviso su archivo.

—No quiero saberlo.

—Por lo menos cien talentos, una cifra desproporcionada: una cuarta parte del tesoro de la ciudad de Atenas en tiempos de su máximo esplendor.

—¡No lo quiero saber!

—Ha perdido un ojo en combate y ha quedado lisiado para el resto de sus días. Ha construido para ti el más grande imperio que haya existido jamás al oeste de los estrechos y ahora te ofrece Asia, y tú obstaculizas sus planes, le reprochas los pocos placeres que un hombre de su edad puede permitirse. Ve a verle, Alejandro, y háblale, antes de que venga él a ti.

—¡Está bien! Le plantaré cara.

Y salió dando un portazo.

Eumenes corrió tras él por el corredor:

—¡Espera! ¡Espera te he dicho!

—¿Qué ocurre ahora?

—Deja que hable yo con él primero.

Alejandro le dejó pasar y se quedó mirando cómo sacudía la cabeza mientras se apresuraba hacia el ala oriental de palacio.

Eumenes llamó y entró sin esperar la respuesta.

—¿Qué sucede? —preguntó Filipo con cara sombría.

—Alejandro quiere hablar contigo.

—¿Por qué?

—Señor, tu hijo está disgustado por lo que hizo, pero trata de comprenderlo: se siente solo, aislado. No cuenta ya con tu confianza, con tu afecto. ¿No puedes perdonarle? En el fondo no es más que un muchacho. Creyó que tú le habías abandonado y se dejó dominar por el temor.

Eumenes, que se esperaba un estallido de cólera incontrolada, se sorprendió al ver al soberano extrañamente sereno. Le causó casi impresión.

—¿Estás bien, señor?

—Estoy bien, estoy bien. Hazle pasar.

Eumenes salió y se encontró de frente a Alejandro que esperaba, con el rostro pálido.

—Tu padre es persona muy sentida —afirmó—. Tal vez está más solo que tú. No lo olvides.

El príncipe cruzó el umbral.

—¿Por qué lo hiciste? —preguntó Filipo.

—Yo...

—¿Por qué? —aulló.

—Porque me sentía excluido de tus decisiones, de tus planes, porque estaba solo, sin nadie que me prestase una ayuda, que me diese un consejo. Creí afirmar así la dignidad de mi persona.

—¿Ofreciéndote a casarte con la hija de un siervo del rey de los persas?

«Las palabras de Eumenes», pensó para sí Alejandro.

—Pero ¿por qué no me lo dijiste? —continuó Filipo con un tono de voz más calmado—. ¿Por qué no hablaste de ello con tu padre?

—Habías preferido a Arrideo, que es medio estúpido.

—¡Pues precisamente! —gritó nuevamente Filipo descargando un puñetazo sobre la mesa—. ¿Y no te decía nada eso? ¿Así es como te enseñó a razonar Aristóteles?

Alejandro se quedó en silencio y el soberano se levantó poniéndose a renquear arriba y abajo de la habitación.

—¿Tan grave es el daño que te he causado? —preguntó el príncipe.

—No —repuso Filipo—. Aunque hubiera podido resultarme cómoda una alianza matrimonial con un sátrapa persa en el momento en que me dispongo a pasar a Asia. Pero para todo hay remedio.

—Lo siento. No ocurrirá más. Espero que me hagas saber cuál será mi puesto en el casamiento de Cleopatra.

—¿Tu puesto? Será el que corresponde al heredero al trono, hijo mío. Ve a ver a Eumenes: él lo sabe todo y ha organizado la ceremonia en sus mínimos detalles.

Alejandro enrojeció hasta la raíz de sus cabellos ante aquellas palabras y habría querido abrazar a su padre como cuando venía a verle a Mieza, pero no consiguió vencer la reserva y el embarazo que sentía en su presencia desde el día en que sus relaciones se habían vuelto difíciles. Le miró, no obstante, con una expresión emocionada y casi afligida y su padre comprendió. Dijo:

—Y ahora déjame, fuera de aquí que tengo cosas que hacer.

—Ven —le invitó Eumenes—. Tienes que ver de qué cosas es capaz tu amigo. Este matrimonio ha de ser la obra maestra de mi vida. El rey ha excluido a maestros de ceremonias y chambelanes y me ha confiado a mí toda la responsabilidad organizativa. Y ahora —afirmó abriendo de par en par una puerta y haciendo entrar a Alejandro—, ¡mira qué cosa!

El príncipe se encontró en el interior de uno de los locales de las armerías reales que había sido casi completamente vaciado para hacer sitio a una gran mesa que se apoyaba sobre unos caballetes, en la que había sido reproducido, a escala, todo el complejo del palacio real de Egas, con los santuarios y el teatro.

Los locales estaban descubiertos y podía verse su interior, donde figuritas de terracota policromadas representaban a los diferentes personajes que iban a tomar parte en las solemnes ceremonias.

Eumenes se acercó y tomó un puntero de la mesa.

—Aquí tienes —explicó, indicando una gran sala que daba a un pórtico con columnas—. Aquí se celebrará el casamiento y luego la gran procesión, un acontecimiento extraordinario, nunca antes visto.

»Después de la ceremonia, mientras la esposa sea conducida por sus damas de honor al tálamo para el baño ritual y para el peinado, se dará paso a la procesión: delante, las estatuas de los doce dioses del Olimpo, éstos que ves, conducidos a hombros por los oficiantes del culto, y entre ellos la estatua de tu padre para simbolizar su sentimiento religioso y su función de numen tutelar de todos los griegos.

»Luego, en el centro, avanzará el rey en persona cubierto por un manto blanco, con una corona de oro de hojas de encina alrededor de la cabeza. Algo más adelante, a la diestra del soberano, irás tú en tu calidad de heredero al trono, y a la siniestra el esposo, Alejandro de Epiro: os dirigiréis hacia el teatro. Aquí lo tienes.

»Los huéspedes y las delegaciones extranjeras habrán ocupado ya sus puestos con las primeras luces del alba, entretenidos, hasta el momento de la entrada de la procesión, por espectáculos y actuaciones de actores famosos que serán traídos expresamente de Atenas, de Sición, de Corinto, entre los que estará también Tésalo, que me han dicho que es el que tú más admiras.

Alejandro se acomodó en los hombros el blanco manto e intercambió una rápida mirada con su tío. Ambos precedían en unos pocos pasos a Filipo, acompañado por su guardia personal, ataviado con una túnica roja con el borde recamado en oro, de motivos ovalados y palmetas, y con un rico manto blanco, el cetro de marfil en la mano derecha, tocado con la corona de oro de hojas de encina. Era idéntico a la estatuilla que Eumenes le había enseñado en el modelo a escala en el interior de la sala de armas.

Los zapateros reales le habían confeccionado un par de coturnos de actor trágico que permanecían cubiertos por el borde del traje y tenían un grosor distinto, a fin de corregirle el andar renqueante y aumentar considerablemente su estatura.

Eumenes se había colocado sobre un armazón de madera en la parte más alta de la cávea del teatro y hacía señales al maestro de ceremonias con unas banderitas de colores para coordinar el imponente cortejo.

Miró a su derecha el gran hemiciclo abarrotado hasta los topes y, en el fondo de la calle de acceso, la cabeza de la procesión con las estatuas de los dioses maravillosamente realizadas por los más grandes artistas, engalanadas con auténticos trajes y auténticas coronas de oro, protegidas por sus animales sagrados, el águila de Zeus, la lechuza de Atenas, el pavo real de Hera, reproducidos con impresionante realismo, como si fueran a emprender el vuelo de un momento a otro.

Detrás venían los sacerdotes ceñidos con las sagradas diademas, con los turíbulos, y luego un coro de bellísimos efebos desnudos cual amorcillos que cantaban los himnos nupciales acompañándose con flautas y tímpanos.

Al fondo, el soberano precedido por el hijo y el cuñado y yerno, y, cerrando el cortejo, los siete guardias personales en traje de gala.

Eumenes dio la señal, el maestro de ceremonias indicó a los trompeteros que hicieran sonar sus instrumentos y la procesión se puso en movimiento.

Era una visión soberbia, que el sol y la jornada extraordinariamente clara hacían más espectacular aún. La cabeza de la procesión estaba entrando ya en el hemiciclo y las estatuas de los dioses recorrían una tras otras el semicírculo de la orquesta y eran colocadas acto seguido en fila delante del proscenio.

Conforme un sector de la procesión enfilaba el arco de entrada contiguo a la escena, Eumenes le perdía de vista hasta que no volvía a aparecer a la luz en el interior del teatro.

Pasaron los sacerdotes en medio de una nube de incienso y a continuación los efebos que danzaban cantando sus himnos de amor en honor a la esposa: Eumenes les vio desaparecer bajo la arquivolta y volver a aparecer por el otro lado entre las exclamaciones de júbilo del público.

Ahora pasaban Alejandro de Macedonia y Alejandro de Epiro y se acercaba el rey. Tal como estaba previsto, una vez que hubo llegado delante de la arquivolta, el soberano ordenó retirarse a su escolta porque no quería presentarse ante los griegos flanqueado por guardias personales igual que un tirano.

Eumenes vio reaparecer en el interior del teatro a los dos jóvenes en medio de un estruendo de aplausos y, al mismo tiempo, desaparecer al rey por la otra parte en la sombra de la arquivolta. Entretanto, con el rabillo del ojo, reparó en los guardias personales que se retiraban. Les echó una ojeada distraída y luego, de golpe, más atenta: ¡faltaba uno!

Precisamente en aquel instante Filipo aparecía a la luz en el interior del teatro y Eumenes, habiendo intuido que algo estaba a punto de ocurrir, se puso a gritar hasta desgañitarse, pero no consiguió dominar el estruendo de las aclamaciones. Sucedió todo rápido como un relámpago: el guardia personal que faltaba apareció de repente de la oscuridad, empuñando una corta daga, se arrojó sobre el soberano y se la clavó en el costado hasta la empuñadura dándose de inmediato a la fuga.

Alejandro se dio cuenta de que algo tremendo había sucedido por la expresión de consternación en el rostro de los presentes, se volvió hacia atrás un instante después de que su padre hubiese sido traspasado y vio su rostro repentinamente pálido como las máscaras de marfil de los dioses. Le vio tambalearse y sujetarse el costado que se inundaba de sangre manchando el blanco manto.

Detrás de él, un hombre escapaba a lo largo de la calle en dirección a los prados. Se abalanzó hacia su padre que caía de rodillas, mientras Alejandro de Epiro pasaba cerca de él corriendo y gritando a voz en cuello:

—¡Atrapad a ese hombre!

Alejandro pudo sostener al soberano antes de que se desplomara sobre el polvo, y le estrechó contra sí mientras la sangre le brotaba copiosamente por entre las ropas y le mojaba brazos y manos.

—¡Papá! —gritaba entre sollozos estrechándole más fuerte—. ¡Papá, no!

Filipo sintió sus lágrimas ardientes en las mejillas exangües.

Encima de él el cielo estalló en una miríada de puntos luminosos y luego se entenebreció de golpe. En aquel momento se volvió a ver de pie en el centro de una habitación inmersa en la penumbra, mientras estrechaba contra su pecho a un niño. Sintió la piel suave del pequeño contra su mejilla hirsuta, sintió sus labios sobre el hombro surcado de cicatrices y un intenso perfume de rosas de Pieria en el aire, antes de hundirse en la oscuridad y el silencio.

El fugitivo corría a más no poder hacia un grupo de árboles donde le esperaban otros hombres, sin duda sus cómplices, que escaparon apenas vieron que era perseguido.

El hombre, al quedarse solo, se volvió y se dio cuenta de que seguían su rastro. Alejandro de Epiro se había despojado del manto y le perseguía espada en mano gritando:

—¡Cogedle vivo! ¡Cogedle vivo!

El hombre reemprendió su carrera lo más rápido posible y, al llegar a escasos pasos del caballo, dio un salto para montar sobre su grupa, pero tropezó con la raíz de una cepa de vid y cayó al suelo. Se volvió a levantar, pero los guardias se le habían echado ya encima y le traspasaron de parte a parte con docenas de estocadas, dándole muerte instantánea.

El rey de Epiro, apenas vio lo que habían hecho, gritó fuera de sí:

—¡Necios! ¡Os he dicho que le cogierais vivo!

—Pero, señor, estaba armado y ha tratado de herirnos.

—¡Perseguid a los demás! —ordenó entonces el soberano—. ¡Perseguid por lo menos a los demás y apresadles!

Entretanto había llegado Alejandro, con las ropas manchadas aún de sangre de Filipo. Miró al homicida y seguidamente al rey de Epiro y afirmó:

—Le conozco. Se llama Pausanias, era uno de los guardias personales de mi padre. Desnudadle, colgadle de un palo en la entrada del teatro y dejadle que se pudra hasta que no le queden más que los huesos.

Mientras tanto, se había ido formando un corro en torno al cadáver: curiosos, hombres de la guardia real, oficiales del ejército y huéspedes extranjeros.

Alejandro volvió, junto con su cuñado, al interior del teatro, que se estaba vaciando rápidamente, y encontró a su hermana Cleopatra, todavía con el vestido de novia, quien sollozaba desesperadamente inclinada sobre el cadáver de su padre. Eumenes, de pie a escasa distancia, con los ojos llenos de lágrimas y una mano delante de la boca, continuaba sacudiendo la cabeza como si no consiguiera creerse aún lo que había sucedido. La reina Olimpia, esperada desde la mañana, todavía no había llegado.

Alejandro mandó llamar a reunión a todas las unidades de combate presentes en los alrededores, dio orden de retirar el cuerpo de su padre y de prepararlo para el rito fúnebre, hizo acompañar a Cleopatra a sus habitaciones y traer para sí y para su cuñado dos armaduras.

—¡Eumenes! —gritó sacando a su amigo de su aturdimiento—. Busca el sello y tráemelo. Y manda de inmediato unos estafetas a que informen a Hefestión, Tolomeo, Pérdicas, Seleuco y a los demás: quiero que me esperen en Pella antes de mañana por la noche.

Los armeros se presentaron en pocos instantes y los dos jóvenes se pusieron las corazas y las grebas, se ciñeron las espadas y se dirigieron, entre dos filas de gente, seguidos por una sección de tropas escogidas, a ocupar el palacio. Todos los miembros presentes de la familia real fueron puestos bajo estrecha vigilancia y mantenidos en sus alojamientos, a excepción de Amintas que se presentó armado y se puso a las órdenes de Alejandro:

—Puedes contar conmigo y con mi fidelidad. No quiero que se derrame más sangre.

—Te lo agradezco —replicó Alejandro—. No olvidaré este gesto.

Las puertas de la ciudad fueron ocupadas por rondas de escuderos y secciones de caballería. Filotas se dirigió espontáneamente a palacio y se puso a sus órdenes.

Mediada la tarde, Alejandro, flanqueado por el rey de Epiro y su primo Amintas, se presentó armado delante del ejército formado, llevando el manto real y la diadema. El mensaje fue alto y claro.

Los oficiales hicieron sonar las trompas y los hombres gritaron el saludo:

—¡Salve, Alejandro, rey de los macedonios!

Luego, a otra señal, golpearon largo rato las lanzas contra los escudos haciendo retumbar los pórticos de palacio con ensordecedor estruendo.

Alejandro, tras recibir el homenaje de las secciones formadas, ordenó preparar a *Bucéfalo* y estar dispuestos para la partida. Convocó a continuación a Eumenes y a Calístenes, también él presente en la ceremonia.

—Eumenes, ocúpate del cuerpo de mi padre. Haz que sea lavado y embalsamado para que se conserve hasta las solemnes exequias que organizarás tú mismo, y recibe a mi madre, si llega. Llama luego a un arquitecto y pon en marcha cuanto antes los trabajos para la tumba real.

»Calístenes, tú quédate y haz indagaciones sobre el autor del crimen. Busca a sus amigos y cómplices, trata de descubrir sus movimientos en las últimas horas, interroga a los guardias que le han dado muerte a pesar de la orden en contrario de mi cuñado. Si fuera necesario, haz uso de la tortura.

Eumenes se adelantó y entregó a Alejandro un pequeño estuche.

—El sello real, señor.

Alejandro lo cogió y se lo puso en el dedo.

—¿Sientes afecto por mí, Eumenes? ¿Me eres fiel?

—Por supuesto, señor.

—Entonces, sigue llamándome Alejandro.

Salió a la plaza de armas, saltó sobre la grupa de *Bucéfalo* y, tras dejar una guarnición en Egas a las órdenes de Filotas, partió con el cuñado camino de Pella para tomar posesión del trono de Filipo y para mostrar a los nobles y a la corte quién era el nuevo rey.

Es aquellos momentos, el teatro se hallaba ya completamente vacío. Únicamente quedaban las estatuas de los dioses, como abandonadas en sus pedestales, y la estatua de Filipo, a la luz declinante del ocaso, que tenía la melancólica fijeza de una divinidad olvidada.

De golpe, mientras comenzaba a caer la oscuridad, una sombra pareció materializarse de la nada: un hombre con la cabeza cubierta por un manto entró en la arena desierta y examinó largamente la mancha de sangre que enrojecía aún el terreno; luego volvió atrás, pasando por debajo de la arquivolta contigua a la escena. Su atención se vio atraída por un objeto metálico, ensangrentado y medio oculto en la arena. Se inclinó para observarlo con sus ojillos grises, inquietísimos, lo recogió y lo guardó entre los pliegues de su manto. Salió al aire libre y se detuvo delante del poste en el que había sido clavado el cuerpo del asesino, envuelto ya por las tinieblas. Una voz resonó a sus espaldas:

—Tío Aristóteles, no imaginaba encontrarte aquí.

—Calístenes. Una jornada que debía ser de alegría ha acabado con un muy triste suceso.

—Alejandro esperaba volver a abrazarte, pero la sucesión convulsa de los acontecimientos...

—Lo sé. También yo lo siento. ¿Dónde está ahora?

—Cabalgando a la cabeza de sus tropas camino de Pella. Quiere prevenir a todo el mundo de cualquier posibilidad de golpe de mano por parte de determinados grupos de la nobleza. Pero tú, ¿cómo es que estás aquí? No es éste un alegre espectáculo.

—El regicidio es siempre un punto crítico en el devenir de los acontecimientos humanos. Y, por lo que he oído, fue una premonición del oráculo de Delfos: «El toro está coronado, el fin está próximo, el sacrificador está listo». —Y luego, volviéndose hacia el cadáver martirizado de Pausanias, agregó—: Ahí tienes al sacrificador. ¡Quién hubiera pensado que sería éste el epílogo de la profecía!

—Alejandro me ha pedido que indague acerca del crimen. Que trate de descubrir quién puede estar detrás del asesinato de su padre. —Desde lo más recóndito del palacio, llegaba el lúgubre canto de las plañideras que lloraban la muerte del rey—. ¿Quieres ayudarme? —preguntó Calístenes—. Todo parece tan absurdo...

—Ahí está la clave del crimen —afirmó Aristóteles—. En lo absurdo. ¿Qué asesino hubiera elegido una forma tan burda, un asesinato en un teatro, como la escena de una tragedia interpretada, con sangre de verdad y... —extrajo un hierro de los pliegues del manto— una verdadera espada. Una daga celta, para ser más exactos.

—Un arma poco corriente... Pero veo que ya has empezado tu indagación.

—La curiosidad es la clave del conocimiento. ¿Qué se sabe de él? —preguntó señalando de nuevo al cadáver.

—Bien poco. Se llamaba Pausanias y era natural de Lincestide. Había sido incluido en la guardia personal por su presencia física.

—Por desgracia, no podrá decirnos ya nada y también eso forma parte seguramente del plan. ¿Has preguntado a los soldados que le mataron?

—A uno o dos de ellos, pero no he sacado gran cosa. Todos afirman no haber oído la orden de Alejandro de que no le mataran. Furiosos por la muerte del soberano, cegados por la ira, apenas hizo él ademán de defenderse le destrozaron.

—Resulta creíble, pero probablemente no es cierto. ¿Dónde está el rey de Epiro?

—Ha partido con Alejandro, directo también hacia Pella.

—Por tanto ha renunciado a la primera noche con su esposa.

—Por dos motivos, ambos comprensibles: para echar una mano a su cuñado en el momento crítico de la sucesión y para respetar el luto de Cleopatra.

Aristóteles se llevó un dedo a la boca para que el sobrino guardase silencio. Un ruido de galope llegaba de forma cada vez más clara y lo hacía en dirección a ellos.

—Vamos —dijo el filósofo—. Desaparezcamos de aquí. Quien sabe que no es observado se comporta más libremente.

El ruido del galope se transformó en un paso cadencioso de cascos y luego cesó del todo. Una figura cubierta con un manto negro saltó a tierra, avanzó hasta encontrarse delante del cadáver clavado en el poste y se bajó la capucha liberando una larga melena ondulada.

—¡Dioses del cielo, pero si es Olimpia! —bisbiseó Calístenes al oído de su tío.

La reina se acercó, extrajo algo de entre los pliegues del manto y luego se puso de puntillas delante del cadáver. Cuando se alejó para alcanzar a la escolta, ambos vieron una corona de flores en torno al cuello de Pausanias.

—¡Oh, por Zeus! —imprecó Calístenes—. Pero entonces...

—¿Que está claro, quieres decir? —Aristóteles sacudió la cabeza—. En absoluto. De haber sido ella quien ordenó el asesinato, ¿crees tú que habría llevado a cabo una acción de este tipo ante los mismos ojos de la escolta y a sabiendas de que alguien, probablemente, no quita ojo al cadáver de Pausanias?

—Pero de ser consciente de todo esto, podría haberse comportado de este modo tan absurdo precisamente para provocar en quien está indagando un razonamiento que la exculpe.

—Es cierto, pero siempre es más prudente tratar de descubrir lo que ha movido a una persona a cometer un crimen que no preguntarse sobre lo que deben de pensar los demás —observó Aristóteles—. Búscame un velón o una antorcha y vamos a ver el lugar en que cayó muerto Pausanias.

—Pero ¿no es mejor esperar a la luz del día?

—Antes de que despunte el alba, pueden suceder muchas cosas. Te espero allí.

El filósofo se encaminó hacia el bosquecillo de encinas y olmos cerca del cual se había perpetrado la matanza del asesino.

39

Hefestión, Tolomeo, Seleuco y Pérdicas, los cuatro con armadura, llegaron cansados y empapados de sudor al caer la noche, confiaron sus caballos a sus asistentes y subieron a la carrera las escaleras de palacio hasta la sala del consejo donde les estaba esperando Alejandro.

Leonato y Lisímaco no iban a poder llegar antes del día siguiente porque se encontraban en aquellos momentos en Larisa, en Tesalia.

Un guardia les introdujo en la estancia donde ya estaban encendidos los velones y donde se hallaban sentados Alejandro, Filotas, el general Antípatro, Alejandro de Epiro, Amintas y algunos comandantes de batallón de la falange y de la caballería de los *hetairoi*. Todos, incluido el rey, llevaban la armadura y mantenían los yelmos y las espadas apoyados sobre la mesa al alcance de la mano, señal de que la situación era aún crítica.

Alejandro fue a su encuentro, emocionado.

—Amigos míos, por fin estamos de nuevo juntos.

Hefestión habló en nombre de todos:

—Estamos desolados por la muerte del rey Filipo y profundamente apenados. El destierro que nos infligió no pesa en modo alguno ahora en nuestros sentimientos. Le recordamos como un gran soberano, el más valeroso de los combatientes y el más prudente de los gobernantes. Para nosotros fue como un padre duro y severo, pero también generoso y capaz de nobles impulsos. Le lloramos con sincero dolor. Es un terrible acontecimiento, pero ahora eres tú quien recoge su herencia y nosotros te reconocemos como su sucesor y como nuestro rey.

Dicho esto, se acercó a él y le besó en ambas mejillas; otro tanto hicieron los demás. Luego dirigieron un saludo al rey Alejandro de Epiro y a los oficiales presentes y tomaron asiento a la mesa.

Alejandro reanudó su discurso:

—La noticia de la muerte de Filipo se difundirá por doquier en pocos días porque se ha producido en presencia de miles de personas y provocará una serie de reacciones difíciles de prever, pero nosotros tenemos que movernos con idéntica rapidez para prevenir todo lo que pudiera debilitar al reino o destruir en parte lo que mi padre ha creado. Mi plan es el siguiente.

»Tendremos que recabar noticias sobre el estado de las fronteras septentrionales, sobre las reacciones de nuestros recientes aliados atenienses y tebanos y... —se volvió hacia Filotas con una mirada significativa— sobre las intenciones de los generales que mandan nuestro cuerpo expedicionario en Asia: Átalo y Parmenio. Dado que cuentan con un ejército de quince mil hombres, resulta oportuno comenzar de inmediato esas averiguaciones.

—¿Qué piensas hacer, entonces? —preguntó Filotas con cierta aprensión.

—No quiero incomodar a ninguno de vosotros: confiaré mi mensaje a un oficial griego llamado Ecateo, que milita a nuestro servicio en la región de los estrechos con una pequeña sección. He decidido, de todas formas, destituir a Átalo de su mando y no os será difícil comprender la razón.

Nadie opuso ninguna objeción: la escena que se había producido el año anterior, durante las nupcias de Filipo, permanecía viva aún en la memoria de todos.

—Yo creo —prosiguió diciendo Alejandro— que las consecuencias de la muerte del rey se dejarán sentir muy pronto. Alguien pensará que se puede volver atrás y nosotros deberemos convencerle de que está en un gran error. Únicamente después podremos retomar el proyecto de mi padre.

Alejandro se calló y en aquel momento todos se dieron cuenta de que el tiempo se había detenido, de que en aquella estancia se estaba gestando un futuro que nadie lograba imaginar. El joven que Filipo había hecho instruir durante años de duro aprendizaje estaba sentado ya en el trono de los Argéadas y, por primera vez en su vida, el devastador poder que tan sólo había visto ejercer a los héroes de los poemas estaba ahora en sus manos.

Alejandro dejó el mando de las diferentes unidades de la falange y de la caballería de los *hetairoi* a sus amigos, la responsabilidad del palacio real a Hefestión y partió nuevamente con el rey de Epiro camino de

Egas, donde el cuerpo de su padre estaba aún a la espera de sepultura y donde tenía que cumplir con muy onerosos compromisos.

A mitad de camino, encontraron a un mensajero enviado por Eumenes con un despacho urgente.

—¡Por suerte te he encontrado, señor! —exclamó entregándole un rollo sellado—. Eumenes desea que lo leas inmediatamente.

Alejandro abrió el despacho y descubrió el lacónico mensaje:

> Eumenes a Alejandro, rey de los macedonios, ¡salve!
>
> El hijo pequeño de Eurídice ha sido encontrado muerto en su cuna y mucho temo por la vida de la madre.
>
> La reina Olimpia llegó a palacio la noche que partiste.
>
> Tu presencia aquí se hace indispensable.
>
> Cuídate.

—Mi madre llegó inmediatamente después de que nosotros partiéramos, ¿lo sabías? —preguntó Alejandro a su cuñado.

El rey de Epiro sacudió la cabeza:

—No me dijo nada cuando dejé Butroto, pero verdaderamente no creía que estuviera presente en la ceremonia. Para ella era una afrenta más. Pensaba que de ese modo Filipo la marginaría por completo, desde el momento en que yo le había garantizado la seguridad de sus fronteras del oeste tras el matrimonio. No podía imaginarme que hubiera decidido reunirse conmigo en Egas.

—De todos modos, ahora está allí y ha tomado ya iniciativas muy graves. Tenemos que actuar antes de que lleve a cabo algo irreparable —dijo Alejandro y puso a *Bucéfalo* al galope.

Llegaron la tarde siguiente, hacia la puesta del Sol, y oyeron resonar a lo lejos gritos desgarradores que provenían del palacio. Eumenes salió a su encuentro en el umbral.

—Hace dos días que grita así. Dice que ha sido tu madre quien ha matado a su niño. Y se niega a separarse del pequeño cadáver. Pero pasa el tiempo y comprenderás que...

—¿Dónde está?

—En el ala sur —contestó Eumenes—. Sígueme.

Alejandro hizo una señal a sus guardias personales para que le acompañaran y atravesó el palacio defendido en cada sector por hombres armados. Muchos de ellos eran epirotas de la escolta de su cuñado.

—¿Quién les ha puesto ahí?

—Tu madre la reina —repuso Eumenes caminando entre jadeos detrás de Alejandro.

A medida que se acercaban, los lamentos se hacían cada vez más fuertes. A veces estallaban de repente en roncos gritos, otras se apagaban en un largo sollozo.

Llegaron delante de una puerta y Alejandro la abrió sin vacilar, pero el espectáculo con el que se encontró le dejó helado. Eurídice yacía en un rincón de la estancia, con los cabellos revueltos, los ojos hinchados y enrojecidos, la mirada perdida. Mantenía estrechamente apretado contra su pecho el cuerpo inerte de su niño. La cabeza y los brazos del pequeño pendían hacia atrás y el color cianótico de sus miembros indicaba que estaba ya en fase de descomposición.

Las ropas de la madre estaban rasgadas, los cabellos sucios de sangre coagulada. La estancia entera estaba impregnada de un olor repugnante a sudor, orina y putrefacción.

Alejandro cerró los ojos y durante unos momentos volvió a ver a Eurídice en el apogeo de su esplendor, sentada al lado de su padre el rey: amada, mimada, envidiada por todos. Sintió que el horror subía a su cerebro y que la furia hinchaba su pecho y las venas de su cuello.

Se volvió hacia Eumenes y preguntó con voz rota por la ira:

—¿Quién ha sido?

Eumenes bajó la cabeza en silencio.

Alejandro gritó.

—¿Quién ha sido?

—No lo sé.

—Llama inmediatamente a alguien para que se ocupe de ella. Haz venir a mi médico Filipo y dile que cuide de ella, que prepare algo que la haga descansar... dormir.

Hizo ademán de alejarse, pero Eumenes le retuvo.

—No quiere separarse de su criatura: ¿qué podemos hacer?

Alejandro se detuvo y se volvió hacia la muchacha, que se acurrucó más aún si cabe en el rincón, como un animal aterrorizado.

Se le acercó y se arrodilló delante de ella, mirándola fijamente y doblando un poco la cabeza sobre el hombro como para atenuar la potencia de su mirada, como para rodearla de un aura de compasión. Luego alargó la mano y le acarició con dulzura la mejilla.

Eurídice cerró los ojos, apoyó la cabeza en la pared y dejó escapar un largo suspiro de dolor.

Alejandro extendió los brazos y susurró:

—Dámelo a mí, Eurídice, dame al pequeño. ¿No ves que está cansado? Hemos de ponerle a dormir.

Dos grandes lágrimas resbalaron lentamente por las mejillas de la joven, hasta humedecerle las comisuras de los labios. Bisbiseó:

—Dormir... —Y aflojó los brazos.

Alejandro tomó al niño delicadamente, como si estuviera verdaderamente dormido, y salió al corredor.

Eumenes, mientras tanto, había hecho venir a una mujer que se acercó.

—Ya le cojo yo, señor.

Alejandro le depositó entre sus brazos y ordenó:

—Colocadle al lado de mi padre.

—¿Por qué? —gritó abriendo la puerta de par en par—. ¿Por qué?

La reina Olimpia se paró delante de él y le clavó en la cara dos ojos de fuego.

—¿Osas entrar armado en mis aposentos?

—¡Soy el rey de los macedonios! —gritó Alejandro—. ¡Y voy a donde se me antoja! ¿Por qué has dado muerte al niño y has herido bárbaramente a su madre? ¿Quién te ha dado el derecho a hacerlo?

—Tú eres el rey de los macedonios porque el niño está muerto —repuso Olimpia impasible—. ¿Acaso era eso lo que querías? ¿Has olvidado cómo te atormentabas cuando temías haber perdido el favor de Filipo? ¿Has olvidado lo que le dijiste de Átalo el día del matrimonio de tu padre?

—No lo he olvidado, pero yo no voy matando niños ni tratando cruelmente a mujeres indefensas.

—No hay otra elección para un rey. Un rey está solo y no hay ninguna ley que establezca quién debe sucederle en el trono. Un grupo de aristócratas habría podido tomar al pequeño bajo tutela y decidir que gobernaría en su nombre hasta su mayoría de edad. Si hubiese sucedido eso, ¿tú qué habrías hecho?

—¡Habría luchado para conquistar el trono!

—¿Y cuánta sangre habrías derramado? ¡Responde! ¿Cuántas viudas habrían llorado a sus maridos, cuántas madres a sus hijos muertos antes de tiempo, cuántos campos habría sido quemados y arrasados, cuántos pueblos y ciudades saqueados y entregados a las llamas? Y mientras tanto se habría echado a perder un imperio construido con más sangre y más destrucciones.

Alejandro se recobró, poniendo cara sombría como si las matanzas y duelos evocados por su madre pesasen de repente, y todos juntos, en su ánimo.

—Es el destino —replicó—. Es el destino del hombre tener que soportar heridas, enfermedades, dolores y muertes antes de hundirnos en la nada. Pero actuar con honor y ser clemente siempre que sea posible es una facultad y una elección suya. Ésta es la única dignidad que le es concedida desde que viene al mundo, la única luz antes de las tinieblas de una noche sin fin...

Al día siguiente, Eumenes anunció a Alejandro que la tumba de su padre estaba lista y que podía celebrarse el funeral. En realidad, sólo la primera parte del gran sepulcro había sido completada, en un tiempo increíblemente rápido: estaba prevista además una segunda cámara en la que serían depositados otros objetos preciosos que acompañarían al gran soberano en el más allá.

Filipo fue puesto en la hoguera por sus soldados, espléndidamente ataviado y con una corona de hojas de encina en la cabeza. Dos batallones de la falange y un escuadrón de los *hetairoi* a caballo le rindieron honores.

La pira fue apagada con vino puro, las cenizas y los huesos fueron envueltos en un paño de púrpura y oro en forma de clámide macedonia y depositados en una caja de oro macizo con los pies como zarpas de león y la estrella argéada de dieciséis puntas en la tapa.

En el interior de la tumba fueron colocados la coraza, de hierro, cuero y oro, que el rey había llevado en el asedio de Potidea, las dos grebas de bronce, la aljaba de oro, el escudo de gala de madera revestido de chapa de oro y con una escena dionisíaca de sátiros y ménades en su centro, esculpida en marfil. Las armas ofensivas, la espada y la punta de la lanza fueron arrojadas al fuego del altar y acto seguido dobladas ritualmente para que no pudieran ser usadas nunca más.

Alejandro depositó sus presentes personales: una magnífica jarra de plata maciza con el asa adornada con una cabeza barbuda de sátiro y una copa de plata de dos asas de tan maravillosa belleza y ligereza que parecía no pesar nada.

La entrada del sepulcro fue cerrada con una gran puerta de mármol de dos hojas, flanqueada por dos semicolumnas dóricas que reproducían el acceso del palacio real de Egas. Un artista de Bizancio había pintado en la franja del arquitrabe una maravillosa escena de caza.

La reina Olimpia no presenció el rito fúnebre porque no deseaba depositar ningún presente votivo sobre la pira o en la tumba de su esposo y por no encontrarse con Eurídice.

Alejandro lloró cuando los soldados cerraron la gran puerta de mármol: había amado a su padre y sentía que detrás de aquellas hojas quedaba sepultada para siempre su juventud.

Eurídice se dejó morir de hambre junto a la pequeña Europa, y de nada sirvieron los cuidados del médico Filipo, que recurrió a todos sus conocimientos.

También para ella levantó Alejandro una tumba suntuosa e hizo poner en su interior el trono de mármol que su padre usaba para administrar justicia bajo la encina de Egas, hermosísimo, adornado con grifos y esfinges de oro, con una maravillosa cuadriga pintada en el respaldo. Una vez cumplidos sus deberes, con el ánimo henchido de tristeza regresó a Pella.

El general Antípatro era un oficial de la vieja guardia de Filipo, leal al trono y extremadamente digno de confianza. Alejandro le había conferido el encargo de llevar a cabo la misión de Ecateo en Asia, ante Parmenio y Átalo, y esperaba con ansiedad el resultado.

Sabía que los bárbaros del norte, tribalos e ilirios, recientemente sometidos por su padre, podían insurreccionarse de un momento a otro, se daba cuenta de que los griegos habían aceptado las cláusulas de la paz de Corinto únicamente tras la matanza de Queronea y que todos sus enemigos, en primer lugar Demóstenes, seguían vivos y en plena actividad. Por último, consideraba que Átalo y Parmenio controlaban los estrechos y estaban a la cabeza de un fuerte cuerpo expedicionario de quince mil hombres.

Y, por si fuera poco, había llegado la noticia de que los agentes persas estaban estableciendo contactos en Atenas con el partido antimacedonio y ofrecían una importante financiación en oro al objeto de fomentar la sublevación.

Había muchos elementos de inestabilidad, y si todas aquellas amenazas se hubieran concretado al mismo tiempo, el nuevo soberano no habría tenido salvación.

La primera respuesta a sus interrogantes llegó a principios del otoño: Antípatro solicitó de inmediato audiencia al rey y Alejandro le recibió en el despacho que había sido de su padre. Por más que fuese un soldado de la cabeza a los pies, Antípatro no gustaba de hacer ostentación de su condición y vestía habitualmente como un ciudadano común y corriente. Lo cual demostraba su equilibrio y seguridad.

—Señor —anunció al hacer su entrada—, éstas son las noticias que llegan de Asia: Átalo se ha negado a ceder el mando y a regresar a Pella; ha presentado resistencia armada y ha sido muerto. Parmenio asegura su sincera fidelidad.

—Antípatro, quisiera saber lo que de veras piensas de Parmenio. Has de saber que su hijo Filotas está aquí en palacio. Podría pensar, según se mire, que es mi rehén. ¿Es ése, según tú, el motivo de su declaración de fidelidad?

—No —repuso sin vacilación el anciano general—. Conozco perfectamente a Parmenio. Siente afecto por ti, siempre te ha querido, desde que eras un niño y venías a sentarte en las rodillas de tu padre durante los consejos de guerra en la armería real.

Alejandro recordó de improviso la cantinela que tarareaba cada vez que veía los blancos cabellos de Parmenio:

¡El viejo soldado que va a la guerra
cae por tierra, cae por tierra!

Sintió que le invadía una profunda tristeza pensando en cómo el poder cambiaba dramáticamente las relaciones entre las personas. Antípatro continuó:

—Pero si tienes dudas, no hay más que un modo de ahuyentarlas.

—Mandarle a Filotas.

—Exactamente, en vista de que sus otros dos hijos, Nicanor y Héctor, están ya con él.

—Es lo que haré. Le mandaré a su hijo con una carta reclamándole en Pella. Tengo necesidad de él: temo que esté a punto de desencadenarse una tempestad.

—Me parece una decisión muy prudente, señor. Parmenio aprecia sobre todo una cosa: la confianza.

—¿Qué noticias hay del norte?

—Malas. Los tribalos se han alzado en rebelión y han incendiado algunas de nuestras guarniciones fronterizas.

—¿Qué me aconsejas?

—He hecho enviar unos mensajes. Si hiciesen caso omiso de ellos, golpea lo más fuerte que puedas.

—Sin duda. ¿Y del sur?

—Nada bueno. El partido antimacedonio está reforzándose un

poco por todas partes, hasta en Tesalia. Tú eres muy joven y hay quien piensa que...

—Habla con toda libertad.

—Que eres un muchacho sin experiencia que no conseguirá mantener la hegemonía establecida por Filipo.

—Tendrán que arrepentirse de ello.

—Hay otra cosa.

—Dime.

—Tu primo Arquelao...

—Continúa —le invitó Alejandro poniendo cara sombría.

—Ha sido víctima de un accidente de caza.

—¿Ha muerto?

Antípatro asintió.

—Cuando mi padre conquistó el trono, perdonó tanto a él como a Amintas, por más que ambos estuviesen en la línea de sucesión hasta aquel momento.

—Ha sido un accidente de caza, señor —repitió Antípatro impasible.

—¿Dónde está Amintas?

—Abajo, en el cuerpo de guardia.

—No quiero que le suceda nada: estaba a mi lado cuando ocurrió el asesinato de mi padre.

Antípatro hizo señal de haber comprendido y se encaminó hacia la puerta.

Alejandro se levantó y se puso delante del gran mapa de Aristóteles, que había querido hacer colgar en su despacho: el este y el oeste podían tenerse por seguros, vigilados por Alejandro de Epiro y por Parmenio, siempre que pudiera confiarse verdaderamente en él. Pero el norte y el sur representaban dos grandes amenazas. Tenía que atacar los más pronto posible y con tanta dureza que no cupieran dudas acerca del hecho de que Macedonia tenía un soberano no menos fuerte que Filipo.

Salió a la galería que daba al norte y dirigió la mirada hacia las montañas donde había transcurrido su destierro. Los bosques comenzaban a cambiar de color con la proximidad del otoño y pronto caería la nieve: hasta primavera, la situación por aquella parte se mantendría tranquila. Era preciso por el momento espantar a los tesalios y tebanos: meditó un plan de acción, en espera de que Filotas y Parmenio volviesen de Asia.

Reunió a su consejo de guerra pocos días después.

—Entraré en Tesalia con el ejército en formación de combate, haré que me confirmen en el cargo de *tagos* que estaba en posesión de mi padre y me acercaré hasta las murallas de Tebas —anunció—. Quiero hacer entender a los tesalios que tienen un nuevo jefe y, en cuanto a los tebanos, quiero darles un susto de muerte: tienen que saber que puedo atacarles en cualquier momento.

—Hay un problema —intervino Hefestión—. Los tesalios han obstruido el valle de Tempe con una fortificación, a derecha e izquierda del río. Estamos bloqueados.

Alejandro se acercó al mapa de Aristóteles e indicó el macizo del monte Ossa, que caía a pico sobre el mar.

—Lo sé —repuso—. Pero nosotros pasaremos por aquí.

—¿Y cómo, si puede saberse? —preguntó Tolomeo—. Ninguno de nosotros tiene alas, que yo sepa.

—Tenemos mazas y escoplos —replicó Alejandro—. Tallaremos una escalera en la roca viva. Haced venir a quinientos mineros del Pangeo, los mejores. Dadles bien de comer, ropas, calzado, y prometedles la libertad si terminan dentro de diez días: trabajarán por turnos, sin descanso, por el lado del mar. Los tesalios no podrán verles.

—¿Estás hablando en serio? —preguntó Seleuco.

—No bromeo nunca durante los consejos de guerra. Y ahora, venga, movámonos.

Todos los presentes se miraron estupefactos: era evidente que ningún obstáculo, ninguna barrera humana o divina detendría jamás a Alejandro.

41

La «Escalera de Alejandro» estuvo lista en siete días y, al amparo de las tinieblas, la infantería de asalto de los escuderos llegó a la llanura de Tesalia sin necesidad de desenvainar la espada.

Un mensajero a caballo refirió la noticia al comandante tesalio pocas horas después, pero sin ninguna explicación porque nadie, en aquel momento, estaba en condiciones de darlas.

—¿Me estás diciendo que tenemos un ejército macedonio a nuestras espaldas al mando del rey en persona?

—Así es.

—Y, según tú, ¿cómo se las han arreglado para llegar?

—Eso no se sabe, pero los soldados allí están y son muchos.

—¿Cuántos?

—Entre tres y cinco mil hombres, perfectamente armados y equipados. Hay también caballos. No muchos, pero los hay.

—No es posible. No puede pasarse por el mar, así como tampoco por los montes.

El comandante, un tal Caridemo, no había terminado de hablar cuando uno de sus soldados señaló a dos batallones de la falange y a un escuadrón de *hetairoi* a caballo que remontaban el río en dirección a la fortificación: esto significaba que, antes de la noche, habrían sido aplastados entre dos ejércitos. Poco después, otro de sus guerreros le informó de que un oficial macedonio de nombre Crátero quería negociar de nuevo.

—Dile que voy enseguida —ordenó Caridemo, y salió por una poterna para reunirse con el macedonio.

—Me llamo Crátero —se presentó el oficial— y te pido que nos dejes pasar. No queremos haceros ningún daño, sólo uniros a nuestro rey que está a vuestras espaldas y dirigirnos a Larisa, donde el soberano convocará al consejo de la liga tesálica.

—No tengo mucha elección —observó Caridemo.

—No. No la tienes —replicó Crátero.

—Está bien, negociemos. Pero ¿puedo saber algo?

—Si está en mis manos responderte, así lo haré —declaró Crátero muy formalmente.

—¿Cómo es que vuestra infantería está a mis espaldas?

—Hemos tallado una escalera en una ladera del monte Ossa.

—¿Una escalera?

—Sí. Es un pasaje que nos permite estar en contacto con nuestros aliados tesalios.

Caridemo, consternado, no pudo por menos que dejarle pasar.

Dos días después Alejandro llegó a Larisa, convocó al consejo de la liga tesálica y se hizo confirmar como *tagos* vitalicio.

Luego esperó a que las restantes secciones del ejército le alcanzasen para atravesar Beocia y desfilar bajo los muros de Tebas con gran despliegue de fuerzas.

—No quiero ningún derramamiento de sangre —afirmó—. Pero tienen que llevarse un susto de muerte. Piensa en ello, Tolomeo.

Tolomeo formó al ejército como en la batalla de Queronea. Hizo ponerse a Alejandro la misma armadura que había llevado su padre e hizo preparar el gigantesco tambor de guerra sobre ruedas tirado por cuatro caballos.

El sordo retumbo se pudo oír claramente desde las murallas de la ciudad donde, algunos días antes, los tebanos habían intentado un asalto a la guarnición macedonia de la ciudadela de Cadmea. El recuerdo de las penalidades sufridas y el miedo a aquel ejército amenazador bastaron para calmar por un tiempo los ánimos más agitados, pero no así para extinguir el odio y la voluntad de revancha.

—¿Bastará? —preguntó Alejandro a Hefestión mientras desfilaban a los pies de Tebas.

—Por ahora. Pero no te hagas ilusiones. ¿Qué piensas hacer con las restantes ciudades que han expulsado a nuestras guarniciones?

—Nada. Quiero ser el caudillo de los griegos, no su tirano. Deben comprender que yo no soy un enemigo. Que el enemigo está al otro lado del mar, que es el persa quien impide la libertad en las ciudades griegas de Asia.

—¿Es cierto que has ordenado iniciar pesquisas sobre la muerte de tu padre?

—Sí, a Calístenes.

—¿Y crees que va a conseguir descubrir la verdad?

—Creo que hará lo posible.

—¿Y si descubriera que fueron los griegos? ¿Los atenienses, por ejemplo?

—Decidiré lo que haya que hacer en su momento.

—Calístenes ha sido visto con Aristóteles, ¿lo sabías?

—Por supuesto.

—¿Y cómo explicas tú el hecho de que Aristóteles no venga a hablar contigo?

—Ha sido difícil hablar conmigo en estos últimos tiempos. O tal vez lo que quiere es mantener una total independencia de juicio.

La última sección de los *hetairoi* se dispersó en medio del estruendo cada vez más débil del gran tambor y los tebanos se reunieron en consejo para deliberar. Había llegado una carta de Demóstenes desde Calauria exhortándoles a no desesperar, a estar preparados para el momento de la liberación.

«El trono de Macedonia está ocupado por una criatura —decía— y la situación es propicia.»

Las palabras del orador entusiasmaron a todos, pero no eran pocos los que se inclinaban por la prudencia. Intervino un anciano que había perdido a dos hijos en Queronea:

—Esa criatura, como la llama Demóstenes, ha reconquistado Tesalia en tres días sin desenvainar siquiera la espada y nos ha dirigido un mensaje muy preciso con esta parada bajo nuestras murallas. Yo le escucharía.

Pero las voces airadas que se alzaban de varias partes ahogaban aquella invitación a la cordura, y los tebanos se prepararon para levantarse en armas no bien se presentase la ocasión.

Alejandro llegó a Corinto sin mayores problemas, convocó al consejo de la liga panhelénica y pidió ser confirmado como general de todos los ejércitos confederados.

—Cada uno de los estados será libre de gobernarse como prefiera y no se ejercerá ninguna interferencia en sus regulaciones internas y en su constitución —proclamó desde el sitial que había sido de su padre—. La única finalidad de la liga es la de liberar a los griegos de Asia del yugo de los persas y mantener entre los griegos de la península una paz duradera.

Todos los delegados firmaron la moción, a excepción de los espartanos que no se habían adherido tampoco a la de Filipo.

—Estamos acostumbrados desde siempre a guiar a los griegos, no a ser guiados —declaró su enviado a Alejandro.

—Lo siento —replicó el rey— porque los espartanos son magníficos guerreros. En la actualidad, sin embargo, son los macedonios el pueblo más poderoso entre los griegos y justo es que tengamos la guía y la hegemonía.

Pero habló con amargura porque recordaba cuál había sido el valor lacedemonio en la batalla de las Termópilas y en Platea. También se daba cuenta de que ninguna potencia estaba en condiciones de resistir el desgaste del tiempo: sólo la gloria de quien ha vivido con honor crece con el paso de los años.

De regreso quiso visitar Delfos y se quedó fascinado y estupefacto ante las maravillas de la ciudad sagrada. Se detuvo delante del frontón del grandioso santuario de Apolo y contempló las palabras esculpidas en letras de oro: «Conócete a ti mismo».

—¿Qué significa en tu opinión? —le preguntó Crátero, que no se había planteado jamás problemas de naturaleza filosófica.

—Es evidente —repuso Alejandro—. Conocerse a uno mismo es la tarea más difícil porque pone en juego directamente nuestra racionalidad, pero también nuestros miedos y pasiones. Si uno consigue conocerse a fondo a sí mismo, sabrá comprender a los demás y la realidad que le rodea.

Observaron la larga procesión de fieles procedentes de todas partes, que llevaban ofrendas y pedían una respuesta al dios. No había lugar en el mundo donde viviesen griegos que no tuviera allí algún representante.

—¿Crees que el oráculo dice la verdad? —preguntó Tolomeo.

—Tengo aún en los oídos la respuesta que dio a mi padre.

—Una respuesta ambigua —rebatió Hefestión.

—Pero al final verdadera —replicó Alejandro—. Si Aristóteles estuviese aquí, tal vez diría que las profecías pueden hacer realidad el futuro, más que preverlo...

—Es probable —asintió Hefestión—. Estuve de oyente una vez en una de sus clases en Mieza: Aristóteles no se fía de nadie, ni tan siquiera de los dioses. Confía tan sólo en su mente.

Aristóteles se apoyó en el respaldo de su sillón y cruzó las manos sobre su abdomen.

—¿Y el oráculo délfico? ¿Has tenido en cuenta la respuesta de Delfos? También sobre ella pueden recaer las sospechas. Recuerda que un oráculo vive de su propia credibilidad, mas para ganarse esta credibilidad necesita de un patrimonio ilimitado de conocimientos. Y nadie en el mundo posee tantos conocimientos como los sacerdotes del santuario de Apolo: por eso pueden prever el futuro. O bien determinarlo. El resultado es idéntico.

Calístenes tenía en la mano una tablilla en la que había anotado los nombres de todos aquéllos que hasta aquel momento podían ser sospechosos del asesinato del rey.

Aristóteles prosiguió:

—¿Qué sabes del asesino? ¿A quién frecuentó en el período inmediatamente anterior al asesinato del rey?

—Se cuenta una desagradable historia al respecto, tío —comenzó diciendo Calístenes—. Una historia en la que Átalo, el padre de Eurídice, se halla profundamente implicado. Digamos que está metido en ella hasta el cuello.

—Y Átalo ha sido asesinado.

—Exacto.

—Y también Eurídice está muerta.

—En efecto. Alejandro le ha hecho construir una tumba suntuosa.

—Por otra parte, reaccionó violentamente contra su madre Olimpia porque la había tratado con rigor y porque, probablemente, hizo matar a su niño.

—Eso exculparía a Alejandro.

—Pero al mismo tiempo le favorece en la sucesión.

—¿Sospechas de él?

—No, porque le conozco. Pero a veces el saber o el sospechar un hecho criminal sin hacer demasiado para impedirlo puede ser una forma de culpabilidad.

»El problema es que eran muchos los que tenían interés en dar muerte a Filipo. Hemos de seguir recabando información. La verdad, en este caso, podría ser la suma del mayor número de indicios contra uno u otro de los sospechosos. Sigue indagando sobre los hechos que implican a Átalo y luego tenme informado. Pero házselo saber también a Alejandro: es él quien te ha confiado la investigación.

—¿Debo contárselo todo?

—Todo. Y no pases por alto sus reacciones.

—¿Puedo decirle que me estás ayudando?

—Por supuesto —respondió el filósofo—. En primer lugar, porque eso le gustará. En segundo, porque ya lo sabe.

42

El general Parmenio regresó a Pella junto con su hijo Filotas hacia finales del otoño, tras haberlo dispuesto todo para que el ejército de Asia pudiera pasar el invierno tranquilo.

Le recibió Antípatro, que tenía en ese momento el sello real y desempeñaba la función de regente.

—He sentido mucho no poder tomar parte en el funeral del rey —dijo Parmenio—. Y también he sentido mucho la muerte de Átalo, pero no puedo decir que no me la esperase.

—Alejandro, de todos modos, te ha demostrado una confianza absoluta enviándote a Filotas. Ha querido que tomases libremente la decisión que te pareciera más acertada.

—Es por eso por lo que he vuelto. Pero me sorprende verte en el dedo el anillo real: la reina madre no te ha querido nunca mucho y me dicen que ha tenido siempre una gran influencia sobre Alejandro.

—Es cierto, pero el soberano sabe muy bien lo que quiere. Y su voluntad es que su madre se mantenga al margen de la política. Absolutamente.

—¿Y en cuanto a lo demás?

—Juzga tú mismo. En tres meses ha vuelto a reunir a la liga tesálica, intimidado a los tebanos, reforzado la liga panhelénica y recuperado al general Parmenio, o sea, la llave de Oriente. Para ser una criatura, como le llama Demóstenes, no está nada mal.

—Tienes razón, pero queda el norte. Los tribalos se han aliado con los getas, que viven a lo largo del curso bajo del Istro, y al mismo tiempo realizan incursiones continuas por nuestros territorios. Muchas de las ciudades fundadas por el rey Filipo se han perdido.

—Si no he entendido mal, ése es el motivo por el cual Alejandro te ha reclamado a Pella. Tiene intención de marchar hacia el norte a mediados de invierno para coger al enemigo por sorpresa, y tú deberás mandar la infantería de línea. Pondrá a sus amigos a tus órdenes, al mando de los batallones: quiere que aprendan la lección de un buen maestro.

—¿Y ahora dónde está? —preguntó Parmenio.

—Según las últimas noticias, está atravesando Tesalia. Pero antes ha pasado por Delfos.

Parmenio se ensombreció.

—¿Ha consultado el oráculo?

—Si así puede decirse.

—¿Por qué?

—Los sacerdotes querían probablemente evitar que sucediese de nuevo lo que sucedió con el rey Filipo y le explicaron que la pitia estaba indispuesta y no quería responder a sus preguntas. Pero Alejandro la arrastró a la fuerza hacia el trípode para obligarla a darle el vaticinio. —Parmenio ponía unos ojos como platos como si escuchase cosas imposibles de creer—. En aquel momento, la pitia gritó fuera de sí: «¡Pero es imposible resistirse a ti, muchacho!». Entonces Alejandro se detuvo, impresionado por la frase, y dijo: «Como respuesta ya me sirve». Y se marchó.

Parmenio sacudió la cabeza.

—Una buena frase, sí señor, digna de un gran actor.

—Y Alejandro lo es. O al menos es también esto. Ya lo verás.

—¿Piensas que cree en los oráculos?

Antípatro se pasó una mano por la hirsuta barba.

—Sí y no. En él conviven la racionalidad de Filipo y de Aristóteles, y la naturaleza misteriosa, instintiva y bárbara de su madre. Pero vio caer a su padre como un toro delante del altar, y en ese momento las palabras del vaticinio debieron de estallar como un trueno en su mente. No lo olvidará mientras viva.

Caía la noche y los dos viejos guerreros fueron embargados por una imprevista, profunda melancolía. Sentían que su tiempo había periclitado con la muerte del rey Filipo y sus días parecían haberse disuelto en la vorágine de llamas que había envuelto la pira del soberano muerto.

—Tal vez, de haber estado nosotros a su lado... —murmuró de golpe Parmenio.

—No digas nada, amigo mío. Nadie puede impedir los designios del destino. Hemos de pensar únicamente en que nuestro rey había preparado a Alejandro como su sucesor. Y cuanto nos queda de vida le pertenece.

El soberano regresó a Pella a la cabeza de sus tropas y atravesó la ciudad entre dos alas de gentes en fiesta. Era la primera vez desde que se tenía memoria que un ejército volvía vencedor de una campaña sin haber luchado en ningún momento, sin haber sufrido ninguna baja. Todos veían en aquel muchacho de gran apostura, de rostro, vestiduras, armadura resplandecientes, poco menos que la encarnación de un joven dios, de un héroe épico. Y en sus compañeros que cabalgaban a su lado parecía reflejarse idéntica luz, en sus ojos parecía brillar la misma mirada ansiosa y febril.

Antípatro fue a recibirle para devolverle el sello y anunciarle que había llegado Parmenio.

—Llévame enseguida hasta él —ordenó Alejandro.

El general montó a caballo y le indicó el camino hasta una casa de recreo algo aislada a las afueras de la ciudad.

Parmenio bajó las escaleras con el corazón en un puño tan pronto como le anunciaron que el rey había venido a verle sin siquiera pararse en sus habitaciones de palacio. Cuando salió por la puerta, se topó con él.

—¡Viejo, valiente soldado! —le saludó Alejandro abrazándole—. Gracias por haber vuelto.

—Señor —replicó Parmenio con un nudo en la garganta—, la muerte de tu padre me ha causado un profundo dolor. Habría dado la vida por salvarle, de haber podido. Le habría hecho de escudo con mi cuerpo, habría... —No pudo proseguir porque se le quebraba la voz.

—Lo sé —asintió Alejandro. Luego apoyó las manos sobre sus hombros, le miró fijamente a los ojos y dijo—: También yo.

Parmenio bajó la mirada.

—Fue como un rayo, general, un plan organizado por una mente genial e inexorable. Había un gran estruendo y yo me hallaba delante con el rey Alejandro de Epiro: Eumenes me gritó algo, pero no comprendí, no conseguí oír y, cuando me di cuenta de que estaba sucediendo algo y me volví, él había caído de rodillas, bañado en sangre.

—Lo sé, señor. Pero no hablemos más de esas cosas tan tristes. Mañana me dirigiré a Egas, ofreceré un sacrificio en su templo fúnebre y espero que me oiga. ¿Cuál es el motivo de tu visita?

—Quería verte e invitarte a cenar. Estaremos todos y os expondré mis planes para el invierno. La que os anuncie será nuestra última empresa en Europa. Luego marcharemos hacia Oriente, hacia el sol naciente.

Saltó sobre el caballo y se alejó al galope. Parmenio regresó a casa y llamó a su servidor.

—Prepárame el baño y mis mejores vestiduras —le ordenó—. Esta noche iré a cenar al palacio del rey.

Durante los días posteriores a estos acontecimientos, Alejandro se ejercitó en las artes militares y tomó parte en numerosas partidas de caza, pero tuvo ocasión asimismo de darse cuenta de que su autoridad era ya reconocida en países muy distantes. Le llegaron embajadas de los griegos de Asia y hasta de Sicilia y de Italia.

Algunos enviados de un grupo de ciudades que se asomaban al mar Tirreno le trajeron como presente una copa de oro y le dirigieron una súplica.

Alejandro se sintió increíblemente halagado y les preguntó de dónde venían.

—De Neápolis, Medma y Poseidonia —le contestaron con un acento que no había oído nunca, pero que le recordaba un poco el de la isla de Eubea.

—¿Y qué deseáis que haga?

—Rey Alejandro —repuso el de más edad de ellos—. Hay una poderosa ciudad en nuestra tierra, más al norte, cuyo nombre es Roma.

—He oído hablar de ella —replicó Alejandro—. Se dice que fue fundada por Eneas, el héroe troyano.

—Pues bien, en el territorio de los romanos hay una ciudad costera que ejerce la piratería y causa enorme daño a nuestro tráfico. Queremos que se ponga fin a esta situación y que pidas a los romanos que tomen medidas. Tu fama se ha extendido por todas partes y creo que una intervención tuya tendría su peso.

—Lo haré con mucho gusto. Y espero que me escuchen. Vosotros informadme, os lo ruego, sobre el resultado de esta iniciativa.

Luego hizo una seña al escriba y comenzó a dictar.

Alejandro, rey de los macedonios, jefe supremo panhelénico, al pueblo y a la ciudad de los romanos, ¡salve!

Nuestros hermanos que habitan en las ciudades del golfo Tirreno dicen padecer graves molestias a causa de vuestros súbditos que ejercen la piratería.

Os pido, pues, que le pongáis remedio cuanto antes o, si no estáis en condiciones de hacerlo, que dejéis que sean otros quienes resuelvan el problema en vuestro lugar.

Estampó su sello en la misiva y la ofreció a sus huéspedes, que le expresaron su gran agradecimiento y se alejaron satisfechos.

—Me pregunto qué resultado tendrá esta misiva —dijo vuelto hacia Eumenes que estaba sentado cerca de él—. ¿Y qué pensarán esos romanos de un rey tan lejano que se inmiscuye en sus asuntos exteriores?

—No tan lejano —afirmó Eumenes—. Ya verás lo que te responden.

Llegaron también otras embajadas y otras noticias, bastante peores éstas, desde la frontera septentrional: la alianza entre los tribalos y los getas se había consolidado y ponía en peligro todas las conquistas de Filipo en Tracia. Los getas, en particular, eran bastante temibles porque, creyéndose seres inmortales, luchaban con furia salvaje y con absoluto desprecio del peligro. Muchas de las colonias fundadas por su padre habían sido atacadas y saqueadas, la población aniquilada o reducida a la esclavitud. Sin embargo, en aquel período parecía que la situación era tranquila y que los guerreros hubiesen regresado a sus pueblos a fin de protegerse de los rigores del frío.

Alejandro decidió, así pues, adelantar la partida, por más que fuera invierno aún, y poner en práctica el plan que había preparado. Mandó decir a la flota bizantina que remontara el Istro durante cinco días de navegación, hasta su confluencia con el río Peukes. Por su parte, concentró todas las unidades del ejército de Pella, puso a Parmenio a la cabeza de la infantería, asumió personalmente la guía de la caballería y ordenó la partida.

Salvaron el monte Ródope, bajaron al valle del Euros y a continuación prosiguieron camino a marchas forzadas hacia los desfiladeros del monte Hemo, cubiertos aún por una espesa capa de nieve. A medida que avanzaban veían ciudades destruidas, campos devastados, cadáveres de hombres empalados, otros atados y quemados, y la cólera del soberano macedonio creció como la furia de un río en avenida.

Cayó inesperadamente con la caballería sobre la llanura gética, prendió fuego a los pueblos, quemó los campamentos, destruyó las cosechas, acabó con rebaños y manadas.

Las poblaciones, presas del terror, se retiraron en desbandada hacia el Istro y buscaron refugio en una isla en medio del río, donde Alejandro no pudiera alcanzarles. Pero llegó entre tanto la flota de guerra bizantina que transportaba las tropas de asalto, los escuderos, y la caballería de La Punta.

En la isla, la lucha arreció con furia: los getas y los tribalos combatían con ardor desesperado porque defendían el último pedazo de tierra que les quedaba, a sus mujeres e hijos; pero Alejandro conducía personalmente el ataque a sus posiciones, desafiando el viento gélido y las olas impetuosas del Istro henchido por las lluvias torrenciales. El humo de los incendios mezclábase con las ráfagas de lluvia y nevisca, los alaridos de los combatientes, los gritos de los heridos; los relinchos de los caballos se confundían con el fragor de los truenos y el silbido del viento del Norte.

Los defensores habían formado un círculo compacto uniendo los escudos a los escudos, plantando las astas de las lanzas en tierra para presentar una muralla de puntas a la carga de la caballería. Detrás habían alineado a los arqueros, que disparaban nubes de dardos mortíferos. Pero Alejandro parecía dominado por una fuerza espantosa.

Parmenio, que también le había observado combatir tres años antes en Queronea, se quedó atónito y espantado al verle enzarzarse en el cuerpo a cuerpo, olvidado de todo, como preso de un furor incontrolable, animado por un vigor inagotable, gritando, segando la vida a los enemigos con la espada y con el hacha de guerra, acicateando a *Bucéfalo*, acorazado de bronce, contra las filas enemigas hasta abrir una brecha por la que lanzarse detrás de la caballería pesada y la infantería de asalto.

Cercados, dispersos, perseguidos uno a uno como fieras en fuga, los tribalos se detuvieron, mientras que los getas siguieron resistiendo hasta el último hombre, hasta el último aliento.

Cuando todo hubo terminado, la tempestad que avanzaba desde el norte llegó al río y a la isla, pero, al encontrar la humedad que subía de la vasta corriente, se atenuó. Como por ensalmo, comenzó a caer la nieve, primero mezclada con lluvia, en forma de minúsculos cristales de hielo, y luego cada vez más densa y en grandes copos. El fangal sanguinolento pronto estuvo cubierto de blanco, los incendios se apagaron y por doquier descendió un pesado silencio, roto tan sólo aquí y allá por algún que otro grito amortiguado o por los bufidos de los caballos que avanzaban cual espectros en la tormenta.

Alejandro volvió hacia la orilla del mar, y los soldados que había dejado de guardia en el atracadero le vieron aparecer de repente por entre la cortina de nieve y niebla: no tenía su escudo, empuñaba aún la espada y el hacha de doble filo y estaba cubierto de sangre de la cabeza a los pies. Las placas de bronce sobre su pecho y sobre la frente de *Bucéfalo* estaban igualmente rojas y emanaba del cuerpo y de los ollares del semental una densa nube de vapor, como si de una fiera fantástica, de una criatura de pesadilla se tratase.

Parmenio le alcanzó enseguida, con el estupor pintado en el rostro.

—Señor, no hubieras tenido que...

Alejandro se quitó el yelmo liberando sus cabellos al viento helado y el viejo general no reconoció su voz cuando dijo:

—Se acabó, Parmenio, volvamos atrás.

Una parte del ejército fue repatriada por el mismo camino de ida, mientras que Alejandro guió a la parte restante de los soldados y a la caballería hacia el oeste, remontando el curso del Istro hasta que se encontró con el pueblo de los celtas, que provenían de tierras lejanísimas a orillas del océano del Norte, y estableció con ellos un pacto de alianza.

Se sentó bajo una tienda de pieles curtidas con su jefe, un gigante rubio que se tocaba con un yelmo rematado en un pájaro, a las que subían y bajaban con un leve crujido cada vez que movía la cabeza.

—Juro —afirmó el bárbaro —que seguiré siendo fiel a este pacto mientras la tierra no se hunda en el mar, el mar no sumerja a la tierra y el cielo no caiga sobre nuestras cabezas.

Alejandro se quedó sorprendido por aquella fórmula que no había oído nunca en su vida y preguntó:

—¿Cuál de esas cosas teméis más?

El jefe alzó la mirada y las alas del pájaro se movieron arriba y abajo; pareció pensar un momento y luego dijo, muy seriamente:

—Que el cielo caiga sobre nuestras cabezas.

Alejandro no supo nunca el motivo.

A continuación atravesó los territorios de los dárdanos y de los agrianos, poblaciones salvajes de estirpe iliria que habían traicionado la alianza de Filipo y se habían unido a los getas y a los tribalos. Les derrotó y les obligó a proporcionarle tropas porque los agrianos eran famosos por su capacidad de trepar, armados, hasta las peñas más escarpadas y el joven soberano pensaba que sería más cómodo poder emplear semejantes tropas que hacer tallar una escalera en la roca del monte Ossa para su infantería de asalto.

El ejército estuvo dando vueltas durante largos días por el dédalo de valles y bosques de aquellas tierras inhóspitas sin que se supiera nada más de él y no faltó quien hiciera correr la voz de que el rey había caído con sus tropas en una emboscada y había muerto.

La noticia corrió como un reguero de pólvora y llegó en primer lugar a Atenas, por mar, y luego a Tebas.

Demóstenes regresó de inmediato de la isla de Calauria donde se había refugiado, se volvió a presentar en el ágora y pronunció ante la asamblea un encendido discurso. Fueron mandados mensajes a Tebas y una carga, gratuita, de armaduras pesadas para la infantería de línea, de la que los tebanos carecían por completo. La ciudad se sublevó, los hombres tomaron las armas y asediaron a la guarnición que ocupaba la ciudadela de Cadmea, abriendo trincheras y levantando empalizadas alrededor de manera que los macedonios, encerrados dentro, no pudieran recibir ningún refuerzo del exterior.

Pero Alejandro fue informado de la sublevación y se puso muy furioso al enterarse de las palabras de burla que Demóstenes había dedicado a su persona.

Llegó en trece días desde las riberas del Istro y se presentó ante las murallas de Tebas poco antes de que los defensores de la ciudadela de Cadmea, extenuados por el asedio, se rindieran. Se quedaron mudos del asombro al ver al rey, a caballo de *Bucéfalo*, ordenar a los tebanos que le entregasen inmediatamente a los responsables de la rebelión.

—¡Entregadlos —gritaba— y perdonaré a la ciudad!

Los tebanos reunieron a la asamblea para deliberar. Los representantes del partido democrático, desterrados por Filipo, habían regresado y ardían en deseos de venganza.

—No es más que un muchacho, ¿de qué tenéis miedo? —le preguntó uno de ellos, un hombre llamado Diodoro—. Los atenienses están con nosotros, la liga de los etolios y la misma Esparta podrían unir sus fuerzas a las nuestras en breve. ¡Es hora ya de sacudirse de encima la tiranía macedonia! Y también el Gran Rey de los persas ha prometido su apoyo: están a punto de llegar a Atenas armas y dinero para sostener nuestra rebelión.

—Pero entonces, ¿por qué no esperar a los refuerzos? —se levantó para sugerir otro ciudadano—. Entretanto, la guarnición que hay en Cadmea podría rendirse y nosotros podríamos emplear a esos hombres para una negociación: dejarles libres a cambio de la retirada definitiva de las tropas macedonias de nuestro territorio. O bien podríamos intentar una salida cuando haya un ejército aliado que sorprenda por la espalda a Alejandro.

—¡No! —dijo de forma tajante Diodoro—. Cada día que pasa va en detrimento nuestro. Todos los que crean haber sufrido alguna injusticia u opresión por parte de nuestra ciudad que se unan al macedonio: están llegando los focenses, los de Platea, los de Tespias, los de Oropos, y todos nos odian hasta el punto de querer nuestra ruina total y absoluta. ¡No temáis, tebanos! ¡Vengaremos a los muertos de Queronea, de una vez por todas!

La asamblea, arrastrada por aquellas encendidas palabras, se alzó gritando:

—¡Guerra!

Y sin siquiera esperar a que los magistrados de la federación disolvieran la reunión, se precipitaron todos a sus casas para empuñar las armas.

Alejandro reunió al consejo de guerra en su tienda de campaña.

—Lo único que quiero es inducirles a negociar —comenzó diciendo—. ¡Ataquémosles, y verán quién es el más fuerte!

—Ya saben quién es el más fuerte —intervino Parmenio—. Tenemos aquí treinta mil hombres y treinta mil caballos, todos veteranos que no han sufrido jamás una derrota. Negociarán.

—El general Parmenio tiene razón —dijo Alejandro—. No quiero sangre. Me dispongo a invadir Asia y deseo únicamente dejar tras de mí una Grecia pacificada y en lo posible amiga. Les concederé más tiempo para reflexionar.

—Pero, entonces, ¿de qué ha servido soportar trece días de mortales marchas? ¿Para estar aquí sentados bajo las tiendas esperando a que ellos decidan qué quieren hacer? —preguntó aún Hefestión.

—He querido demostrar que puedo atacar en cualquier momento y en corto espacio de tiempo. Que no estaré nunca lo bastante lejos como para permitirles organizarse. Pero si piden la paz, se la concederé de muy buen grado.

Los días, sin embargo, pasaban sin que nada sucediese. Alejandro decidió entonces amenazar a los tebanos de forma más decidida, para inducirles a negociar. Alineó al ejército en orden de combate, le hizo avanzar hasta debajo de las murallas y luego hizo adelantarse a un heraldo que proclamó:

—¡Tebanos! El rey Alejandro os ofrece la paz que todos los griegos han aceptado y la autonomía y los ordenamientos políticos que prefiráis. ¡Pero si rehusáis, ofrece de todos modos acogida a aquellos de vosotros que quieran salir y elegir vivir sin odio y sin derramamiento de sangre!

La respuesta de los tebanos no se hizo esperar mucho. Un heraldo suyo, desde lo alto de una torre, gritó:

—¡Macedonios! Cualquiera que quiera unirse a nosotros y al Gran

Rey de los persas para liberar a los griegos de la tiranía será bien aceptado y le serán abiertas las puertas.

Aquellas palabras hirieron en lo más hondo a Alejandro, le hicieron sentir el bárbaro opresor que no había sido nunca ni había querido ser, vio frustrados en un solo instante todos los proyectos y esfuerzos de su padre Filipo. Rechazado y despreciado, se sintió dominado por una incontenible cólera y sus ojos se ensombrecieron como un cielo que anuncia temporal.

—¡Ya basta! —exclamó—. No me dejan otra elección. Daré un escarmiento tan terrible que nadie más osará transgredir la paz que he creado para todos los griegos.

En Tebas, sin embargo, no todas las voces que exhortaban a la negociación se habían acallado, tanto más cuanto que algunos prodigios habían propagado por la ciudad una profunda inquietud. Tres meses antes de que Alejandro se presentase bajo las murallas con su ejército, se había visto en el templo de Deméter una telaraña enorme que tenía la forma de un manto y resplandecía con colores iridiscentes.

El oráculo de Delfos, interrogado, había respondido:

Los dioses mandan esta señal a todos los mortales,
*a los beocios en primer lugar y a sus vecinos.**

Fue consultado el oráculo ancestral de Tebas, que afirmó:

La tela de araña es para algunos un desastre,
*un bien para otros.**

Nadie había sabido dar un significado a aquellas palabras, pero la mañana en que Alejandro había llegado con el ejército las estatuas de la plaza del mercado se habían puesto a sudar, cubriéndose muy pronto de gruesas gotas que chorreaban hasta el suelo.

Además se les hizo saber a los representantes de la ciudad que el lago Copais había emitido un sonido semejante a un mugido y que, en las proximidades de Dirke, había sido vista en sus aguas una onda, como cuando se arroja una piedra, color sangre, que había ido extendiéndose por toda la superficie. Y por último, algunos caminantes procedentes de Delfos habían contado que el templete de los tebanos en el santuario, erigido en muestra de gratitud por los restos mortales arrebatados a los focenses en la guerra sagrada, tenía unas manchas de sangre en el techo.

Los adivinos que se ocupaban de estos presagios afirmaron que la

* Extraídos de Diodoro Sículo, XVII, 10.3 *(N. del a.)*

telaraña del interior del templo significaba que los dioses abandonaban la ciudad y que su iridiscencia era premonitoria de una tempestad de desgracias. Las estatuas que sudaban eran presagio de una catástrofe inminente y la aparición de la sangre en muchos lugares anunciaba la proximidad de una matanza.

Dijeron, por tanto, que sin duda todas estas señales eran infaustas y que de ningún modo había que probar suerte en el campo de batalla, sino más bien buscar una solución negociada.

Y sin embargo, no obstante todo ello, los tebanos no se quedaron impresionados; es más, recordaron que seguían estando entre los mejores combatientes de Grecia y rememoraron las grandes victorias que habían alcanzado en el pasado. Dominados por una especie de locura colectiva, actuaron movidos más por un ciego coraje que por la prudencia y la reflexión y se precipitaron de cabeza al abismo, a la ruina de su país.

Alejandro, en sólo tres días, preparó todos los trabajos de asedio así como las máquinas para derribar los muros. Los tebanos salieron entonces en formación de combate. En el ala izquierda habían situado a la caballería protegida por una empalizada, en el centro y a la derecha la infantería pesada de línea. En el interior de la ciudad, las mujeres y los niños se habían refugiado en los templos, a fin de rogar a los dioses que les perdonasen la vida.

Alejandro dividió sus fuerzas en tres secciones: la primera tenía que atacar la empalizada, la segunda hacer frente a la infantería tebana y la tercera, al mando de Parmenio, la mantuvo de reserva.

Al sonar las trompas se desencadenó el combate, con una violencia ni siquiera vista el día de Queronea. Los tebanos, en efecto, sabían que eran empujados demasiado lejos y que no habría ya piedad alguna para ellos si eran derrotados: sabían que sus casas serían saqueadas y quemadas, sus mujeres forzadas, los niños vendidos. Combatían con absoluto desprecio del peligro, exponiéndose a la muerte con temerario valor.

El fragor de la batalla, las exhortaciones de los comandantes, el sonido agudo de las trompas y de las flautas ascendían hasta el cielo, mientras desde el fondo del valle el enorme tambor de Queronea marcaba el ritmo con sus sordos retumbos.

Al principio, los tebanos tuvieron que detenerse al no poder soportar el impacto formidable de la falange, pero cuando llegaron al cuerpo a cuerpo en un terreno más accidentado demostraron su superioridad, de modo que, durante horas y horas, las distintas suertes del combate parecieron estar en suspenso, como si los dioses las hubiesen puesto sobre los platillos de una balanza en equilibrio perfecto.

En ese punto Alejandro lanzó al ataque sus reservas: la falange que había combatido hasta entonces se dividió en dos y dejó avanzar a la de refuerzo. Pero los tebanos, lejos de asustarse por tener que batirse, exhaustos, contra tropas frescas, se enorgullecieron más aún si cabe.

Sus oficiales gritaron a voz en cuello:

—¡Mirad, hombres! ¡Hacen falta dos macedonios para vencer a un tebano! Rechacemos también a éstos como hemos hecho con los demás.

Y desencadenaron todas sus energías en un asalto que había de decidir la suerte de sus vidas y de su ciudad.

Pero precisamente en aquel momento Pérdicas, que estaba en el ala izquierda, vio que una poterna lateral de las murallas había quedado desguarnecida con objeto de enviar tropas de refuerzo al ejército tebano; mandó una sección para que la tomase y acto seguido hizo pasar al interior a todos los que pudo.

Los tebanos corrieron detrás para cerrar la poterna, pero, acosados por el gentío enorme de sus camaradas que se les echaban encima, se amontonaron en un gran desorden de hombres y caballos, hiriéndose entre sí, sin lograr impedir que las tropas enemigas se desparramaran por el interior.

Entretanto, los macedonios encerrados en la ciudadela hicieron una salida y sorprendieron por la espalda a los guerreros adversarios que se batían cuerpo a cuerpo, en las estrechas y tortuosas callejas, delante de sus mismas casas.

Ningún tebano se rindió, ninguno imploró de rodillas por su vida, pero este desesperado valor de nada sirvió para inspirar piedad, así como tampoco la jornada fue lo bastante larga para detener la crueldad de la venganza: nada hubiera podido parar a los enemigos en aquel punto. Ciegos de furor y ebrios de sangre y de violencia, entraron en los templos, sacaron de debajo de los altares a las mujeres y a los niños para practicar con ellos toda forma posible de ultraje.

Por toda la ciudad resonaban gritos de muchachas y muchachos que llamaban desesperadamente a sus padres, quienes no podían ya socorrerles.

Se habían añadido mientras tanto a los macedonios aquellos griegos, beocios y focenses que en el pasado habían sufrido la opresión tebana y, aunque hablasen la misma lengua y el mismo dialecto, se mostraban los más feroces, desencadenando su violencia sobre la ciudad cuando ya los cuerpos de las víctimas yacían amontonados en todos los rincones y en todas las ágoras.

Sólo a la caída de la noche, el cansancio y la ebriedad pusieron fin a la matanza.

Al día siguiente, Alejandro reunió al consejo de la liga para decidir cuál debía ser la suerte de Tebas.

Los primeros en hablar fueron los delegados de Platea:

—Los tebanos han traicionado siempre la causa común de los griegos. Fueron los únicos, durante la invasión de los persas, en aliarse con ellos en contra de sus hermanos que combatían por la libertad de todos. No tuvieron piedad entonces, cuando nuestra ciudad era destruida por los bárbaros y las llamas, cuando nuestras mujeres eran ultrajadas y nuestros hijos eran tratados como esclavos en países tan lejanos que nunca nadie iba a poder reunirse con ellos.

—Y los atenienses —intervino el delegado de Tespias— que ahora les han ayudado para dejarles luego solos ante la proximidad del castigo, ¿se han olvidado acaso de cuando los persas quemaron su ciudad y prendieron fuego a los santuarios de los dioses?

—El castigo ejemplar de una sola ciudad —afirmaron los representantes de los focenses y de los tesalios— impedirá que estallen otras guerras, que otros violen la paz por odio y por ciega parcialidad.

La decisión fue tomada por mayoría absoluta, y aunque Alejandro fuese personalmente contrario, no pudo oponerse habiendo proclamado él mismo que respetaría la deliberación del consejo.

Ocho mil tebanos fueron vendidos como esclavos. Su ciudad milenaria, cantada por Homero y Píndaro, fue arrasada, borrada de la faz de la Tierra como si nunca hubiese existido.

Alejandro se dejó caer del caballo y se arrastró hacia su tienda. Tenía los oídos llenos de gritos desgarradores, de invocaciones y lamentos, las manos sucias de sangre.

Rechazó la comida y el agua, se despojó de las armas y se echó sobre su yacija en medio de espantosas convulsiones. Le parecía que había perdido el control de sus músculos y de sus sentidos: pesadillas y alucinaciones desfilaban ante sus ojos y en su alma semejantes a una tempestad que todo lo arrasa, a un soplo devastador que arrancaba todo pensamiento de su mente apenas éste empezaba a tomar forma.

El dolor y la desesperación de toda una ciudad griega extirpada de sus raíces le pesaban en el espíritu como una piedra y la opresión se volvió tan fuerte que estalló en un grito casi bestial de delirio y angustia. Nadie lo advirtió entre los muchos otros gritos que herían aquella noche maldita, recorrida por sombras ebrias, de espectros sanguinolentos.

La voz de Tolomeo le sacudió de golpe.

—Esto no es como una batalla en campo abierto, ¿no es cierto? No es como en el Istro. Y sin embargo la caída de Troya cantada por tu Homero no fue algo distinto, ni lo fue tampoco la destrucción de tantas gloriosas ciudades de las que se ha perdido toda memoria.

Alejandro permaneció en silencio. Se había levantado para sentarse en el lecho y tenía una expresión como perdida, como loca. Se limitó a murmurar:

—Yo... no quería.

—Lo sé —dijo Tolomeo y bajó la cabeza—. Tú no has entrado en la ciudad —prosiguió al cabo de un poco—, pero puedo asegurarte que los más temibles, los más feroces, los que han tratado de modo cruel a esos desdichados han sido sus vecinos, los focenses, los platenses, los tespienses, semejantes, si no idénticos, por lengua, estirpe, tradiciones y creencias.

»Hace setenta años Atenas, derrotada, tuvo que rendirse incondicionalmente a sus adversarios: espartanos y tebanos. ¿Y sabes qué es lo que propusieron los tebanos? ¿Lo sabes, no? Propusieron que Atenas fuese quemada, las murallas derruidas, la población aniquilada o vendida como esclavos. Si el lacedemonio Lisandro no se hubiera opuesto firmemente, hoy la gloria del mundo, la más hermosa ciudad jamás construida, sería un cúmulo de cenizas, y también su nombre habría sido olvidado.

»La suerte suplicada entonces por los antepasados para un enemigo ya impotente e inerme se ha vuelto, como némesis inexorable, contra sus descendientes, y, por si fuera poco, en circunstancias muy distintas. Les ofrecimos la paz a cambio de una muy modesta limitación de su libertad.

»Y ahora, allí fuera, sus vecinos y limítrofes, los miembros de la confederación beocia, discuten ya cómo repartirse el territorio de la ciudad madre destruida e invocan tu artitraje.

Alejandro se acercó a una jofaina llena de agua y sumergió la cabeza en ella, secándose luego el rostro.

—¿Es para eso para lo que has venido? No les quiero ver.

—No. Lo que yo quería decirte es que, de acuerdo con tus órdenes, la casa del poeta Píndaro ha sido perdonada y que he conseguido librar de las llamas un cierto número de obras.

Alejandro asintió.

—Además, quería decirte que... Pérdicas está en peligro de muerte. Fue herido gravemente en el ataque de ayer, pero pidió que no te informasen de ello.

—¿Por qué?

—Porque no quería distraerte de las responsabilidades del mando en un momento tan crucial, pero, ahora que ya...

—¡He aquí por qué no ha venido a darme su informe! ¡Oh, dioses! —exclamó Alejandro—. Llévame enseguida allí donde esté.

Tolomeo salió y el rey le siguió hasta una tienda de campaña iluminada en el extremo oeste del campamento.

Pérdicas yacía en su lecho de campaña, fuera de sí, bañado en sudor y ardiendo de fiebre. El médico Filipo estaba sentado junto a su cabecera y, de vez en cuando, le echaba en la boca gotas de un líquido claro que exprimía de una esponja.

—¿Cómo está? —preguntó Alejandro.

Filipo sacudió la cabeza.

—Tiene una fiebre altísima y ha perdido mucha sangre: una mala herida, una lanzada debajo de la clavícula. No le ha lesionado el pulmón, pero sí le ha seccionado los músculos, causándole una hemorragia espantosa. Le he cauterizado, cosido y taponado y ahora trato de darle líquidos mezclados con un fármaco que debería calmarle el dolor e impedir que la fiebre siguiera subiendo. Pero no sé cuánto absorbe de él y cuánto se pierde...

Alejandro se le acercó y le apoyó una mano sobre la frente.

—Amigo mío, no te vayas, no me dejes.

Le veló con Filipo durante toda la noche, por más que estuviese exhausto y llevase dos días enteros sin dormir. Al amanecer, Pérdicas abrió los ojos y miró a su alrededor. Alejandro dio un golpe con el codo a Filipo, que se había adormecido.

El médico se sacudió, se acercó al herido y apoyó una de sus manos sobre la frente: estaba muy caliente aún, pero la temperatura había descendido de forma notable.

—Tal vez salga de ésta —dijo, y volvió a dormirse.

Poco después entró Tolomeo.

—¿Cómo está? —preguntó en voz baja.

—Filipo cree que podrá salir de ésta.

—Mejor así. Pero ahora también tú deberías descansar: tienes un aspecto terrible.

—Aquí todo ha sido terrible: los peores días de mi vida.

Tolomeo se le acercó, como si quisiera decirle algo pero no consiguiera decidirse.

—¿Qué pasa? —preguntó Alejandro.

—Yo... No sé... Si Pérdicas hubiera muerto, no te habría dicho nada, pero en vista de que podría sobrevivir, creo que deberías saber...

—¿El qué? Por los dioses, no te hagas rogar tanto.

—Antes de perder el conocimiento, Pérdicas me ha hecho entrega de una carta.

—¿Para mí?

—No. Para tu hermana, la reina de Epiro. Han sido amantes y él le pide que no le olvide. Yo... todos nosotros bromeábamos sobre este amor suyo, pero no pensábamos verdaderamente que... —Tolomeo le alargó la carta.

—No —dijo Alejandro—. No quiero verla. Lo que haya pasado, pasado está: mi hermana era una muchacha llena de vida, y no veo nada malo en el hecho de que haya querido a un hombre que era de su agrado. Ahora bien, ya no es una adolescente y vive feliz al lado de un esposo del que está enamorada. En cuando a Pérdicas, no puedo ciertamente reprocharle que haya querido dedicar su último pensamiento a la mujer que ama.

—¿Y qué hago yo con esta carta?

—Quémala. Pero si él te la pidiera, dile que ha sido entregada directamente a Cleopatra.

Tolomeo se aproximó a una lámpara y acercó a la llama la hoja de papiro que sostenía en la mano. Las palabras de amor de Pérdicas se consumieron en el fuego y se desvanecieron en el aire.

El despiadado castigo de Tebas provocó horror en toda Grecia: desde hacía muchas generaciones, nunca una ciudad tan ilustre, con raíces tan profundas que se perdían en los mitos de los orígenes, había sido borrada de la faz de la Tierra. Y la desesperación de los escasos supervivientes era asumida como propia por todos los griegos, que identificaban la patria con la ciudad que les había visto nacer, con sus santuarios, sus fuentes, sus ágoras, lugares en los que se conservaba celosamente su memoria.

La ciudad lo era todo para los griegos: en cada esquina había una imagen, una antigua figura corroída por el tiempo que, de un modo u otro, estaba ligada a un mito, a un acontecimiento que era patrimonio común. Cada fuente tenía su sonido, cada árbol su voz, cada piedra su historia. Por todas partes resultaban reconocibles las huellas de los dioses, de los héroes, de los antepasados, por todas partes se veneraban sus reliquias y efigies.

Perder la ciudad era como perder el alma, como estar muertos antes de descender a la tumba, como volverse ciego después de haber gozado largo tiempo de la luz del sol y de los colores de la tierra, era peor que ser esclavos, porque muchas veces los esclavos no recordaban su pasado.

Los prófugos tebanos que lograron llegar a Atenas fueron los primeros en traer la noticia y la ciudad se sumió en la consternación. Los representantes del pueblo mandaron heraldos a todas partes para que convocasen la asamblea porque querían que la gente escuchase el informe de todo lo acaecido en voz de los propios testigos y no por las habladurías.

Cuando la verdad quedó clara y patente para todos en su espantoso dramatismo, se puso en pie para tomar la palabra un viejo jefe de la Marina de guerra llamado Foción, que había mandado la expedición ateniense en los estrechos contra la flota de Filipo.

—Me parece evidente que lo sucedido en Tebas también podría repetirse en Atenas. Hemos traicionado los pactos con Filipo exactamente como han hecho los tebanos. Y les hemos armado, por si fuera poco. ¿Por qué motivo debería reservarnos Alejandro una suerte mejor?

»Sin embargo, es cierto que los responsables de estas decisiones, quienes convencieron al pueblo para que votase esas resoluciones, quienes incitaron a los tebanos a desafiar al rey de Macedonia para dejarles a continuación solos a la hora de enfrentarse a él y que exponen ahora a su propia ciudad a un riesgo mortal deberían considerar que el sacrificio de pocos siempre es preferible al exterminio de muchos, o de todos. Deberían tener el valor de entregarse y de afrontar la suerte que temerariamente desafiaron.

»Ciudadanos, yo me mostré contrario a esas opciones y fui acusado de ser amigo de los macedonios: cuando Alejandro estaba aún en Tracia, Demóstenes afirmó que en el trono de Macedonia se sentaba una criatura; luego, cuando llegó a Tesalia, lo calificó de muchacho y posteriormente de joven cuando se presentó ante las murallas de Tebas. Ahora que ha demostrado todo su devastador poderío, ¿cómo le llamará? ¿Con qué palabras pretenderá dirigirse a él? ¿Reconocerá por fin que estamos ante un hombre en plena posesión de su poder y de todas sus facultades?

»Yo creo que hay que tener el valor de asumir tanto las propias acciones como las propias palabras. No tengo nada más que añadir.

Demóstenes se levantó para defender su modo de actuar y el de sus defensores apelando, como siempre, al sentido de la libertad y a la democracia que había tenido su cuna en Atenas, pero acabó remitiéndose a las decisiones de la asamblea.

—No tengo miedo de afrontar la muerte. Ya la afronté a cara descubierta en el campo de Queronea, donde me salvé a duras penas escondiéndome en medio de los montones de cadáveres y huyendo a través de pasos de montaña. Siempre he servido a la ciudad y la serviré también en esta hora difícil: si la asamblea me exhorta a entregarme, me entregaré.

Demóstenes había sido hábil como siempre: se había ofrecido en sacrificio, pero en realidad había hablado de modo que una elección semejante pareciera a todos poco menos que un sacrilegio.

Durante un rato los presentes discutieron qué convenía hacer y se dejó a los diferentes jefes de las filas de la oposición el tiempo suficiente para convencer a sus partidarios.

Se encontraban allí dos conocidos filósofos: Espeusipo, que tras la muerte de Platón había asumido la dirección de la Academia, y Demofontes.

—¿Sabes qué creo? —dijo Espeusipo a su amigo con una amarga

sonrisa—. Creo que Platón y los atenienses le negaron a Aristóteles la dirección de la Academia y él, en venganza, ha creado a Alejandro.

La asamblea votó en contra de la propuesta de entregar a Demóstenes y a los demás a los macedonios; pero decidió mandar una embajada eligiendo a los hombres que fueran a tener mayores probabilidades de ser escuchados y puso a Demades a la cabeza de la delegación.

Alejandro le recibió yendo de camino a Corinto, donde era su intención convocar de nuevo a los representantes de la liga panhelénica con el fin de hacerse confirmar, tras los hechos de Tebas, en el mando supremo en la guerra contra los persas.

Estaba sentado en su tienda de campaña y tenía a Eumenes a su lado.

—¿Cómo va tu herida, Demades? —fue lo primero que le preguntó, dejando a todos estupefactos.

El orador levantó el borde del manto y mostró la cicatriz.

—Está perfectamente cicatrizada, Alejandro. Un verdadero cirujano no lo habría hecho mejor.

—El mérito es de mi maestro Aristóteles, que fue también conciudadano vuestro. Es más, ¿no crees que deberíais dedicarle una estatua en la plaza del mercado? ¿No tenéis, verdad, una estatua de Aristóteles en el ágora?

Los delegados se miraron unos a otros, cada vez más sorprendidos.

—No. No hemos pensado en ello aún —hubo de admitir Demades.

—Pues id pensándolo, entonces. Y otra cosa. Quiero a Demóstenes, Licurgo y a todos aquellos que inspiraron la revuelta.

Demanes bajó la cabeza.

—Rey, nos esperábamos esta petición y comprendemos tu estado de ánimo. Sabes que yo siempre me he manifestado en contra de la guerra y en favor de la paz, aunque he cumplido con mi deber y he luchado como los demás cuando la ciudad así me lo ha mandado. No obstante, estoy convencido de que Demóstenes y los demás han actuado de buena fe, como sinceros patriotas.

—¿Patriotas? —gritó Alejandro.

—Sí, oh rey, patriotas —rebatió Demades con firmeza.

—Entonces, ¿por qué no se entregan? ¿Por qué no asumen la responsabilidad de sus acciones?

—Porque la ciudad no quiere y está dispuesta a arrostrar cualquier peligro y desafío. Escúchame, Alejandro, Atenas está dispuesta a aceptar peticiones razonables, pero no a ser empujada a la desesperación porque, aunque vencieras, tu victoria resultaría más amarga que una derrota.

»Tebas no existe ya, Esparta no se unirá nunca a ti. Si destruyeras Atenas o te granjeases su enemistad para siempre, ¿qué te quedaría de Grecia? La clemencia, en muchas ocasiones, consigue más que la fuerza o la arrogancia.

Alejandro no respondió y caminó un buen rato de un lado a otro de su tienda. Luego volvió a sentarse.

—¿Qué pides?

—Que ningún ciudadano ateniense deba ser entregado y no se aplique ningún castigo a la ciudad. Además, pedimos poder conceder asilo y ayuda a los prófugos tebanos. A cambio, renovaremos nuestra adhesión a la liga panhelénica y a la paz común. Si pasas a Asia tendrás necesidad de que nuestra flota te cubra las espaldas: la tuya es demasiado exigua y no tiene experiencia suficiente.

Eumenes se acercó a él susurrándole al oído:

—A mí me parecen unas propuestas razonables.

—Entonces, redactad un documento y firmadlo —ordenó Alejandro poniéndose en pie.

Se quitó el anillo del dedo, lo puso en la mano de Eumenes y salió.

45

Aristóteles cerró su alforja, descolgó el manto de la pared y cogió de un clavo la llave de la puerta. Echó entonces una ojeada por la casa y dijo, como para sí:

—Me parece que no olvido nada.

—Entonces, estás listo para partir —observó Calístenes.

—Sí. He decidido volver a Atenas, en vista de que la situación parece haberse tranquilizado.

—¿Sabes ya adónde ir?

—Demades ya se ha preocupado de eso y me ha encontrado un edificio lo bastante grande por la zona del Licabeto, con un pórtico cubierto, al estilo de Mieza, donde podré fundar mi escuela. Hay espacio suficiente para albergar una biblioteca y las colecciones de ciencias naturales; además, habrá una sección dedicada a las investigaciones sobre música. He hecho transportar todos los materiales al puerto y ahora no me queda sino embarcarme.

—Y me dejas solo en mi investigación.

—Todo lo contrario. En Atenas podré recoger más información que en Macedonia. Ahora, aquí, todo lo que podía saber lo he aprendido ya.

—¿Es decir?

—Siéntate. —Aristóteles sacó de una gaveta algunas hojas repletas de anotaciones—. Lo único seguro, por el momento, es que la muerte de Filipo ha causado un trastorno tal que ha provocado un cúmulo enorme de habladurías, chismorreos, calumnias, insinuaciones, como si una gruesa piedra cae en el fondo de un estanque cenagoso. Hay que esperar a que la ciénaga se asiente y el agua se vuelva cristalina para ver claro.

»Lo que hizo Pausanias habría tenido origen, cosa que cabía ya imaginarse, en una turbia historia de amores masculinos, los más peligrosos. En pocas palabras, es la siguiente: Pausanias es un buen muchacho, muy hábil en el uso de las armas, y consigue entrar a formar parte de la guardia personal de Filipo. El rey se fija en él por su prestancia y le hace su amante. Entretanto, Átalo le presenta a la hija, la pobre Eurídice, por la que el soberano se siente fuertemente atraído.

»Loco de celos, Pausanias le monta una escena a Átalo que, sin embargo, en aquel momento, no le da excesiva importancia; es más, parece tomárselo con calma y, para demostrar su buena disposición de ánimo, invita al jovenzuelo a cenar tras una partida de caza en la montaña.

»El lugar está aislado y apartado; el vino corre copiosamente y todos están más bien achispados y excitados. En ese punto Átalo se levanta, se va y deja a Pausanias en manos de sus guardas de caza, los cuales le desnudan y le violan durante una noche entera de todos los modos que la fantasía más desenfrenada les sugiere. Luego le abandonan más muerto que vivo. Pausanias, fuera de sí por el ultraje sufrido, pide venganza a Filipo, pero éste, como es evidente, no puede enfrentarse a su futuro suegro, por quien, por otra parte, siente una gran estima. Entonces lo que el jovenzuelo querría es matar a Átalo, pero ya no es posible: el soberano le ha confiado el mando, conjuntamente con Parmenio, del cuerpo de expedición que se dispone a partir hacia Asia. Entonces vuelve su ira contra el único blanco que queda: Filipo. Y le da muerte.

Aristóteles dejó caer la mano izquierda sobre el legajo de hojas con un sordo ruido, como si hubiera querido acompañar con aquel gesto el sentido de su conclusión.

Calístenes se quedó mirando sus ojillos grises, que brillaban con una expresión indefinible, entre amistosa e irónica.

—No acabo de ver claro si te lo crees o sólo finges creerlo.

—No conviene infravalorar el impulso pasional que supone siempre una fuerte motivación en el comportamiento humano, especialmente en el de un individuo carente de equilibrio como un asesino. Además, la complejidad de la historia es tal que hasta podría ser verdadera.

—Podría...

—Sí, podría. Hay, en efecto, varias cosas que no cuadran. En primer lugar, sobre los amores masculinos de Filipo han corrido muchos chismorreos, pero nadie ha podido contar jamás nada de cierto fuera de unos pocos hechos totalmente episódicos. Tampoco en esta ocasión. Y en cualquier caso, ¿te imaginas a un hombre como él eligiendo de entre la guardia personal a un histérico desequilibrado?

»En segundo lugar, si las cosas hubieran sucedido de veras así, ¿por qué habría esperado tanto el ofendido antes de poner en práctica su venganza y por qué lo habría hecho de un modo tan peligroso? En tercer lugar, ¿quién es el testigo fundamental de toda esta historia? Átalo, pero da la casualidad de que está muerto. Asesinado.

—¿Por tanto?

—Por tanto la cosa más probable es que el inductor del crimen se haya inventado una complicada historia en el fondo plausible, consciente de que, de todas formas, estando muerto, no puede ni aprobarla ni desmentirla.

—Se va a tientas en la oscuridad, en resumidas cuentas.

—Tal vez. Pero algo comienza a adquirir perfiles más definidos.

—¿El qué?

—La personalidad del inductor, y el tipo de ambiente que puede haber dado origen a una historia de este tipo. Ahora toma estos apuntes, yo tengo una copia en mi alforja de viaje, y haz buen uso de ellos. Yo proseguiré la indagación desde otro observatorio.

—El hecho —replicó Calístenes— es que puede que no haya tiempo para llevar a cabo mis pesquisas. Alejandro está completamente absorbido por la expedición a Asia y me ha pedido que vaya con él. Escribiré la historia de su empresa.

Aristóteles asintió y cerró los ojos.

—Eso significa que se ha desentendido de su pasado, con todo lo que para él ha significado, para correr hacia el futuro, es decir, básicamente, hacia lo desconocido.

Tomó la alforja, se echó el manto sobre los hombros y salió al camino. El Sol comenzaba a ascender por el horizonte y hacía descollar en lontananza las desnudas cimas del monte Kisos, allende el cual se hallaba el vasto llano de Macedonia con su capital y más allá el solitario retiro de Mieza.

—Es extraño —observó acercándose al carro que le esperaba para llevarle a puerto—. No ha habido tiempo para verse.

—Pero él te sigue recordando y tal vez un día, antes de partir, venga a hacerte una visita.

—No creo —afirmó el filósofo como meditabundo—. Ahora se siente atraído por sus ansias de aventura como una mariposa por la llama de una vela. Cuando sienta de veras el deseo de verme, será demasiado tarde para volver atrás. En cualquier caso, haré que te den mi dirección en Atenas, así podrás escribirme cuando lo desees. Considero que Alejandro hará todo lo posible por mantener abiertos los contactos con la ciudad. Adiós Calístenes, cuídate.

Calístenes le abrazó y, mientras se alejaba de él, un momento antes de subir al carro, le pareció ver, por primera vez desde que le conocía, un relámpago de emoción en sus ojillos grises.

El antiguo santuario apenas si se entreveía en medio de la oscuridad de la noche, en la cima de la colina, en la linde del bosque. Iluminadas desde abajo por la llama de los velones, las columnas de madera policromada revelaban todas las señales del tiempo y de la intemperie a que estaban expuestas desde hacía siglos.

La decoración en terracota coloreada del arquitrabe y del frontón representaba las vicisitudes del dios Dionisos y el reflejo cambiante de la luz de las antorchas y de las lámparas parecía conferirles movimiento, casi devolverlas a la vida.

La puerta estaba abierta y en el fondo, en el interior de la cella, podía descubrirse en la penumbra la estatua del dios, solemne en su arcaica inmovilidad. Había dos asientos preparados a sus pies y otros ocho estaban colocados, cuatro a cada lado, a lo largo de las columnatas laterales que sostenían los armazones del techo.

El primero en llegar fue Tolomeo, luego, al mismo tiempo, Crátero y Leonato. Lisímaco, Seleuco y Pérdicas, aún no del todo restablecido, llegaron no mucho después, adelantándose un poco a Eumenes y Filotas, que habían sido enviados también a la reunión. Alejandro se presentó por último con Hefestión, a caballo de *Bucéfalo*.

Sólo entonces entraron, y tomaron asiento entre las columnas del templo desierto y silencioso.

Alejandro se sentó, hizo acomodarse a Hefestión a su diestra y luego a los restantes compañeros, excitados e impacientes por conocer el significado de aquella reunión nocturna.

—Ha llegado el momento —comenzó diciendo el soberano— de dar comienzo a la empresa que mi padre anheló largo tiempo, pero que una muerte imprevista y violenta le impidió llevar a cabo: ¡la invasión de Asia!

Un soplo de viento entró por la puerta principal y las llamas de los velones que ardían bajo la estatua del dios oscilaron, animando la enigmática sonrisa de la divinidad.

—Os he reunido en este lugar no por casualidad: será Dionisos quien nos indique el camino, él que viajó con su cortejo de sátiros y silenos, coronado de pámpanos, hasta la lejana India adonde ningún ejército griego ha llegado jamás.

»El conflicto entre Asia y Grecia viene de antiguo y ha acabado convirtiéndose en un toma y daca milenario sin vencedores ni vencidos. La guerra de Troya duró diez años y concluyó con el saqueo y la destrucción de una sola ciudad, y las más recientes invasiones intentadas primero por los atenienses y luego por los espartanos para liberar a los griegos de Asia de la dominación de los persas fracasaron, así como fracasaron las invasiones de los persas en Grecia, pero no sin causar matanzas e incendios, en algaradas de las que no se libraron ni los mismos templos de los dioses.

»Ahora los tiempos han cambiado: tenemos el ejército más poderoso que haya existido y los soldados más fuertes y mejor adiestrados, pero, sobre todo —afirmó mirándoles a la cara uno por uno— nosotros, nosotros los que estamos sentados aquí, estamos unidos por lazos de amistad profundos y sinceros. Hemos crecido juntos en una pequeña ciudad, hemos jugado juntos cuando éramos niños, nos hemos educado con el mismo maestro, hemos aprendido juntos a afrontar las primeras pruebas y los primeros peligros.

—¡Hemos saboreado los palos del mismo bastón! —añadió Tolomeo provocando una carcajada general.

—¡Muy bien dicho! —aprobó Alejandro.

—¿Es por eso por lo que no has invitado a Parmenio? —preguntó Seleuco—. Si recuerdas, tú y yo los recibimos en una ocasión precisamente de él por expresa voluntad de tu padre.

—¡Por Zeus! Bien veo que no lo has olvidado —rió Alejandro.

—¿Y quién puede olvidar su bastón? —dijo Lisímaco—. Me parece que aún conservo las señales en la espalda.

—No, no es por eso por lo que no he invitado a Parmenio —prosiguió Alejandro tras haber recuperado la atención de sus compañeros—. No tengo secretos para él, y tan cierto es lo que digo que aquí está su hijo Filotas.

»Parmenio será el pilar de nuestra empresa, el consejero, el depositario del patrimonio de experiencia y de capacidad acumulado por mi padre. Pero Parmenio es un compañero de mi padre y de Antípatro, mientras que vosotros sois mis amigos, y yo os pido, aquí, en presencia de Dionisos y de todos los dioses, que me sigáis hasta donde nos sea posible llegar combatiendo. ¡Aunque sea hasta los confines del mundo!

—¡Hasta los confines del mundo! —gritaron todos, levantándose y apiñándose en torno al rey.

Se había extendido entre ellos una poderosa excitación, un frenesí irrefrenable, un deseo ardiente de aventura, encendido más aún si cabe por la presencia y el contacto físico con Alejandro que parecía creer más que nadie en aquel sueño.

—Cada uno de vosotros —continuó diciendo el soberano cuando se hubo restablecido un poco la calma— tendrá el mando de una sección del ejército, pero tendrá también el cargo de guardia personal del rey. Nunca antes ha sucedido que muchachos tan jóvenes tuviesen una responsabilidad tan grande. Pero yo sé que seréis dignos de ello porque os conozco, porque he crecido con vosotros y porque os he visto combatir.

—¿Cuándo partiremos? —preguntó Lisímaco.

—Pronto. Esta primavera. Y por tanto preparaos, en cuerpo y alma. Y si alguno de vosotros cambiase de parecer o de idea, que no tema decírmelo. Voy a necesitar amigos de confianza también aquí, en la patria.

—¿Cuántos hombres conduciremos a Asia? —preguntó Tolomeo.

—Treinta mil infantes y cinco mil caballos y todo aquél que podamos llevar con nosotros sin dejar desguarnecido en exceso el territorio macedonio. Y aún no sé cuánto podremos confiar en los aliados griegos. De todas formas, les he pedido que nos proporcionen un contingente, pero no creo que lleguen a más de cinco mil hombres.

—¡No los necesitamos! —exclamó Hefestión.

—Yo diría en cambio que sí —replicó Alejandro—. Son formidables combatientes y todos nosotros lo sabemos. Por otra parte, esta guerra es la respuesta a las invasiones persas en territorio griego, a la continua amenaza de Asia sobre la Hélade.

Se levantó Eumenes.

—¿Puedo intervenir también yo?

—¡Dejad hablar al secretario general! —rió Crátero.

—Sí, dejadle hablar —afirmó Alejandro—. Quisiera conocer su punto de vista.

—Mi punto de vista está enseguida dicho, Alejandro: por mucho que haga desde ahora hasta el momento de la partida, lo máximo que conseguiré reunir para mantener al ejército serán recursos para un mes, no más.

—¡Eumenes siempre piensa en el dinero! —gritó Pérdicas.

—Y hace bien —replicó Alejandro—. Para eso le pago. Su observación, por otra parte, no es para tomársela a la ligera, pero es algo que he previsto. Las ciudades griegas de Asia nos ayudarán, desde el momento que estamos llevando a cabo esta empresa también por ellos. Ya veremos más adelante.

—¿Veremos? —preguntó Eumenes como si cayese de las nubes.

—¿No has oído a Alejandro? —rebatió Hefestión—. Ha dicho «veremos». ¿No está lo suficientemente claro?

—Ni pizca —refunfuñó Eumenes—. ¡Si tengo que organizar la manutención de cuarenta mil hombres y cinco mil caballos quisiera saber de dónde sacaré el dinero, por Heracles!

Alejandro le dio una palmada en la espalda.

—Lo encontraremos, Eumenes, descuida. Te aseguro que lo encontraremos. Tú preocúpate de que todo esté listo para la partida. Ya no falta mucho.

»Amigos, han pasado mil años desde que mi antepasado Aquiles pusiera los pies en Asia para luchar juntamente con otros griegos contra la ciudad de Troya, y ahora nosotros repetimos dicha empresa con la certeza de superarla. Tal vez falte la pluma de Homero para cantarla, pero lo que no faltará será el valor.

»Estoy convencido de que sabréis igualar las gestas de los héroes de la *Ilíada*. Hemos soñado con ellas muchas veces juntos, ¿no es cierto? ¿Habéis olvidado cuando por la noche nos levantábamos en nuestros dormitorios después de que Leónidas hubiera pasado y nos contábamos unos a otros las aventuras de Aquiles, de Diómedes, de Odiseo, y estábamos despiertos hasta muy tarde, hasta que nuestros ojos se cerraban de cansancio?

Se hizo el silencio en el santuario, porque se sentían todos invadidos por los recuerdos de la mocedad pasada y aún tan próxima, por el sutil espanto por un futuro amenazador y desconocido, por la conciencia de que la Muerte siempre cabalga al lado de la Guerra.

Miraban al rostro a Alejandro, miraban el color fugaz de sus ojos a la tenue claridad de las lámparas y leían en ellos una inquietud misteriosa, el deseo ardiente de una aventura sin fin, y se daban cuenta en aquel momento de que partirían muy pronto, pero ignoraban si regresarían y cuándo lo harían.

El rey se acercó a Filotas:

—Ya hablaré yo con tu padre. Quisiera que el recuerdo de esta velada quedase únicamente entre nosotros.

Filotas asintió.

—Tienes razón. Y te estoy agradecido por haberme pedido que tomara parte en ella.

Tolomeo rompió aquella atmósfera de repente melancólica.
—Me acaba de entrar hambre. ¿Qué me decís de ir a comer un asado de estarnas en la posada de Eupitos?
—¡Sí, sí! —respondieron todos.
—¡Paga Eumenes! —gritó Hefestión.
—¡Sí, sí, paga Eumenes! —repitieron los otros, incluido el rey.
Poco después el templo estaba nuevamente desierto y únicamente resonaba el galope de sus caballos que se perdían en la noche.

En aquel mismo momento, muy lejos, en el palacio de Butroto que caía a pico sobre el mar, Cleopatra abría las puertas de su tálamo y los brazos a su esposo. Había terminado el luto prescrito para una joven esposa.
El rey de los molosos fue recibido por un grupo de muchachas vestidas de blanco que sostenían teas encendidas, símbolo de amor ardiente, y conducido por las escaleras hasta una puerta entornada. Una de ellas le despojó del manto blanco y empujó ligeramente una de las hojas. Luego, todas juntas, se alejaron por el corredor, ligeras cual mariposas nocturnas.
Alejandro vio una luz dorada y temblorosa posarse sobre una cabellera suave como la espuma del mar: era Cleopatra. Recordó a la niña tímida que había entrevisto tantas veces observándole a escondidas en el palacio de Pella para luego huir con pies ligeros, si él se volvía para mirarla. Dos doncellas se estaban ocupando de ella: una le peinaba el pelo, mientras la otra le desceñía el cinturón del peplo nupcial y le abría las fíbulas de oro y de ámbar que lo cerraban sobre los hombros de marfil. La joven se volvió hacia la puerta, revestida únicamente con la luz de las lámparas.
El esposo entró y se acercó para contemplar la belleza de su cuerpo escultural, para embriagarse con la luminosidad que emanaba de su divino rostro. Ella sostuvo su mirada ardiente sin bajar sus largas y húmedas pestañas: en aquel momento brillaba en sus ojos la fuerza salvaje de Olimpia y el ardor visionario de Alejandro y el soberano se sintió perdidamente cautivado una vez más antes de estrecharla entre sus brazos.
Le rozó el rostro y el seno turgente con una caricia.
—Esposa mía, mi diosa... ¡Cuántas noches he pasado en esta casa soñando con tu boca de miel y tu regazo! ¡Cuántas noches!...
Su mano descendió hasta el vientre suave de ella, el pubis florido de un ligero vello, y con el otro brazo la ciñó estrechándola contra sí y luego doblándola sobre la cama.

Le abrió los labios con un encendido beso y ella respondió con idéntica pasión, con una fuerza cada vez más intensa y ardiente y, cuando él la poseyó, comprendió que no era virgen. Continuó dándole todo el placer de que era capaz y gozando de su cópula, de su piel perfumada, hundiendo el rostro en la suave nube de sus cabellos, buscando con los labios su cuello, sus hombros y su soberbio pecho.

Tenía la sensación de estar yaciendo con una diosa, y ningún mortal puede pedirle nada a una diosa: sólo puede estarle agradecido de lo que recibe.

Se dejó caer al fin exhausto a su lado, mientras las llamas de los velones se extinguían una tras otra, dejando entrar la penumbra opalescente de la noche lunar.

Cleopatra se durmió apoyando la cabeza sobre el amplio pecho del esposo, exhausta por el largo placer y por el cansancio que de repente pesaba sobre sus ojos de muchacha.

Durante días y noches el rey moloso no pensó ni se dedicó a otra cosa que a ella, rodeándola de todo tipo de atenciones y miramientos, pese a notar en el fondo de su corazón el aguijón doloroso de los celos, hasta que un acontecimiento imprevisto despertó de nuevo su interés por el mundo exterior.

Estaba con Cleopatra en la explanada del palacio disfrutando de la brisa de la tarde cuando vio asomar por mar abierto una pequeña flota rumbo a su puerto. Se trataba de un gran navío con un magnífico mascarón de proa en forma de delfín escoltado por cuatro naves de guerra repletas de arqueros y de hoplitas cubiertos de bronce.

Poco después le alcanzó un miembro de la guardia:

—Señor, han venido de Italia unos huéspedes extranjeros, de una poderosa ciudad llamada Tarento, y te solicitan audiencia para mañana.

El rey miró el Sol rojo que descendía lentamente en el horizonte marino y respondió:

—Decidles que les recibiré con mucho gusto.

Escanciando luego a Cleopatra una copa de vino suave, el mismo vino espumoso que prefería su hermano, le preguntó:

—¿Conoces aquella ciudad?

—Sólo el nombre —replicó la muchacha acercando los labios a la copa.

—Es una ciudad riquísima y poderosa, pero no tan fuerte en lo que se refiere a la guerra. ¿Quieres oír su historia?

El Sol se había puesto ya para dormir en el mar y en las olas únicamente quedaba un reflejo violáceo.

—Por supuesto, si eres tú quien me la cuentas.

—Bien. Has de saber, pues, que hace mucho tiempo los espartanos tenían cercada Itome, en Mesenia, desde hacía ya años, sin conseguir doblegar su resistencia. Los gobernantes lacedemonios estaban preocupados porque nacían pocos niños en la ciudad debido a la prolongada ausencia de los miles y miles de guerreros inmovilizados en el largo cerco. Consideraban que llegaría el día en que los reclutamientos militares serían demasiado escasos y la ciudad quedaría desguarnecida.

»Entonces se les ocurrió una solución: se dirigieron a Itome, eligieron a un grupo de soldados, los más jóvenes y fuertes, y les ordenaron volver a casa para desempeñar una misión mucho más agradable que la guerra, pero no menos comprometida.

Cleopatra sonrió guiñando un ojo.

—Creo adivinar cuál.

—Exacto —prosiguió el rey—. Su tarea consistía en dejar embarazadas a todas las vírgenes disponibles en la ciudad. Cosa que hicieron con el mismo sentido del deber y con el mismo ardor que les animaba en combate. Y obtuvieron tal éxito en su cometido que un año después nació una numerosa nidada de niños.

»Pero la guerra acabó poco después y los demás guerreros, vueltos a sus casas, trataron de recuperar el tiempo perdido: nacieron así otros muchos niños. Sin embargo, cuando hubieron crecido, los hijos legítimos afirmaron que los nacidos de las vírgenes no podían ser considerados ciudadanos de Esparta, sino que debían ser tratados como bastardos.

»Indignados, los jóvenes se prepararon para una revuelta, guiados por su cabecilla, un muchacho fuerte y temerario llamado Taras. Por desgracia para ellos, la conjura fue descubierta y se vieron obligados a abandonar la patria. Taras consultó al oráculo de Delfos, que les indicó un lugar en Italia donde podrían fundar una ciudad y vivir ricos y felices. La ciudad fue fundada y existe todavía hoy: es Tarento, que tomó precisamente su nombre de Taras.

—Es una bonita historia —observó Cleopatra con una sombra de tristeza en la mirada—, pero me pregunto qué querrán.

—Lo sabrás tan pronto como les haya escuchado —afirmó el rey levantándose y despidiéndose con un beso—. Y ahora, permíteme que vaya a impartir algunas disposiciones para que sean dignamente hospedados.

La pequeña flota tarantina volvió a partir dos días después, y únicamente cuando las velas hubieron desaparecido en el horizonte volvió Alejandro de Epiro al tálamo de su esposa.

Cleopatra había hecho preparar la cena en su habitación perfumada de lirios y descansaba en el lecho del convite vistiendo una prenda de lino transparente.

—¿Qué querían? —preguntó apenas su marido se hubo tendido a su lado.

—Han venido a solicitar mi ayuda y... a ofrecerme Italia.

Cleopatra no dijo nada, pero su sonrisa se había esfumado.

—¿Partirás? —le pidió al cabo de un largo silencio.

—Sí —repuso el rey.

En su fuero interno sentía que aquella partida y la guerra y acaso también el riesgo de la muerte en la batalla le habrían pesado menos que la idea, cada día más obsesiva, de que Cleopatra había sido de otro y que tal vez le recordaba aún, o le amaba.

—¿Es cierto que también mi hermano está a punto de partir?

—Sí, hacia Oriente. Invade Asia.

—Y tú te irás a Occidente y yo me quedaré sola.

El rey le tomó la mano y la acarició largamente.

—Escucha. Un día Alejandro estaba en este palacio, como huésped mío, y tuvo un sueño que ahora te quiero contar...

Parmenio miró fijamente a Alejandro a los ojos, incrédulo.

—¿No estarás hablando en serio?

Alejandro apoyó una mano en su hombro.

—No he hablado nunca tan en serio en mi vida. Éste era el sueño de mi padre, Filipo, y ha sido siempre también el mío. Partiremos con los primeros vientos de primavera.

—Pero, señor —intervino Antípatro—, no puedes partir así.

—¿Por qué no?

—Porque en la guerra puede suceder cualquier cosa y tú no tienes ni esposa ni hijo. Primero debes tomar mujer y dar un heredero al trono de los macedonios.

Alejandro sonrió y sacudió la cabeza.

—No pienso siquiera en ello: tomar mujer exige un largo procedimiento. Deberíamos valorar todas las posibles candidatas al papel de reina, considerar detenidamente cuál debería ser la elegida y a continuación afrontar las duras reacciones de las familias que fuesen excluidas del vínculo matrimonial con el trono.

»Habría que preparar el casamiento, la lista de los invitados, organizar la ceremonia y todo el resto, y luego debería dejar embarazada a la muchacha, lo cual no ocurre en un dos por tres. Y aun en el caso de que esto sucediera, no es seguro que naciera un varón y acaso debería esperar de nuevo otro año. Y si luego naciera un hijo, tendría que hacer como Odiseo con Telémaco: dejarle en pañales para volver a verle quién sabe cuándo. No, tengo que partir de inmediato: mi decisión es irrevocable.

»Os he convocado no para discutir acerca de mis nupcias, sino de la expedición a Asia. Sois los pilares de mi reino, tal como lo fuisteis para mi padre, y es mi intención confiaros los papeles de máxima responsabilidad, esperando que aceptéis.

—Sabes que te somos fieles, señor —afirmó Parmenio, que no conseguía llamar a aquel joven rey por su nombre—, y que podrás contar con nosotros mientras no nos falten las fuerzas.

—Lo sé —dijo Alejandro— y por eso me considero un hombre afortunado. Tú, Parmenio, vendrás conmigo y tendrás el mando general de todo el ejército, dependiendo tan sólo del soberano. En cambio, Antípatro se quedará en Macedonia con las prerrogativas y los poderes de regente: sólo así me iré tranquilo, convencido de dejar al mejor hombre para que custodie mi trono.

—Para mí es un honor excesivo, señor —replicó Antípatro—. Tanto más cuanto que en Pella sigue estando tu madre y...

—Sé perfectamente a qué te refieres, Antípatro. Pero no olvides lo que voy a decirte: mi madre no tiene que ocuparse en modo alguno de la política del reino; no deberá mantener contactos oficiales con las delegaciones extranjeras y su papel será exclusivamente representativo.

»Sólo a petición tuya podrá tomar parte en las relaciones diplomáticas, y bajo tu atenta vigilancia. No quiero interferencias de la reina en asuntos de carácter político, que deberás gestionar tú personalmente.

»Deseo que sea honrada y satisfecha en sus deseos cada vez que ello sea posible, pero todo deberá pasar por tus manos; es a ti y no a ella a quien dejo el sello real.

Antípatro asintió.

—Se hará como prefieras, señor. Lo único que deseo es que esto no provoque ningún conflicto: el carácter de tu madre es muy fuerte y...

—Haré una pública demostración de que eres el depositario del poder en mi ausencia y, por lo tanto, no deberás rendir cuentas de tus decisiones a nadie más que a mí. En cualquier caso —prosiguió—, estaremos en constante contacto. Te tendré informado de todas mis acciones y tú harás lo propio contándome cuanto suceda en las ciudades griegas aliadas nuestras y aquello que acuerden nuestros amigos y enemigos. Por eso será nuestra preocupación mantener seguras las vías de comunicación en cada momento.

»De todos modos, ya tendremos ocasión de definir en detalle tus funciones, Antípatro, pero lo importante es que eres un hombre en el que tengo depositada mi confianza y, por tanto, tendrás la máxima libertad de decisión. He querido verme contigo únicamente para saber si aceptabas mi propuesta y ahora estoy contento.

Alejandro se levantó de su escaño y los dos ancianos generales hicieron otro tanto en señal de respeto. Pero antes de que el soberano saliese, Antípatro dijo:

—Sólo una pregunta, señor: ¿cuánto crees que durará la expedición y hasta dónde te propones llegar?

—Ésa es una respuesta que no puedo darte, Antípatro, porque yo mismo la desconozco.

Y con un gesto de la cabeza se alejó. Los dos generales se quedaron solos en la armería real desierta y Antípatro preguntó:

—¿Sabes que tendréis víveres y dinero suficientes sólo para un mes?

Parmenio asintió.

—Lo sé. Pero ¿qué podía decir? Su padre llegó a hacer cosas aún peores.

Alejandro regresó tarde aquella noche a sus habitaciones y todos los siervos dormían ya, aparte de la guardia que vigilaba delante de su puerta y Leptina, que le esperaba con un velón encendido para darle un baño, ya preparado, muy caliente y perfumado.

Le despojó de sus ropas y esperó a que hubiera descendido a la gran pila de piedra, luego comenzó a derramarle agua sobre los hombros con un aguamanil de plata. Era algo que le había enseñado el médico Filipo: el chorro de agua actuaba como un masaje más delicado aún que sus manos, le calmaba y le relajaba los músculos de hombros y cuello, donde se concentraban el cansacio y la tensión.

Alejandro se abandonó poco a poco hasta tenderse por completo y Leptina continuó derramándole el agua sobre el vientre y sobre los muslos hasta que él le hizo una señal de que parara.

Depositó el aguamanil en el borde de la pila y, aunque el soberano no le hubiese dirigido hasta aquel momento la palabra, ella fue la primera en atreverse:

—Dicen que te dispones a partir, mi señor.

Alejandro no respondió y Leptina tuvo que dominarse.

—Dicen que vas a Asia y yo...

—¿Tú?

—Yo quisiera seguirte. Te lo ruego: sólo yo sé cómo cuidarte, sólo yo sé cómo recibirte por la tarde y prepararte para la noche.

—Vendrás —repuso Alejandro saliendo del baño.

Los ojos de Leptina se llenaron de lágrimas, pero permaneció en silencio y comenzó a secarle delicadamente con una sábana de lino.

Alejandro se tendió desnudo sobre el lecho estirando los miembros y ella quedó como encantada mirándole; como de costumbre, se desnudó y se recostó a su lado acariciándole ligeramente con las manos y los labios.

—No —dijo Alejandro—. Así no. Esta noche seré yo quien te posea.

Le abrió suavemente los muslos y se tumbó sobre ella. Leptina fue a su encuentro abrazándole los costados como si no quisiera perder un sólo instante de una intimidad para ella tan preciosa y acompañó con las manos el impulso largo y continuado de sus caderas, el movimiento poderoso de su lomo, la misma fuerza que había sometido a *Bucéfalo*. Y cuando él se abandonó encima de ella, sintió su rostro cubierto por sus cabellos y aspiró largo rato su perfume.

—¿De veras podré seguirte? —preguntó cuando Alejandro se extendió nuevamente en posición supina a su lado.

—Sí, mientras no encontremos en nuestro camino a un pueblo cuya lengua comprendas, la lengua misteriosa que hablas a veces en sueños.

—¿Por qué dices eso, mi señor?

—Date la vuelta —le ordenó Alejandro.

Leptina se volvió de espaldas y él cogió una vela del candelabro y se la acercó a la espalda.

—Tienes un tatuaje en la espalda, ¿lo sabías? De un tipo que nunca he visto con anterioridad. Sí, vendrás conmigo y tal vez un día encontremos a alguien que te hará recordar quién eres y de dónde provienes, pero una cosa quiero que sepas: cuando estemos en Asia, nada será como ahora. Es otro mundo, otra gente, otras mujeres, y también yo seré muy distinto. Se cierra un período de la vida y se abre otro. ¿Comprendes lo que quiero decirte?

—Lo comprendo, mi señor, pero para mí será ya una alegría el solo hecho de verte y de saber que estás bien. No le pido más a la vida, porque ya he tenido más de lo que nunca hubiera podido esperar.

47

Alejandro se reunió con el rey de Epiro un mes antes de su partida hacia Asia, en una localidad secreta de Eordea, tras haber fijado el encuentro con un rápido intercambio de correos. No se veían desde hacía un año, desde que Filipo fuera asesinado. En aquel período habían acaecido muchas cosas, no sólo en Macedonia y en Grecia, sino también en Epiro.

El rey Alejandro había reunido a todas las tribus de su pequeña patria montañosa en una confederación que le había reconocido como caudillo supremo y le había confiado el adiestramiento y el mando del ejército. Los guerreros epirotas habían sido instruidos a la manera macedonia, divididos en falanges de infantería pesada y en escuadrones de caballería, mientras que el estilo de la monarquía había sido copiado del modelo griego en el ceremonial, en la acuñación de monedas de oro y de plata, en el modo de vestir y de arreglarse. El soberano de Epiro y el rey de Macedonia parecían ahora casi dos imágenes especulares.

Cuando llegó el momento del encuentro, poco antes del amanecer, los dos jóvenes se reconocieron desde lejos y espolearon sus caballos hacia un gran plátano de sombra que se alzaba solitario cerca de una fuente en medio de un amplio claro. La montaña brillaba de un verde sombrío y reluciente por las lluvias recientes y la inminencia de la nueva estación, y el cielo aún oscuro era recorrido por grandes nubes blancas empujadas por un viento tibio procedente del mar.

Desmontaron, dejando libres los caballos en el pasto, y se abrazaron con fogosidad juvenil.

—¿Cómo estás? —preguntó Alejandro.

—Bien —repuso el cuñado—. Sé que estás a punto de partir.

—También tú, me han dicho.

—¿Te ha informado Cleopatra?

—Rumores que corren.

—Esperaba decírtelo personalmente.

—Lo sé.

—La ciudad de Tarento, una de las más ricas de Italia, me ha pedido ayuda contra los bárbaros de occidente que presionan sobre su territorio: brucios y lucanos.

—También yo respondo a la llamada de las ciudades griegas de Asia que piden apoyo contra los persas. ¿No es maravilloso? Tenemos el mismo nombre, la misma sangre, ambos somos reyes y jefes de ejército y partimos para empresas semejantes. ¿Recuerdas el sueño de los dos soles que te conté?

—Es lo primero que me ha venido a la mente al llegarme la petición de los tarantinos. Quizás haya una señal de los dioses en todo esto.

—A mí no me cabe la menor duda —replicó Alejandro.

—Así pues, no estás en contra de mi empresa.

—La única que puede estar en contra es Cleopatra. Pobre hermana mía: vio caer asesinado a su padre el día de su boda y ahora su esposo la deja sola.

—Trataré de hacerme perdonar. ¿De veras no estás en contra?

—¿En contra? Estoy entusiasmado. Mira qué te digo, si no hubieses pedido tú este encuentro, lo habría hecho yo. ¿Recuerdas el gran mapa de Aristóteles?

—Está reproducido idénticamente en mi palacio de Butroto.

—En aquel mapa Grecia es el centro del mundo y Delfos el ombligo de Grecia. Pella y Butroto están a la misma distancia de Delfos, y Delfos dista lo mismo del extremo occidente, donde están las columnas de Hércules, y del extremo oriente, donde se extienden las aguas del océano inmóvil y sin olas.

»Nosotros, aquí, tenemos que hacer un juramento solemne, poniendo por testigos al cielo y a la tierra: tenemos que prometer partir yo hacia oriente y tú hacia occidente y no detenernos nunca hasta que no hayamos alcanzado las orillas del océano del confín del mundo. Y debemos jurar que si uno de nosotros dos cayera, el otro ocupará su puesto y llevará a cabo la empresa. Ambos partimos sin herederos, amigo mío, y por tanto seremos herederos el uno del otro. ¿Estás dispuesto a hacerlo?

—Con todo mi corazón, Aléxandre —dijo el rey de los molosos.

—Con todo mi corazón, Aléxandre —dijo el rey de los macedonios.

Desenvainaron las espadas y se hicieron un corte en las muñecas mezclando sus sangres dentro de una pequeña copa de plata.

Alejandro el moloso derramó un poco de ella por tierra y luego se la dio a Alejandro el macedonio que arrojó el resto hacia lo alto, bien hacia lo alto. Acto seguido dijo:

—El cielo y la tierra son testigos de nuestro juramento. Ningún vínculo puede ser más fuerte y grande. Y ahora no nos queda más que despedirnos y desearnos buena suerte. No sabemos cuándo podremos volver a vernos. Pero cuando eso suceda, será un gran día, el más grande que el mundo haya conocido jamás.

El sol de primavera se asomaba en aquel momento por detrás de los montes del Eordea e inundaba de prístina luz el inmenso paisaje de cumbres, valles y torrentes, haciendo brillar cada gota de rocío como si la noche hubiese llovido perlas sobre los prados y las ramas de los árboles, como si las arañas hubiesen tejido hilos de plata en la oscuridad.

A la aparición del rostro radiante del dios de la luz respondió el viento de poniente, encrespando de olas el gran mar de hierba, acariciando los penachos de junquillos dorados y de azafranes purpúreos, las corolas bermejas de los lirios de montaña. Bandadas de pájaros se alzaron del bosque volando hacia el centro del cielo, al encuentro de los blancos cirros que navegaban altos y blancos como alas de paloma, y rebaños de ciervos y cabritillos salieron del bosque corriendo hacia las aguas centelleantes de los torrentes y hacia los pastos.

En aquel momento apareció, en la cima de una colina, la figura ligera de una amazona que llevaba únicamente un corto quitón sobre las piernas desnudas y esbeltas, una muchacha de largos cabellos dorados montada sobre un caballo blanco de cola y crines ondeantes.

—Cleopatra quería despedirse de ti —explicó el rey de Epiro—. No he podido negárselo.

—No hubieras debido. También yo lo deseaba por encima de todo. Espérame aquí.

Saltó sobre la silla y alcanzó a la joven que le esperaba temblando de la emoción, resplandeciente como la estatua de Artemisa.

Corrieron el uno hacia el otro y se abrazaron, se besaron en el rostro, en los ojos y en el pelo, se acariciaron con apasionada dulzura.

—Mi adorada, dulcísima, encantadora hermana... —le decía Alejandro mientras la miraba fijamente con infinito cariño.

—Alejandro mío, rey mío, mi señor, mi hermano adorado, luz de mis ojos... —y no pudo terminar la frase—. ¿Cuándo volveré a verte? —preguntó con ojos relucientes.

—Eso nadie puede saberlo, hermana, nuestro destino está en manos de los dioses. Pero yo te juro que estarás en mi corazón a cada instante, tanto en el silencio de la noche como en el clamor de la batalla, en el tórrido calor del desierto y en el hielo de las montañas. Te llamaré cada noche, antes de dormir, y espero que el viento te traiga mi voz. Adiós, Cleopatra.

—Adiós, hermano. También yo cada noche subiré los escalones de la torre más alta y aguzaré el oído hasta que el soplo del viento me haga llegar tu voz, y el perfume de tus cabellos. Adiós, Alejandro...

Cleopatra huyó llorando en su caballo, al no poder soportar el verle alejarse. Alejandro volvió a paso lento hacia donde estaba su cuñado, que le esperaba apoyado en el tronco del gigantesco plátano de sombra. Le habló con voz emocionada, estrechándole ambas manos.

—Separémonos nosotros también aquí. Adiós, rey de Occidente, rey del Sol rojo y del monte Atlante, rey de las columnas de Hércules. Cuando nos volvamos a ver será para celebrar una nueva era para toda la humanidad. Pero si la suerte o la envidia de los dioses nos lo negaran, que nuestro abrazo sea más fuerte que el tiempo y la muerte, que nuestro sueño pueda arder para siempre como la llama del Sol.

—Adiós, rey de Oriente, rey del Sol blanco, y del monte Paropamisos, señor del Océano extremo. Que nuestro sueño pueda arder para siempre, cualquiera que sea el destino que nos espere.

Se estrecharon en un abrazo ganados por la emoción, mientras la brisa entrelazaba sus melenas de leones, mientras sus lágrimas se mezclaban como se habían mezclado sus sangres, en un rito solemne y formidable en presencia del cielo y de la tierra, en la fuerza del viento.

Luego saltaron sobre la silla y espolearon a sus caballos de batalla. El rey de los molosos en dirección a la Noche y al Ocaso, el rey de los macedonios en dirección a la Mañana y a la Aurora, y ni siquiera los dioses sabían en aquel momento qué suerte les esperaba porque únicamente el Hado inescrutable conoce el sendero y el camino de hombres tan grandes.

48

El ejército comenzó a reagruparse al soplo de los vientos de primavera, comenzando por los batallones de infantería pesada de los *pezetairoi*, equipados de todo punto, con las enormes *sarisas* al hombro: los jóvenes formados en las primeras filas con la estrella argéada de cobre color leonado en los escudos, luego los expertos en segunda línea con la estrella de bronce y, por último, los veteranos que embrazaban escudos con la estrella de plata.

Todos iban tocados con el yelmo en forma de gorro frigio con una corta visera y vestían túnicas y mantos rojos. Cuando se ejercitaban realizando en el campamento conversiones o simulando el ataque, las *sarisas* entrechocaban con un tremendo ruido, como si un viento impetuoso soplara entre las ramas de un bosque de bronce. Cuando los oficiales ordenaban bajar las lanzas, la inmensa falange adquiría un aspecto horrible, como un erizo cubierto de aguijones de acero.

La caballería de los *hetairoi* fue enrolada de entre los nobles, distrito por distrito, equipada con pesadas corazas que cubrían hasta el abdomen y con los yelmos beocios de largos faldones. Montaban magníficos caballos de batalla tesalios, alimentados en los pastos abundantes de la llanura y a lo largo de las riberas de los grandes ríos.

En los puertos del norte se concentró la flota, a la que se unieron también escuadras atenienses y corintias porque se temía un golpe de mano de la Marina imperial persa, al mando de un almirante griego de nombre Memnón, un hombre temible por su astucia y experiencia, y sobre todo un hombre de palabra que mantendría la fe en su compromiso, sucediera lo que sucediese.

Eumenes le había conocido en Asia y puso en guardia a Alejandro, un día que pasaba revista a la flota a bordo de la nave capitana.

—¡Cuidado con Memnón, que es un guerrero que vende su espada una sola vez y a un solo hombre! Es cierto que la vende a un alto precio, pero luego es como si se hubiera jurado fidelidad a la patria: nada ni nadie le hará cambiar de bando ni de bandera.

»Tiene una flota compuesta de tripulaciones tanto griegas como fenicias y puede contar con el apoyo secreto de los no pocos adversarios que aún tienes en Grecia. Imagina qué sucedería si desencadenase un ataque por sorpresa mientras pasas tu ejército de una orilla a otra de los estrechos.

»Mis informadores han creado un sistema de señalizaciones luminosas entre la costa asiática y la europea para dar las alarmas de forma inmediata en el caso de un acercamiento de su flota. Sabemos que los sátrapas persas de las provincias occidentales le han confirmado el mando supremo de sus fuerzas en Asia con el encargo de hacer frente y neutralizar tu invasión, pero por ahora no conocemos sus planes de batalla: sólo tenemos alguna somera noticia.

—¿Y cuánto tiempo será preciso para saber más cosas? —preguntó Alejandro.

—Quizá un mes.

—Demasiado. Partimos dentro de cuatro días.

Eumenes le miró estupefacto.

—¡Cuatro días! Pero eso es una locura, no tenemos víveres suficientes. Te lo he dicho: nos bastarán a lo sumo para un mes. Tenemos que esperar a que lleguen los nuevos cargamentos de las minas del Pangeo.

—No, Eumenes. No esperaré más. Cada día que pasa permite al enemigo organizar sus defensas, concentrar tropas, reclutar mercenarios, también aquí, en Grecia. Tenemos que atacar lo antes posible. ¿Qué crees tú que hará Memnón?

—Memnón luchó ya con éxito contra los generales de tu padre. Pregúntale a Parmenio lo imprevisible que puede llegar a ser.

—Pero ¿tú qué crees que hará?

—Te atraerá lejos, hacia el interior, dejando tierra quemada tras de sí, y luego su flota te cortará las comunicaciones y los refuerzos por mar —sugirió una voz a sus espaldas.

Eumenes se volvió.

—Te presento al almirante Nearco.

Alejandro le estrechó la mano.

—Salve, almirante.

—Disculpa, señor —dijo Nearco, un cretense robusto, ancho de hombros y de ojos y cabellos negros—. Estaba ocupado en unas maniobras y no pude seguirte.

—¿Tu punto de vista es el que nos has expuesto?
—Con toda sinceridad, sí. Memnón sabe que enfrentarse a ti en campo abierto sería peligroso porque no tiene tropas lo suficientemente numerosas que oponer a tu falange, pero sin duda sabe también que no cuentas con muchas reservas.
—¿Y cómo ha podido saberlo?
—Porque el sistema de informaciones de los persas es formidable: tienen espías por todas partes y les pagan muy bien. Además pueden contar con numerosos amigos y simpatizantes, en Atenas, en Esparta, en Corinto e incluso aquí, en Macedonia. Le bastará con ganar tiempo y desencadenar acciones de distracción por tierra y por mar a tus espaldas. Te habrá puesto en dificultades, si es que no has caído en la trampa.
—¿Crees eso de veras?
—Lo único que pretendo es ponerte en guardia, señor. La que estás por emprender no es una empresa como las demás.
La nave se estaba adentrando en alta mar y apuntaba su proa contra las olas del mar abierto, festoneadas de espuma. El remero de popa marcaba el ritmo y los restantes doblaban sus relucientes espaldas bajo el Sol, sumergiendo y levantando alternativamente los largos remos.
Alejandro parecía absorto escuchando el redoble apremiante del tambor y las llamadas de los remeros que trataban de sostener el ritmo.
—Parece que todos le temen a ese Memnón —observó de repente.
—No temas, señor —precisó Nearco—. Estamos tan sólo tratando de imaginar un escenario posible o, mejor dicho, a mi parecer, probable.
—Tienes razón, almirante: estamos más expuestos y somos más débiles en el mar, pero en tierra nadie puede vencernos.
—Por ahora —dijo Eumenes.
—Por ahora —hubo de admitir Alejandro.
—¿Y por tanto? —preguntó una vez más Eumenes.
—Hasta la flota más poderosa tiene necesidad de puertos, ¿no es cierto, almirante? —preguntó Alejandro vuelto hacia Nearco.
—Sobre eso no cabe duda, pero...
—Deberías tomar todos los atracaderos de los estrechos del delta del Nilo para bloquearle el paso —sugirió Eumenes.
—En efecto —respondió Alejandro sin pestañear.

La víspera de la partida, el soberano regresó entrada la noche de Egas, adonde se había dirigido para hacer un sacrificio en la tumba de Filipo, y subió a los aposentos de su madre. La reina estaba en vela, sola, bordando un manto a la luz de los velones. Cuando Alejandro llamó a la puerta, fue a su encuentro y le abrazó.

—Nunca creí que llegase este momento —dijo tratando de disimular su emoción.

—Me has visto partir otras veces, mamá.

—Pero esta vez siento que es distinto. He tenido sueños extraños, difíciles de interpretar.

—Me lo imagino. Aristóteles dice que los sueños son alumbrados por nuestra mente y, por tanto, puedes buscar la respuesta en tu propio interior.

—La he buscado, pero desde hace tiempo mirar mi propio interior me produce una sensación de vértigo, casi de temor.

—Y tú conoces el motivo.

—¿Qué pretendes decir?

—Nada. Eres mi madre, y sin embargo eres el ser más misterioso que haya conocido jamás.

—No soy más que una mujer desdichada. Y ahora tú partes para una larga guerra dejándome sola. Pero está escrito que tenía que suceder, que tenías que llevar a cabo empresas extraordinarias, sobrehumanas.

—¿Qué significa eso?

Olimpia se volvió hacia la ventana, como si buscase imágenes y recuerdos entre las estrellas o en la cara de la luna.

—Una vez, antes de que tú nacieras, soñé que un dios me había desflorado, mientras dormía en el tálamo al lado de tu padre, y un día, en Dodona, durante mi embarazo, el viento que soplaba entre las ramas de las encinas sagradas me susurró tu nombre:

ALÉXANDROS.

»Hay hombres que son paridos por mujeres mortales, pero cuyo destino es distinto del de los demás, y tú eres uno de ellos, hijo mío, estoy convencida. Siempre he considerado un privilegio el ser tu madre, pero no por eso el momento de la separación es menos amargo.

—Lo es también para mí, mamá. Hace no mucho perdí a mi padre, ¿recuerdas? Y alguien ha dicho que te vio poner una corona al cuello del cadáver del asesino.

—Ese hombre vengó las terribles vejaciones que Filipo me había infligido y te hizo rey.

—Ese hombre cumplió las órdenes de alguien. ¿Por qué no le coronas también a él?

—Por que no sé quién es.

—Pero yo lo sabré, antes o después, y le empalaré vivo.
—¿Y si tu padre fuese en cambio un dios?
Alejandro cerró los ojos y volvió a ver a Filipo caer en medio de un mar de sangre, le vio caer lentamente al suelo como en la imagen de un sueño y pudo leer cada arruga que el dolor le hacía asomar cruelmente en el rostro antes de darle muerte. Sintió que unas lágrimas ardientes le brotaban de los ojos.
—Si mi padre es un dios, un día me encontraré con él. Pero sin duda no podrá hacer ya por mí más de lo que hizo Filipo. Le he ofrecido sacrificios a su encolerizada sombra antes de partir, madre.
Olimpia levantó otra vez la mirada para escrutar el cielo y dijo:
—El oráculo de Dodona marcó tu nacimiento; otro oráculo, en medio de un ardiente desierto, señalará para ti otro nacimiento para una vida imperecedera. —Luego se volvió de golpe y se arrojó a sus brazos—. Piensa en mí, hijo mío. Yo pensaré en ti cada día y cada noche. Será mi espíritu el que te sirva de escudo en la batalla, mi espíritu el que te cure las heridas, el que te guíe en la oscuridad, el que combata los influjos malignos, el que ahuyente de ti las fiebres. Te quiero, Alejandro, más que a cualquier cosa en el mundo.
—También yo, mamá, y pensaré en ti cada día. Y ahora despidámonos, porque partiré antes del amanecer.
Olimpia le besó en las mejillas, en los ojos y en la cabeza y continuaba estrechándole como si no pudiera separarse de él.
Alejandro se soltó suavemente del abrazo con un último beso y dijo:
—Adiós, mamá. Cuídate.
Olimpia asintió mientras de sus ojos caían gruesas lágrimas. Y sólo cuando el paso del rey se hubo perdido a lo lejos en los corredores del palacio real consiguió murmurar:
—Adiós, Aléxandre.
Veló toda la noche para contemplarle una última vez desde su balcón y verle ponerse la armadura a la luz de las antorchas, cubrirse la cabeza con el yelmo crestado, ceñirse la espada al costado, embrazar el escudo con la estrella de oro, mientras *Bucéfalo* relinchaba y piafaba impaciente y *Peritas* ladraba desesperado intentando inútilmente romper la cadena.
Permaneció inmóvil mirándole mientras corría en la grupa de su semental; permaneció en el sitio hasta que el último eco del galope se desvaneció a lo lejos, tragado por la oscuridad.

El almirante Nearco dio orden de izar el estandarte real y de hacer sonar las trompas y el gran quinquerreme se puso en movimiento deslizándose ligero sobre las aguas. En el centro del combés, en la base del palo mayor, estaba clavado el gigantesco tambor de Queronea y cuatro hombres marcaban el ritmo de la boga con unas grandes mazas forradas de cuero, de modo que el estruendo, llevado por el viento, podía ser oído por toda la flota.

Alejandro estaba erguido en proa revestido con una coraza chapada de plata y se cubría la cabeza con un yelmo resplandeciente de idéntico metal en forma de cabeza de león con las fauces abiertas. Llevaba unas grebas repujadas y ceñía la espada con la empuñadura de marfil que había sido de su padre. Con la mano derecha empuñaba una lanza de fresno de punta dorada que brillaba al sol a cada movimiento, como el rayo de Zeus.

El rey parecía embelesado por su sueño y se dejaba acariciar el rostro por el viento salobre y por la clarísima luz del Sol, mientras todos sus hombres, desde las ciento cincuenta naves de la flota, mantenían la mirada fija en aquella figura resplandeciente sobre la proa de la nave capitana, semejante a la estatua de un dios.

Pero de pronto pareció despertarle un sonido y aguzó el oído, miró a su alrededor inquieto, como si buscase algo. Nearco se acercó a él:

—¿Qué sucede, señor?

—Escucha, ¿no lo oyes también tú?

Nearco sacudió la cabeza:

—Yo no oigo nada.

—Pues sí, escucha. Se diría que... pero no es posible.

Bajó del castillo de proa y caminó a lo largo de la borda hasta que oyó, más nítido pero cada vez más débilmente, el ladrido de un perro. Miró entre las olas del mar encrespadas de espuma y vio a *Peritas*, que nadaba desesperadamente y estaba ya a punto de sucumbir. Gritó:

—¡Es mi perro! ¡Es *Peritas*, salvadlo! ¡Salvadlo, por Heracles!

Tres marineros se zambulleron de inmediato, ciñeron con unas sogas el cuerpo del animal y lo izaron a bordo.

La pobre bestia se abandonó completamente exhausta sobre la cubierta y Alejandro se arrodilló a su lado, acariciándola emocionado. Tenía aún en el cuello un trozo de cadena y las zarpas le sangraban por la larga carrera.

—*Peritas*, *Peritas* —continuaba llamándolo—. No te mueras.

—No te preocupes, señor —le tranquilizó un veterinario del ejército que había acudido con presteza—. Saldrá de ésta. Sólo está medio muerto de cansancio.

Una vez secado y calentado por los rayos del sol, *Peritas* comenzó a dar señales de vida y poco después dejó oír de nuevo su voz. En aquel momento Nearco apoyó una mano en un hombro del soberano.

—Señor, Asia.

Alejandro se puso en pie de golpe y corrió hacia proa: se perfilaba delante de él la orilla asiática, recortada por pequeñas ensenadas y punteada de pueblos enclavados entre colinas boscosas y playas soleadas.

—Nos estamos preparando para el desembarco —añadió Nearco, mientras los marineros amainaban la vela y se aprestaban a echar el ancla.

La nave siguió avanzando mientras surcaba las espumeantes olas con el gran rostro de bronce y Alejandro contemplaba aquella tierra cada vez más próxima, como si los sueños largo tiempo acariciados estuviesen a punto de hacerse realidad.

El comandante gritó:

—¡Remos fuera!

Y los bogadores alzaron los remos chorreantes de agua, dejando que la nave discurriese por propia inercia hacia la costa. Cuando estuvieron a escasa distancia, Alejandro empuñó la lanza, tomó carrerilla por la cubierta y la lanzó con toda sus fuerzas.

La aguzada asta voló por el cielo en amplia parábola, centelleando al sol como un meteoro; luego dirigió su punta hacia abajo cayendo cada vez más rápido hasta que se hincó, vibrando, en Asia.

NOTA DEL AUTOR

Mi intención al escribir esta «novela de Alejandro» en clave contemporánea ha sido contar, del modo más realista y atractivo posible, una de las más grandes aventuras de todos los tiempos, sin por ello renunciar a la máxima fidelidad a las fuentes, tanto literarias como materiales.

He elegido un lenguaje en conjunto bastante moderno porque el mundo helenístico fue, en muchos aspectos, «moderno» —en su expresión artística, en sus innovaciones arquitectónicas, en su progreso técnico y científico, en su gusto por lo nuevo y lo espectacular—, tratando no obstante de evitar expresiones gratuitamente anacrónicas. En el ámbito militar, por ejemplo, he utilizado términos modernos como «batallón» o «general» para traducir *lóchos* o *strategós*, que habrían podido resultar duros para muchos lectores, y en el ámbito médico palabras como «bisturí» para indicar un instrumento quirúrgico ampliamente documentado por la arqueología. Allí donde un término antiguo resultaba comprensible, he preferido no obstante mantenerlo.

He tratado asimismo de restituir el lenguaje típico de algunos ambientes y de los diferentes personajes (mujeres, hombres, soldados, prostitutas, médicos, artistas, adivinos), teniendo presente sobre todo a los poetas cómicos (en particular a Aristófanes y a Menandro) y a los epigramáticos, que por necesidades propias de su arte tenían que reproducir un lenguaje realista, hasta en sus connotaciones populares y chocarreras. Los mismos poetas me han resultado una fuente inapreciable para la recuperación de muchos aspectos de la vida cotidiana, tales como la moda, la cocina, los dichos y proverbios.

Por lo que se refiere a la peripecia histórica, he tenido presente fundamentalmente a Plutarco, Diodoro Sículo, Arriano y Curcio Rufo, con ocasionales referencias a Pompeo Trogo y a la *Novela de Alejandro*. Para la ambientación antropológica y de costumbres me he basado principalmente en las anécdotas más animadas de determinados pasajes de Plinio, Valerio Máximo, Teofrasto, Pausanias, Diógenes Laercio, pero he bebido asimismo en una variedad de fuentes dispares tales como Jenofonte, Eliano, Apolodoro, Estrabón, y naturalmente Demóstenes y Aristóteles, aparte de fragmentos de historiadores griegos cuyas obras se han perdido. Las fuentes arqueológicas, en general, han constituido el soporte para la reconstrucción de ambientes, interiores, enseres, armas, decoraciones, mobiliario, máquinas, utensilios, y el descubrimiento reciente de las tumbas reales de Vergina ha permitido la reconstrucción realista de los funerales de Filipo II.

Quisiera expresar mi agradecimiento, en el momento de dar a la imprenta este volumen, a cuantos amigos me han brindado su ayuda y consejo, en especial a Lorenzo Braccesi que me ha acompañado en este largo y no siempre fácil viaje tras los pasos de Alejandro, y a Laura Grandi y Stefano Tettamanti que han seguido, puede decirse que página a página, el nacimiento de esta novela.

Valerio Massimo Manfredi